MICHAEL BILTON · PETER KOSMINSKY

HABLANDO CLARO

Traducción de
BENIGNO H. ANDRADA

MICHAEL BILTON - PETER KOSMINSKY

HABLANDO CLARO

Testimonios inéditos sobre
la guerra de las Malvinas

EMECÉ EDITORES

Diseño de tapa: *Eduardo Ruiz*

Título original: *Speaking Out. Untold Stories from the Falklands War*

Original Interviews copyright © 1987 by Yorkshire Television Limited. Edited interviews for this Book and all additional text copyright © *1989 by Michael Bilton and Peter Kosminsky*

Todos los derechos reservados
First published in 1989 by André Deutsch Limited, London.

© Emecé Editores, S.A., 1991
Alsina 2062 - Buenos Aires, Argentina

Primera edición en offset: 3.000 ejemplares.

Impreso en Compañía Impresora Argentina S.A., Alsina 2041/49, Buenos Aires, marzo de 1991

IMPRESO EN LA ARGENTINA - PRINTED IN ARGENTINA
Queda hecho el depósito que previene la ley 11.723

I.S.B.N.: 950-04-1050-8
37.084

Lista de Colaboradores

(Los puestos que se mencionan son los ocupados en oportunidad de la Guerra de las Malvinas, en 1982).

DIPLOMÁTICOS

Sir Anthony Williams, Embajador británico en Buenos Aires.

Nicanor Costa Méndez, Ministro de Relaciones Exteriores argentino.

David Gompert, Subsecretario de Estado Adjunto para Asuntos Políticos de los Estados Unidos.

Jeane Kirkpatrick, Embajadora de los Estados Unidos ante las Naciones Unidas.

Sir Anthony Parsons, Embajador Británico ante las Naciones Unidas.

MARINOS

Capitán de Navío Héctor Bonzo, Comandante del *General Belgrano.*

Capitán Médico Juan Antonio López, Médico naval argentino.

Capitán de Corbeta Patrick Kettle, oficial ingeniero en el HMS *Sheffield.*

Subteniente Steve Iacovou, HMS *Sheffield*

Capitán de Fragata Alan West, HMS *Ardent.*

Ken Enticknab, suboficial principal, HMS *Ardent.*

Sam Bishop, suboficial, HMS *Antelope.*

Capitán de Corbeta Cirujano Rick Jolly OBE, comandante del hospital de campaña, Ajax Bay.

Marion Stock, enfermera, SS *Uganda.*

PILOTOS

Primer Teniente Ian Mortimer, Escuadrón 801, HMS *Invincible*.
Primer Teniente Jeff Glover, Escuadrón N° 1.
Capitán de Corbeta Nigel "Sharkey" Ward, Jefe del Escuadrón 801.
Mayor Carlos Antonio Tomba, Grupo argentino de ataque 3.
Teniente Ricardo Lucero, Grupo de ataque 4, argentino.
Teniente de Navío Guillermo Owen Crippa, Aviación Naval Argentina, 1er Escuadrón de Ataque.
Capitán de Corbeta Alberto Philippi, Aviación Naval Argentina, 3er Escuadrón de Ataque.

SOLDADOS

Sargento Manuel Batista, Infante de Marina instructor en Puerto Belgrano, Argentina.
Sargento Mayor Barry Norman, $2°$ Batallón, Regimiento de Paracaidistas.
Mayor Chris Keeble, segundo comandante, $2°$ Batallón, Regimiento de Paracaidistas.
Subteniente Ernesto Orlando Pelufo, cadete argentino.
Mayor Ewan Southby-Tailyour, ex capitán de corbeta de Infantería de Marina y asesor para la invasión.
Infante de Marina Chris White, Real Infantería de Marina, 1er Escuadrón de Exploración.
Guardia David Grimshaw, 1er Batallón Guardias Galeses.
Guardia Wayne Trigg, 1er Batallón Guardias Galeses.
Cabo Kevin Moran, especialista en sanidad, Regimiento de Paracaidistas.
Soldado Marcos Irrazábal, 3er Regimiento de Infantería, argentino.
Soldado Horacio Benítez, $5°$ Regimiento de Infantería, argentino.
Soldado Patricio Pérez, 3er Regimiento de Infantería, argentino.
Capitán Horacio Losito, Unidad de Comandos, argentino.
Teniente Alastair Mitchell, comandante de pelotón, $2°$ Batallón de Guardias Escoceses.
Capitán de Corbeta Carlos Hugo Robacio, Comandante del Batallón $5°$ de Infantería de Marina, argentino.

General Mario Benjamín Menéndez, Gobernador Militar de las Malvinas.

Brigadier Julian Thompson, Comandante de la Brigada 3 de Comandos.

Sargento Lou Armour, Real Infantería de Marina.

CIVILES

Gerald Cheek, operador del Servicio Aéreo del Gobierno de las Islas Falkland (Islas Malvinas)

Hulda Stewart, isleña malvinense.

June McMullen, isleña malvinense.

Señora María Krause, viuda del Mayor Carlos Eduardo Krause, fallecido.

Señora Eda Masse de Sevilla, madre del teniente Gerardo Sevilla, fallecido.

John Whiterow, corresponsal del *Times*.

Gillian White, esposa de Chris White, Real Infantería de Marina.

Mary Watson, madre de Tony Watson, marino del HMS *Glamorgan*.

Jane Keoghane, viuda de Kevin Keoghane, 1er Batallón de Guardias Galeses.

Dorothy Foulkes, viuda de Frank Foulkes, mecánico en el *Atlantic Conveyor*.

Lord Whitelaw, Secretario del Interior, británico, y miembro del Gabinete de Guerra.

Reconocimientos

No teníamos la intención de escribir un libro sino la de producir una película sobre una guerra. Por lo tanto, nuestra primera obligación es agradecer a todos aquellos que fueron entrevistados para la película *Falklands War: The Untold Story*,[1] cuyos relatos aparecen en este libro. Ser entrevistado para un libro o un artículo de un periódico es, en muchos aspectos, más fácil que aparecer en una película. Las personas que desafiaron la cámara para hablar de sus experiencias, a menudo muy personales y horrorosas desde el punto de vista emocional, necesitaron un valor muy especial, al que este libro rinde tributo. Tenemos con ellas una particular deuda de agradecimiento. Ninguna de esas personas desea buscar publicidad, pero sus contribuciones individuales son parte integral de un importante segmento de historia oral. Después de realizar unas ochenta y siete entrevistas a lo largo de casi un año, nos hemos dado cuenta de que, involuntariamente, hemos producido los elementos básicos de un interesante documento. A menudo, ellos nos dieron gran parte de su tiempo, pero los requerimientos de la televisión determinaron que fuera necesario elegir. En muchos casos sólo aparecieron en la pantalla unos pocos minutos de lo que la gente quería decir. En otros, quedaba sin efecto la totalidad de la entrevista. Pero cada colaboración era fascinante. Esperamos que tengan la sensación de que, en el proceso de composición, hemos conservado el espíritu de lo que querían decir.

La televisión es un esfuerzo de equipo, y nosotros tuvimos la bendición de poder trabajar con algunas de las personas de mayor talento en la especialidad, tanto en el área de producción como en la técnica. Queremos agradecer especialmente a nuestros colegas de la Televisión de Yorkshire, que condujeron muchas de las entrevistas: nuestro Productor Asociado bilingüe, Patrick Buckley, que estaba en su elemento en la Argentina; y, en Gran Bretaña, tres brillantes investigadores: Ros Francy, Jill Turton y Clive Gordon. Hicimos muchos amigos en la Argentina. Entre aquellos que nos proporcionaron una

---

1 La Guerra de las Malvinas. Lo que no se dijo. (*N. del T.*)

ayuda invalorable se encuentran: nuestra consultora, María Laura Avignolo, una de las más talentosas periodistas en América del Sur; Bernadita Giannuzzi; Juan Yofre; Joy Spalding, de la sección de intereses británicos de la Embajada de Suiza; Roberto Roscoe y "Jimmy" Tagan de la Armada argentina; Jorge Columbo; y George Nezvijinsky.

En Gran Bretaña tuvimos la suerte de tener a nuestro lado como consultor al mayor general Julian Thompson, que comandó la brigada 3 de Comandos en la Guerra de las Malvinas. Julian nos situó en el rumbo correcto antes de retirarse de la Real Infantería de Marina. Su consejo y experiencia son incalculables, y su compañía es una delicia. El teniente coronel Chris Keeble, del Regimiento de Paracaidistas, y el capitán de corbeta médico Rick Jolly, de la Armada Real. Ambos sirvieron con distinción en la campaña del Atlántico Sur y nos alentaron desde temprano para que viajásemos a la Argentina y pudiésemos así contar ambas versiones de la historia. Algunas personas del Ministerio de Defensa fueron increíblemente útiles para nosotros; ellas saben quiénes son.

En las Islas Falkland (Malvinas) debemos agradecer a Denis Cornish, de Laing Mowlem ARC; Patrick Watts del Servicio de Radiodifusión de las Islas Falkland (FIBS); Gerald Cheek y el Servicio Aéreo del Gobierno de las Islas Falkland (FIGAS) y sus pilotos; David Rose de las Fuerzas Británicas de las Islas Falkland (BFFI) y su jefatura; June McMullen, de Goose Green (Prado del Ganso) y Hulda y Ian Stewart, de Port Stanley (Puerto Argentino) por su maravillosa hospitalidad.

En los Estados Unidos, David Gompert nos permitió que abusáramos de su amabilidad después de un aviso desconsideradamente breve; la embajadora Jeane Kirkpatrick cumplió una promesa y mantuvo una audiencia a pesar de haber pasado por una operación dental de tres horas de duración; y Tara Sonenshine y Tom Gunn nos abrieron puertas que de otra manera habrían permanecido cerradas.

En la Televisión de Yorkshire, por su respaldo en la realización del documental más importante de la televisión británica, tenemos que agradecer a Paul Fox, nuestro anterior Director Gerente, y a John Fairley, Director de Programas. Debemos un especial reconocimiento a John Willis, nuestro anterior Controlador de Documentales, que golpeó una vez la mesa, firmó los cheques y después confió en nuestro juicio. Por último, queremos agradecer a Sara Menguc, nuestra muy paciente editora en André Deutsch y a Steve Cox, nuestro corrector de pruebas, que con su experiencia y habilidad nos guió hasta la publicación.

Cronología

1960
14 de diciembre. La Resolución 1514 de las Naciones Unidas invita a poner fin al colonialismo; Gran Bretaña incluye en su lista a las Islas Falkland (Malvinas) como una colonia, y Argentina presenta objeciones.

1965
15 de diciembre. La Resolución 2065 de las Naciones Unidas invita a Gran Bretaña y la Argentina a negociar por las Islas.

1971
1º de julio. Argentina y Gran Bretaña llegan a un acuerdo para mejorar las comunicaciones entre las Islas y el continente argentino.

1973
abril. Gran Bretaña se niega a discutir sobre la soberanía; las negociaciones se paralizan.

1974
septiembre. Un acuerdo comercial otorga a la compañía petrolera argentina el derecho a vender productos del petróleo en las islas, a precios del continente.

1976
enero. Lord Shackleton visita las islas para investigar sobre su futuro económico.
4 de febrero. La Armada Argentina abre fuego sobre un buque británico de exploración que se dirigía a Port Stanley (Puerto Argentino). Las relaciones entre los dos países pasan por un momento de declinación.
julio. El informe de Lord Shackleton sugiere que los mayores recursos naturales de las islas —petróleo y pesca— deberían ser desarrollados en cooperación con la Argentina.

1980
28 de noviembre. El ministro Nicholas Ridley visita las Malvinas para tener conversaciones sobre opciones políticas, que

13

incluyen un arreglo de "arriendo" con la Argentina.

2 de diciembre. En el parlamento, los miembros conservadores, laboristas y liberales atacan las sugerencias de Ridley a los isleños.

1981

20 de diciembre. El comerciante en chatarra C.S. Davidoff visita las Islas Georgias del Sur para inspeccionar estaciones balleneras abandonadas, sin permiso oficial.

1982

3 de febrero. El gobierno británico protesta por la visita no autorizada de Davidoff.

19 de marzo. Trabajadores de Davidoff desembarcan en las Islas Georgias del Sur, junto con un contingente de infantes de marina argentinos. Gran Bretaña ordena al HMS *Endurance* que los obligue a retirarse.

24 de marzo. La Armada Argentina envía buques de guerra a las Islas Georgias del Sur.

26 de marzo. La Junta Militar, en Buenos Aires, establece la fecha para ocupar las Islas Malvinas.

2 de abril. Fuerzas argentinas desembarcan en Puerto Stanley (Puerto Argentino).

3 de abril. Las Naciones Unidas aprueban la Resolución 502, que reclama una inmediata finalización de hostilidades y el retiro de las tropas argentinas de las islas. La Fuerza de Tareas británica se prepara para partir hacia el Atlántico Sur, para cumplir la "Operación Corporate" — la recuperación de las Islas Falkland (Malvinas).

8 de abril. El secretario de Estado de los Estados Unidos Alexander Haig inicia su serie de viajes para la paz, intentando una mediación.

12 de abril. Gran Bretaña impone una Zona de Exclusión de 200 millas alrededor de las Islas Malvinas.

23 de abril. Argentina recibe la advertencia de que cualquier amenaza contra la Fuerza de Tareas será respondida con las armas.

25 de abril. Infantes de Marina británicos y miembros del SAS (Servicios Aéreos Especiales británicos) recapturan las Georgias del Sur. Es atacado el submarino argentino *Santa Fe, que queda fuera de combate.*

30 de abril. Se introduce alrededor de las islas la Zona de Exclusión Total.

1º de mayo. La Real Fuerza Aérea bombardea posiciones argentinas en Puerto Argentino, Prado del Ganso y otros objetivos estratégicos.

2 de mayo. El submarino británico HMS *Conqueror* hunde al crucero argentino *General Belgrano*. El precio en vidas es de 368 hombres.

4 de mayo. Un misil Exocet destruye al HMS *Sheffield*.

14 de mayo. Tropas del SAS efectúan una incursión en la Isla Pebble y destruyen 11 aviones.

21 de mayo. La 3ª Brigada de Comandos desembarca en la Isla Falkland del Este (Isla Soledad) y establece una cabeza de puente. La fragata HMS *Ardent* es hundida. 15 aviones argentinos derribados.

23 de mayo. La fragata HMS *Antelope* recibe un ataque (se hunde el 24 de mayo). 10 aviones argentinos derribados.

25 de mayo. Se pierde el HMS *Coventry,* y el *Atlantic Conveyor,* este último por impacto de un Exocet que causa su hundimiento el 28 de mayo.

28 de mayo. El batallón 2 de Paracaidistas recaptura Prado del Ganso. Muere el teniente coronel "H" Jones.

30 de mayo. La unidad 45 de Comandos captura el establecimiento Douglas; el Batallón 3 de Paracaidistas toma Teal Inlet; la unidad 42 de Comandos de Infantería de Marina avanza sobre el Monte Kent y el Monte Challenger.

31 de mayo. 19 hombres del Cuadro de Infantería de Marina para Guerra Ártica y de Montaña capturan Top Malo House después de un combate.

1º de junio. La Brigada 5 de Infantería desembarca en San Carlos.

8 de junio. El *Sir Galahad* es bombardeado en Bahía Agradable. Mueren 48 hombres, incluyendo 38 Guardias galeses. También es bombardeado el *Sir Tristram.* 2 tripulantes muertos.

11-12 de junio. En una serie de batallas, los británicos toman Monte Harriet, Dos Hermanas y Monte Longdon.

13-14 de junio. Caen Monte Tumbledown, Wireless Ridge y Monte William. El gobierno militar argentino en las Islas Malvinas se rinde.

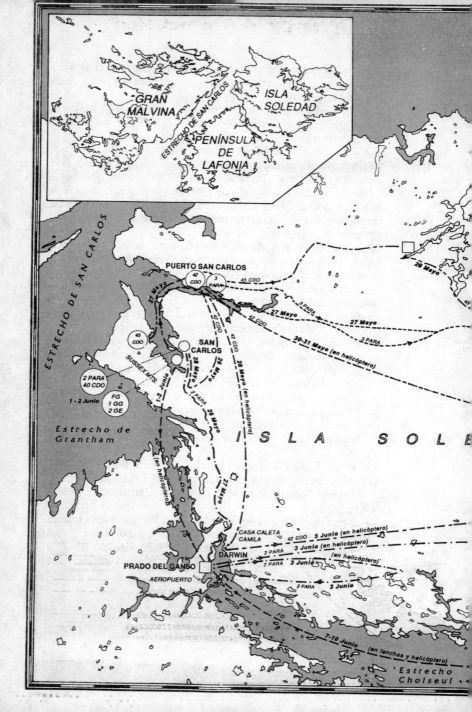

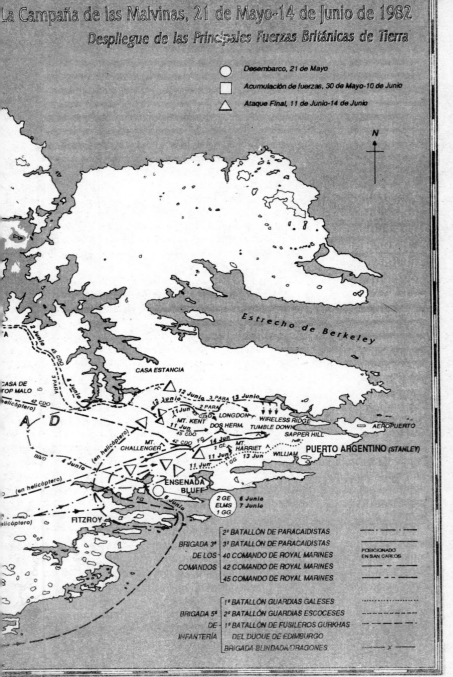

La Campaña de las Malvinas, 21 de Mayo-14 de Junio de 1982

Despliegue de las Principales Fuerzas Británicas de Tierra

○ Desembarco, 21 de Mayo

□ Acumulación de fuerzas, 30 de Mayo-10 de Junio

△ Ataque Final, 11 de Junio-14 de Junio

N

Estrecho de Berkeley

CASA ESTANCIA

CASA DE
TOP MALO
(helicóptero)

45 CDO 2 Junio
3 PARA 4 Junio

42 CDO (helicóptero)

A   D

12 Junio 3 PARA 13 Junio
12 Junio 2 PARA
11 Jun 2 CDO LONGDON WIRELESS RIDGE
MT. KENT DOS HERM. TUMBLE DOWN
11 Jun 45 CDO SAPPER HILL AEROPUERTO
42 CDO FG
14 Jun MT.
2 GE HARRIET PUERTO ARGENTINO (STANLEY)
11 Jun 13 Jun WILLIAM
1 GG

BB/D 4 Junio

MT.
CHALLENGER

(en helicóptero)

11 Jun

ENSENADA
BLUFF

2 GE   6 Junio
ELMS
1 GG   7 Junio

(en helicóptero)

FG   6 Junio

FITZROY

(helicóptero)

		POSICIONADO EN SAN CARLOS
	2º BATALLÓN DE PARACAIDISTAS	
BRIGADA 3ª	3º BATALLÓN DE PARACAIDISTAS	
DE LOS	40 COMANDO DE ROYAL MARINES	
COMANDOS	42 COMANDO DE ROYAL MARINES	
	45 COMANDO DE ROYAL MARINES	

	1º BATALLÓN GUARDIAS GALESES	
BRIGADA 5ª	2º BATALLÓN GUARDIAS ESCOCESES	
DE	1º BATALLÓN DE FUSILEROS GURKHAS	
INFANTERÍA	DEL DUQUE DE EDIMBURGO	
	BRIGADA BLINDADA/DRAGONES	——X——

Sue Lawes

Introducción

El conflicto de dos meses y medio entre Gran Bretaña y la Argentina, durante el verano de 1982, fue una guerra en escala total, la primera experimentada por una generación de hombres jóvenes. En unas pocas y breves semanas murió un millar de ellos y dos mil resultaron heridos. Fue una campaña en la que sofisticados misiles que cruzaban el mar rozando el agua hundieron modernos buques de guerra, y hubo hombres que lucharon contra otros usando bayonetas en las trincheras. En ambos países, los medios masivos de comunicación fueron víctimas de las campañas de propaganda de sus respectivos gobiernos, algunos involuntariamente, otros con plena conciencia. Entonces, ¿qué ha llegado a saber la gente que permaneció en sus hogares sobre la realidad, más allá de las hazañas de increíble valor, las ceremonias con medallas y los desfiles de la victoria? ¿Qué saben de los espantosos horrores y la brutalidad de la guerra, tal como fueron experimentados por los hombres que actuaron en la campaña de las Islas Falkland (Malvinas)? La respuesta, tristemente, es: muy poco.

Cuando regresaron a Gran Bretaña los que tenían terribles quemaduras o algunos miembros amputados, mantuvieron a distancia, en su mayor parte, a los medios de comunicación. Porque había que librar otra campaña: la campaña del manejo de las noticias por la estimación de que los ciudadanos que habían quedado en sus hogares podrían no apoyar la guerra si veían parte del costo en términos de vidas destrozadas. Quienes conducían la propaganda británica de guerra sabían perfectamente que el espectáculo de aviones cargados con soldados heridos y decenas de miles de ataúdes que volvían a los Estados Unidos en las décadas de los años 60 y 70, había contribuido a la pérdida del apoyo popular a la Guerra de Vietnam.

Lo que confirmó una vez más la Guerra de las Falklands (Malvinas) es la lección de que cada generación parecería tener que aprender todo de nuevo. Que la guerra, cualquiera que sea el lado donde uno se encuentre es algo horrible, espantoso y sangriento. Esto es así particularmente en los momentos de los contactos humanos, sea mediante granadas de morteros o de artillería, o de bombas antipersonales que caen desde el cielo, o de combate cuerpo a cuerpo en las trincheras abiertas en la turba de Prado del Ganso o en los refugios defendidos con eficacia entre las rocas y peñascos del Monte Tumbledown. Pero es igualmente cierto que la interminable espera de un enemigo que nunca llega puede acarrear su propio terror. El hundimiento del *General Belgrano* por un torpedo hizo tomar conciencia a la Armada Real sobre cuán vulnerables eran. La dotación del HMS *Sheffield* jamás vio la máquina que disparó el misil que destruyó su buque. El miedo jugó una parte enorme en la forma en que la guerra afectó a cada individuo. La moral consistía en sobreponerse a ese miedo.

Naturalmente, las percepciones difieren. Todo puede depender de dónde se encontraba uno, con quién se hallaba, si estaba ganando o perdiendo, si tenía una buena razón para sentirse petrificado porque le estaban disparando o lo bombardeaban. También podía depender de que uno tuviera un puesto seguro en territorio amigo, especialmente si era en Buenos Aires, Isla Ascensión, o Whitehall. Claramente había una actitud diferente por parte de los soldados británicos y argentinos que llegaban a esa situación desde distintos puntos de partida, distintas culturas.

Para ambas partes el patriotismo era importante: los que habían quedado en sus hogares esperaban de ellos que ganaran la guerra por sus respectivos orgullos nacionales. Las Malvinas, como ellos llaman a las Falklands, son una causa nacional en la Argentina. Los soldados argentinos, en su mayoría conscriptos adolescentes, tenían un sentimiento de apego profundamente emocional con respecto a las Islas, aunque nunca hubieran estado en ellas. Aprendían desde niños, en la escuela primaria, que las islas pertenecían a la Argentina y que habían sido robadas por piratas británicos en 1833.

Los soldados británicos, todos ellos voluntarios profesionales, eran más imparciales. Es difícil imaginarlos interesados por un hecho ocurrido ciento cincuenta años atrás. Cuando un marino proclamó: "Muchos de nosotros creíamos que las Falklands estaban arriba de Escocia", estaba hablando por un montón de gente. Las Islas no eran una causa nacional para la Fuerza de Tareas británica, pero echar de ellas a los "gauchos de Galtieri" sí lo era. Muchos de ellos veían a la Guerra de las Malvinas simplemente como parte de su misión, la suerte de los militares de todas las épocas: recibir la orden de marchar al exterior para arreglar los desbarajustes dejados por los políticos. Aun así, soldados y marinos lo pasaron muy mal al enfrentarse con la realidad de aquello para lo cual los habían instruido: combatir en tiempo de guerra. Cumplieron con su deber, pero a muchos no les gustó tanto ir a la guerra como creían que debía de haberles gustado. Otros quedaron completamente escarmentados por la experiencia. Como la mayor parte de los hombres que regresaban de la guerra, no podrían nunca olvidar lo que habían visto, y no querían volver a vivir esos momentos. Algunos, en cambio, disfrutaron a fondo las emociones y excitaciones del combate.

Allá en el terreno, en el campo de batalla, la experiencia de los altos mandos de ambas partes no fue muy distinta. Hay una creencia popular de que esos hombres de elevadas jerarquías disfrutan de un alto grado de libertad para conducir la guerra como mejor les parece. Esta opinión ha quedado hoy completamente anulada por las modernas y sofisticadas comunicaciones. Las autoridades superiores, tanto en Buenos Aires como en Londres, observaban el "gran cuadro de situación" y rápidamente emitían órdenes a los comandantes en el campo. El general Menéndez tuvo que luchar con las intervenciones regulares del comando militar en Buenos Aires, y el brigadier Julian Thompson tuvo sus momentos en el teléfono por satélite con Londres, no todos ellos cordiales y afectuosos. Después de uno de esos frustrantes llamados se prometió enfurecido que ganaría la guerra para esos "inservibles" de Londres, y luego pediría su retiro.

Muchos de los participantes nunca dejaron de preguntarse cómo fue que se encontraron peleando en esa guerra. Sabemos ahora que la ocupación de las islas por parte de los argentinos fue el resultado de un verdadero fiasco diplomático. Cada una de las partes trasmitió señales equivocadas o bien entendió mal aquello que la otra estaba diciendo, a pesar de que los mandarines que actúan para nosotros como diplomáticos profesionales y los analistas de inteligencia están allí para impedir que pasen esas cosas. Si ellos no son capaces de solucionar los pequeños problemas, ¿qué ocurrirá cuando se presente uno grave? La verdad es que las Malvinas *eran* un problema grave, pero se las consideró como si hubiera sido menor, hasta que fue demasiado tarde. ¡Qué increíble parece que este punto de conflicto potencial haya estado juntando presión durante casi veinte años y que luego surgiera como una sorpresa absoluta cuando finalmente estalló hasta convertirse en una guerra a escala total!

No fue solamente una conmoción para los pueblos de Gran Bretaña y de la Argentina. Apareció también como una bomba en la escena del mundo político; y no menos para el gobierno de los Estados Unidos, que mantenía amistosas relaciones con ambos bandos del conflicto. Sabemos ahora que una preocupación mayor para los norteamericanos era que no fueran arrastrados a un choque de superpotencias con los rusos. De haber intervenido el gobierno soviético para explotar la grieta producida entre dos naciones occidentales, los Estados Unidos también se habrían visto envueltos. Lo que ocurrió fue que los Estados Unidos tuvieron que elegir a cuál de los dos países iban a apoyar. Mostraban ansiedad por no perturbar sus cordiales relaciones con el resto de América Latina, pero no podían confiar en la Junta de Buenos Aires. Los norteamericanos pensaban que su agresión inicial al atacar las Islas no debía ser recompensada. Sin embargo, Alexander Haig y sus abortados viajes por la paz contribuyeron al fracaso diplomático general asociado con la Guerra de las Malvinas; fracaso que concluyó finalmente con la muerte y mutilación de tantos hombres jóvenes.

En la Argentina hubo pocos beneficios para *Los chicos de la guerra*, ni siquiera para los conscriptos que volvieron a casa heridos. No existió ningún Fondo del Atlántico Sur para ellos, y muchos se sintieron proscriptos en la sociedad argentina por haber estado relacionados con una humillación pública nacional. Es un país que tiene graves problemas económicos, con un enorme índice de inflación. Los empleos escasean, y algunos conscriptos se vieron obligados a organizar pequeñas cooperativas que vendían frutas y hortalizas cultivadas en los hogares, ocupando puestos en los mercados de los suburbios más pobres de Buenos Aires.

A los británicos les fue mejor, naturalmente. Ellos regresaron a una nación agradecida y a una burocracia más comprensiva. Todos recibieron pagos por sus heridas, algunos más que otros, según sus jerarquías. Los que habían perdido miembros se presentaron frente a diversas juntas de empleo del ejército y la marina y les permitieron permanecer uniformados. Otros habían quedado tan incapacitados que tuvieron que dejar las filas.

En vez de disminuir, las víctimas de la Guerra de las Malvinas están aumentando en realidad. Los psiquiatras que viajaron con la Fuerza de Tareas empezaron a tratar a los soldados y marinos aun antes de los desembarcos en San Carlos. El síndrome de la batalla fue una de las más significativas causas de bajas en el Atlántico Sur: cuarenta de las setecientas setenta obedecieron a problemas psiquiátricos de una u otra clase. Como puede verse en este libro, los síntomas de tensión nerviosa debidos a reacciones agudas por la batalla pueden variar desde el caso del marino que, según sus propias palabras, convirtió en un infierno la vida de su esposa e hijos durante dieciocho meses después de su regreso a casa, hasta el del infante de marina que intentó suicidarse dos veces después de haber sobrevivido al bombardeo del *Sir Galahad* en Bahía Agradable, en el que resultaron muertos cuarenta y ocho soldados y tripulantes.

Los psiquiatras militares y civiles están ocupándose ahora de un creciente número de hombres veteranos de la campaña de las Falklands (Malvinas), que sufren de los efectos retardados de aquel síndrome. (El entrenamiento y el servicio intensivo en Irlanda del Norte han logrado que el ejército se comporte ligeramente mejor que la marina.) Sus pacientes son tanto oficiales como de otras jerarquías. El Real Hospital Naval en Portsmouth ha tratado hasta ahora quinientos de esos casos, y espera recibir, en promedio, uno por semana durante los próximos diez o quince años. Muchos de sus pacientes no han podido hablar de sus experiencias, pensando que sus seres queridos —familias, padres y amigos— simplemente no comprenderían por lo que han pasado. El propósito de este libro es lograr que no quede nadie con alguna duda.

Michael Bilton
York
1º *de enero de 1989*

DIPLOMÁTICOS

SIR ANTHONY WILLIAMS

Sir Anthony Williams era el Embajador británico en Buenos Aires en 1980-82. Estuvo íntimamente relacionado con las negociaciones diplomáticas con la Argentina antes de que ésta ocupara las Islas Falkland. Cuando Gran Bretaña rompió las relaciones diplomáticas se vio obligado a abandonar el país. Regresó a Londres y durante el conflicto fue un estrecho colaborador del entonces secretario de Asuntos Exteriores, Mr. Francis Pym.

Las negociaciones entre Gran Bretaña y la Argentina sobre el futuro de las Islas Falkland se habían estado realizando desde hacía diecisiete años, un tiempo extremadamente largo, particularmente cuando se trata de una disputa territorial comparativamente definida. La pregunta básica en esa situación es siempre: "¿Las tendré yo? ¿Las tendrá usted? ¿Las compartiremos?" No hay otras posibilidades. Hasta ahora, la dificultad para los británicos ha consistido en que ninguna de esas soluciones para las Falklands es del todo satisfactoria políticamente. Dárselas a los argentinos significaría nuestra renuncia a las Islas. Eso, claramente, no era aceptable desde el punto de vista político. Conservarlas nosotros traería como consecuencia entrar en una situación de Fortaleza Falkland, y gobierno tras gobierno, en Gran Bretaña, ha considerado que sería desesperadamente costoso. Eso era un factor dominante. En consecuencia, sólo quedaba la posibilidad de encontrar alguna forma de compartirlas: arriendo o condominio. Pero resultaba sumamente claro que los isleños no veían con buenos ojos esa idea. Como nosotros nos habíamos comprometido a la propuesta de que los deseos de los isleños debían ser primordiales, nuestra única posición para negociar realmente era esperar hasta que las ideas evolucionaran. Hacer eso durante diecisiete años requiere una enorme dosis de paciencia por parte de aquellos que ven simplemente el tema, y una gran ingenuidad por parte de los que no quieren llegar a ninguna conclusión en el futuro inmediato.

Una de las formas en que era posible prolongar ese proceso consistía ciertamente en intentar dar a los argentinos la oportunidad de convencer a los isleños de que convertirse en argentinos ofrecería para ellos muchas ventajas. En muchas formas, había sido sobre esto que trataron las negociaciones que condujeron a diversos acuerdos —los acuerdos de comunicaciones de 1971 y 1974 (véase Cronología)—. Éstos ponían fin al aislamiento de los isleños y les daban la oportunidad de ver que los argentinos no tenían pezuñas.

La demora fue muy frustratoria para los argentinos. Para ellos la situación estaba perfectamente clara: pensaban que un puñado de isleños —mil setecientos o mil ochocientos— sólo eran realmente ocupantes coloniales. Los argentinos querían continuar el tema hasta solucionarlo. Estaban dispuestos a cooperar para hacer un intento que convenciera a los isleños. Para esto se estableció el enlace con la línea aérea, la provisión de derivados del petróleo y la concurrencia de sus niños a las escuelas argentinas en 1971, según el acuerdo firmado ese año. Se debe admitir que, hacia 1980-81, hasta los mismos argentinos podían ver que con eso no llegaban a ninguna parte. Los isleños no se mostraban de ninguna manera más propensos a estrechar contactos con ellos.

No era fácil para las personas próximas al escenario de los hechos —menos aún para los que se hallaban en Londres— darse cuenta de que la situación estaba cambiando y de que la magnitud de posibles pérdidas de tiempo, paciencia y espacio para negociar, con que alguna vez pudimos contar, iba decreciendo. Había decrecido mucho después de la malograda propuesta de Nicholas Ridley en la Cámara de los Comunes, en 1981, cuando quedó demostrado que el arriendo no iba a constituir una solución inmediata.* En la Argentina, nuevos personajes, más nacionalistas, tuvieron acceso a la Junta, el almirante Anaya y el ministro Costa Méndez.

Aunque desde la embajada nosotros estábamos enviando a Gran Bretaña mensajes con advertencias de que el tiempo se acortaba y los problemas se hacían más agudos, teníamos que enfrentar la dificultad

---

*Nicholas Ridley visitó las islas Malvinas como ministro de Asuntos Exteriores en noviembre de 1980, para bosquejar su propuesta de arreglo mediante un "arriendo". Cuando dio al Parlamento los detalles del plan sufrió ataques de un gran número de miembros del Parlamento de todos los partidos, y la propuesta quedó descartada.

de que se estaban produciendo muchas otras crisis en el mundo. En Londres había una tendencia a considerar que la disputa con la Argentina llevaba un largo tiempo y habría de continuar aún por mucho tiempo más, de modo que su lugar en la "cola" podía atrasarse. Todos podían ver que, en cierto sentido, las arenas del tiempo se estaban acabando. La duda era ¿con qué rapidez? Todas las indicaciones daban a entender que lo que querían los argentinos era ponernos públicamente en la posición equivocada, de manera que si actuaban radicalmente —como nosotros esperábamos que podían hacerlo— obtendrían el apoyo de las Naciones Unidas, del hemisferio occidental y, especialmente, de los Estados Unidos. Todo esto se estaría preparando para el 150° aniversario del desembarco británico original en las islas, en enero de 1833.

Yo seguía enviando advertencias a Gran Bretaña en el sentido de que las cosas estaban empeorando. Y envié un aviso mucho más grave cuando tuve una larga conversación con el ministro de Relaciones Exteriores argentino, en septiembre de 1981. El entonces presidente Viola fue reemplazado por Galtieri. El comandante de la Armada Argentina, almirante Anaya —un hombre de la línea dura— creía en la solución de fuerza. Nosotros llamamos la atención de Londres sobre esta situación una y otra vez. Sospecho que el Ministerio de Asuntos Exteriores británico pensó que era un problema que se podía dejar pasar. ¡Tantas veces antes había alcanzado un nivel de altos decibeles para enfriarse después al poco tiempo! De ninguna manera estaban convencidos de que mi información era necesariamente mejor que la recibida por ellos de otras fuentes de inteligencia (por ejemplo Inteligencia de Comunicaciones, la intercepción del tráfico cifrado diplomático de la Argentina por la Jefatura de Comunicaciones del Gobierno —GCHQ).

Se hacía cada vez más claro que la atmósfera estaba empeorando, y yo lo mencionaba en todos mis informes. Me sentía sumamente frustrado. No había en Londres mucho interés ni un deseo de enfocar la atención en eso. Empecé a informar, no ya mis propias opiniones sino hechos, material sumamente agresivo, en la prensa. Yo sentía que, si les presentaba todas las evidencias, tal vez llegarían a la conclusión de que el asunto realmente estaba próximo a estallar.

Es necesario tener en cuenta que, hasta el momento mismo del desembarco, no había en Londres planes de contingencia para enfrentar una situación como esa. Este aspecto me había estado preocupando durante todo el año 1981, cuando directamente quedó en evidencia que el arriendo no iba a ser posible. Yo presionaba mucho para que se hiciesen planes de contingencia. Eventualmente se efectuó una reunión en el Ministerio de Asuntos Exteriores para la cual yo fui convocado. Se hizo un intento para que advirtieran el hecho de que la situación se estaba deteriorando obviamente, y con creciente rapidez.

El resultado de la reunión fue que debía hacerse otro intento para persuadir a los isleños en el sentido de que algo parecido al arriendo era la mejor salida para ellos. Esta sugerencia fue rechazada por Lord Carrington en septiembre de 1981, en una reunión a la que yo no fui invitado. Sólo supe de ella cierto tiempo después. Se rechazó esa salida sin que se adoptaran otras alternativas. Yo fijé mi posición, tan enérgicamente como pude, declarando que si seguíamos perdiendo el tiempo y esperando que algo apareciera, debíamos tener un plan de contingencia para enfrentar la situación si las cosas salían mal.

Una vez más, nada se hizo. Estaba a punto de considerarse el tema en el comité de Defensa del Gabinete en los primeros meses de 1982 cuando se decidió que, antes de hacerlo, se debían formular nuevas consultas a los argentinos. Y antes de hacerlas a los argentinos, debían ser aprobadas por los isleños. Éste fue el mensaje que resultó superado por el incidente de las Georgias del Sur y, en consecuencia, nunca llegó a destino. Cuando se produjo el desembarco en las Georgias del Sur se creó una situación en la que la atmósfera estaba sumamente cargada y fácilmente podía conducir a una explosión. El sentimiento generalizado en Londres era: "Lo que han hecho los argentinos está mal, debemos enviar al *Endurance* para que los detenga." *

El HMS *Endurance* estaba virtualmente desarmado. La Armada Argentina es muy poderosa. era muy importante tener en cuenta que en una situación explosiva como esa, o nos disponíamos a negociar con los argentinos con respecto a esa gente (los chatarreros) o los estaríamos provocando. Y la provocación podía desencadenar una reacción armada. Envié a Londres esa advertencia de inmediato. Yo tenía mis dudas en cuanto a que enviando desde Londres una demostración de fuerza podría obtenerse algún resultado útil. Habrían demorado tres semanas en llegar, y entonces habría sido demasiado tarde. Hacía tanto tiempo que existía esa disputa que en varias ocasiones hubo llamados para adoptar acciones preventivas de emergencia sumamente costosas, que en la práctica demostraron ser innecesarias. En conse-

---

* *El HMS* Endurance *era un navío de patrullaje en el hielo, y el único buque británico en las aguas del Atlántico Sur. Reunía también inteligencia de comunicaciones de toda Sudamérica. La decisión británica de retirar al* Endurance *de la zona se tomó en junio de 1981 por motivos económicos. El gobierno argentino lo vio como una indicación de que Gran Bretaña estaba perdiendo interés en sus colonias de las Islas Malvinas.*

cuencia, cuando la cosa real se produjo, no se la apreció.

Debido a los cortes en la defensa no había presencia militar en la zona. En febrero de 1982, el agregado de defensa en Buenos Aires y yo habíamos decidido que debíamos procurar tener una clara idea sobre cómo era la situación militar en las Malvinas. Pero su jurisdicción no se extendía a las islas, sólo a la República Argentina. Había solamente cuarenta hombres de la Real Infantería de Marina en las islas, pero no tenían ningún plan sobre lo que debían hacer en caso de una ocupación. Sugerimos que el agregado de defensa fuera enviado allá para efectuar un reconocimiento. El Ministerio de Defensa no pensó que valiera la pena y no autorizó el viaje. Entonces resolvimos que debía ir; afrontando él mismo sus gastos. Hizo un informe que constituyó realmente la base de la apreciación de inteligencia posteriormente usada. Por nuestra propia iniciativa la pusimos al día después del desembarco en las Georgias del Sur. Fue otra de las ocasiones en que pudimos señalarlo: era muy fácil que la respuesta argentina fuese una ocupación de las Islas Malvinas.

En Londres se incurrió en un grave error de apreciación durante el episodio de las Georgias del Sur. Pero yo diría que ese error ya se había producido antes, en septiembre del año anterior, cuando ya era claro que las cosas estaban marchando mal. En septiembre de 1981 ya debían haber comenzado los planes y hecho las previsiones ante la posibilidad de un conflicto militar. Y nada se hizo.

La gran tragedia de todo esto es que, debido al rechazo de los isleños de los intentos de alcanzar una solución pacífica,* su forma de vida ha quedado minada y destruida de manera tal que resulta probablemente más perturbada y más trágica que si hubiésemos tenido éxito en las negociaciones para un acuerdo satisfactorio de arriendo. Los argentinos se comportaron en una forma muy imprudente y tonta, que yo no defiendo ni por un momento.

Quienes eligen vivir en las Malvinas eligen vivir apartados del resto del mundo. Lo que ha ocurrido es que el alboroto y los hechos tumultuosos del mundo han sido arrojados sobre ellos. Uno puede ver que con las minas, la presencia militar y la historia que han vivido a través de estos últimos años, la vida allí jamás volverá a ser el remanso de aguas tranquilas que alguna vez fue.

Se puede olvidar fácilmente que, antes de 1982, parecía excesiva-

---

*Durante los años anteriores, los isleños recibieron a numerosas delegaciones del Ministerio de Asuntos Exteriores de Londres que buscaban hallar un arreglo con la Argentina. En todos los casos respondieron a los ministros que el deseo de los isleños era permanecer bajo el control británico.

mente costoso gastar dos millones de libras por año para mantener al *Endurance* en la zona. La decisión tomada después de la ocupación fue que, en medio de todo, debíamos ser capaces de gastar —y lo debemos gastar— el costo de la Fortaleza Falklands. Es un recurso al que nos hemos visto forzados.

NICANOR COSTA MÉNDEZ

Nicanor Costa Méndez fue ministro de Relaciones Exteriores de la República Argentina dos veces, en 1966 y en 1982. Es un nacionalista ferviente, y la ambición de toda su vida ha sido ver que su país recuperase la soberanía sobre las Malvinas. Asesoró a su gobierno en el sentido de que los Estados Unidos permanecerían neutrales si la Argentina invadía las Islas, y que los británicos no llegarían a la guerra para recuperarlas.

El 4 de julio de 1966 asumí el Ministerio de Relaciones Exteriores por primera vez, y convoqué a una reunión de todos los subsecretarios. Les pregunté cuál era el asunto más importante en esos momentos. Respondieron que era la reunión que debíamos tener pronto para discutir nuestra soberanía sobre las Malvinas.

En enero de 1982, casi dieciséis años después, estuve nuevamente a cargo del Ministerio de Relaciones Exteriores y otra vez cité a una reunión de mis funcionarios de más alta jerarquía y diplomáticos. Nuevamente les pregunté cuál era el asunto más importante. Ellos dijeron: una reunión con los británicos para discutir nuestra soberanía sobre las Malvinas. Yo creía estar soñando o, por lo menos, que mi cerebro se estaba entorpeciendo por razones de edad. Pero aquello era lo cierto, y explicaba el sentimiento de frustración de la Argentina. En dieciséis años no había pasado absolutamente nada... bueno, en realidad habían pasado unas pocas cosas. En 1968 me reuní en Nueva York con Michael Stewart (que era entonces secretario de Relaciones Exteriores británico) y estuvimos a punto de alcanzar un acuerdo. Habíamos coincidido en la redacción de un proyecto de documento que no establecía la autodeterminación como una condición previa para la soberanía. Todo lo que decía el documento era que la Argentina debía proteger los intereses de los isleños. Otra ocasión importante fue el convenio de 1971, un acuerdo sumamente hábil desde el punto de vista británico. Según sus cláusulas, la Argentina debería hacerse cargo — financiar — el bienestar y la prosperidad de las Islas sin tomar nada en retribución. Finalmente, en marzo de 1982, hubo una reunión en Nueva York, en la que nuevamente presentamos una propuesta que pensamos era bastante equilibrada. Todo lo que pedíamos era reuniones mensuales sobre la base de una agenda que asegurara resultados dentro de cierto período de tiempo; reuniones periódicas que no estarían sujetas al reconocimiento británico de la soberanía argentina. Pero una vez más esa reunión fue un fracaso, y la frustración argentina seguía creciendo.

Durante esos dieciséis años existió un constante diálogo entre diplomáticos, pero hubo también otro diálogo mucho más sutil a través de distintas señales que nos envió Gran Bretaña, deliberadamente o no, señales que fueron recibidas, acertada o equivocadamente. La primera de ellas fue la actitud de Michael Stewart, que pareció demostrar una verdadera voluntad y determinación británicas para alcanzar un acuerdo. También era importante recordar que, antes de eso, Gran Bretaña sólo se había abstenido cuando las Naciones Unidas ordenaron a ambas partes que negociaran el tema de la soberanía, declarando que debían ser protegidos los intereses de los isleños, pero que sus deseos no serían primordiales. Gran Bretaña no votó contra eso, se abstuvo.

Otra señal fue el acuerdo de 1971, en el que Gran Bretaña dijo: negociemos esto de manera tal que ustedes puedan persuadir a los isleños.* Quedaba así evidenciado que los británicos no se oponían a la entrega de las Islas pero querían que la Argentina estableciera su propio diálogo con los isleños. Más tarde, Lord Shackleton viajó a las Islas y produjo su interesante informe, en el que llegaba a la conclusión de que no había futuro alguno para ellas, a menos que hubiera un acuerdo con la Argentina.**

Posteriormente Gran Bretaña decidió limitar su actitud defensiva para cumplir mejor su parte con la OTAN, especialmente su apoyo

---

*En 1971, Gran Bretaña y la Argentina llegaron a un acuerdo que mejoró espectacularmente las comunicaciones entre las Malvinas y el continente sudamericano. Se establecieron vuelos regulares a Comodoro Rivadavia y se mejoró el transporte marítimo de pasajeros y carga. El acuerdo también permitía el acceso de los isleños a la educación superior en la Argentina y a la atención médica.

**Lord Shackleton redactó un informe sobre el futuro de las islas en el que concluía diciendo que los recursos naturales como el petróleo y la pesca debían desarrollarse en cooperación con la Argentina.

nuclear. Desde entonces comenzó a reducir su flota de superficie. ¿Qué significaba esto? Obviamente, que el Atlántico Sur no interesaba a Gran Bretaña, ya que estaba eliminando la posibilidad de tener una flota de superficie en esa zona. Más aún, el gobierno británico decidió terminar con la presencia del *Endurance*, el único buque de guerra que Gran Bretaña tenía en la región. ¿Cómo debíamos interpretar esto nosotros? También supimos que el organismo británico de Investigaciones Antárticas se preparaba para dar por terminadas sus operaciones en las Georgias después del 30 de junio de 1982. Por lo tanto, nos estamos refiriendo a una serie de pasos británicos que constituían señales concretas en el sentido de que no tenían verdadero interés en las Falklands.

Nosotros no sabíamos nada sobre ninguna fuerza de tareas previa enviada por Gran Bretaña. De haber enviado ellos una fuerza de tareas con anterioridad a nuestra ocupación de las Malvinas, la Argentina habría tenido que tomar otro curso de acción diplomática. Habría sido obvio que Gran Bretaña se hallaba preparada para actuar militarmente, ya que estaba dando pruebas sólidas de su intención de defender las Islas. Esto no significa que nosotros hubiéramos abandonado nuestro propósito de recuperar las Islas, pero habríamos tenido que adoptar una estrategia diplomática y militar completamente distinta. Esto significa, sin lugar a duda, que la invasión no se habría efectuado como ocurrió.

El presidente Galtieri me pidió que preparara la estrategia diplomática para las Malvinas. Yo tracé un plan de ocho puntos que debería ponerse en práctica de inmediato, comenzando con una protesta contra Gran Bretaña. El plan debía continuar en una fuerte ofensiva diplomática en la Asamblea General de las Naciones Unidas, de manera que alcanzara su mayor ímpetu al terminar el año. El Servicio Secreto Británico se las arregló para apoderarse del plan. Yo no sé exactamente cómo, pero el Informe Franks * es una prueba de ello. Lamentablemente, el gobierno británico no le prestó atención, e ignoró e interpretó mal el plan, con lo que no comprendió nuestra urgencia. Cometieron otro error con el asunto de Georgias del Sur. Cuarenta y dos trabajadores argentinos desembarcaron allí con lo que pensamos eran documentos adecuados, una tarjeta blanca. Enarbolaron efectivamente una bandera argentina durante una fiesta, pero fue un acto estrictamente privado. No tenía formalidad alguna porque ellos no estaban representando al gobierno argentino y ciertamente no

---

* El informe Franks fue el pedido de informes del gobierno británico sobre la invasión de las Islas Malvinas por parte de la Argentina.

33

pretendían apoderarse de nada. Pero ni el gobierno británico ni la opinión pública británica pudieron interpretarlo así.

Los británicos incurrieron en un error doble: enviar al HMS *Endurance* para expulsar a esos ocupantes fue algo totalmente desproporcionado; nadie envía un buque de guerra para expulsar a cuarenta y dos obreros sin pasar previamente por los correspondientes canales diplomáticos. El segundo error fue que el Ministerio británico de Asuntos Exteriores declarase que la Argentina había ocupado las Georgias del Sur... lo que motivó grandes titulares en la prensa del día siguiente. En un debate en la Cámara de los Comunes, los miembros del Parlamento, impresionados por las noticias de los periódicos, dieron vía libre a sus críticas y obligaron al gobierno a declarar que la soberanía no sería transferida. Naturalmente, esto produjo un impacto negativo en la Argentina. En esos momentos aún no estábamos preparados para ocupar, porque no queríamos adelantar el plan de ocupación. Era mejor esperar que el *Endurance* abandonara la zona y que se produjeran nuevas reducciones en la flota británica. También estábamos esperando los buques de guerra que habíamos comprado en el extranjero, y no faltaba mucho para recibir más aviones Super-Etendard y más misiles Exocet. Además, por razones climáticas era preferible esperar más tiempo.

En la noche del 1º de abril de 1982 yo no pude dormir, y cuando llegaron las primeras noticias no puedo negar que el entusiasmo fue tremendo. Nos sentimos profundamente emocionados cuando vimos al pueblo de Buenos Aires vivando al gobierno, olvidando las diferencias políticas. Hasta los mismos sindicatos, que habían estado en huelga unos pocos días antes, apoyaban ahora la actitud argentina, y luego los partidos políticos, sin excepción, apoyaron al general Menéndez cuando asumió como gobernador de las Islas. Como argentino, resulta difícil describir mis emociones en aquellos momentos. Como diplomático yo tenía conciencia de las dificultades que sobrevendrían. No puedo negar, sin embargo, que aquél fue uno de los momentos más importantes y conmovedores de mi vida. El 26 de marzo, la Junta me informó que la ocupación se iba a realizar. Me dijeron también cuáles eran las condiciones dentro de las cuales tendría lugar la acción. Sería una ocupación seguida por una inmediata retirada, de manera tal que intervinieran los Estados Unidos o las Naciones Unidas.

Es decir que la ocupación tenía el propósito por un lado de limitar el incidente de las Georgias, de manera que no se produjera una escalada, y por el otro lado, desde el punto de vista diplomático, provocar la intervención de un mediador. Analizamos la posición del gobierno de los Estados Unidos y llegamos a la conclusión de que era de su propio interés impedir un conflicto, una confrontación armada entre dos naciones occidentales amigas, pero no tendría nada que ver con el conflicto Este-Oeste. Estábamos convencidos de que los Estados Unidos iban a mediar. Es importante hacer notar que, el día en que el Consejo de Seguridad debatió la Resolución 502,* los Estados Unidos no estaban representados por la embajadora Jeane Kirkpatrick, sino por el tercero en orden jerárquico en la representación. Pensamos que ésa era otra indicación de que el gobierno de los Estados Unidos deseaba permanecer neutral. Obviamente, Estados Unidos necesitaba a Gran Bretaña como aliada en la OTAN, pero también necesitaba a la Argentina como aliada en el conflicto de América Central. En consecuencia, estimamos que Estados Unidos iba a ser mediador, y no estuvimos equivocados. También apreciamos que a Gran Bretaña le resultaría difícil decidir la organización de una fuerza de tareas. Por sobre todo eso, pensábamos en una rápida solución diplomática que evitara una confrontación armada.

La exagerada reacción en gran escala de los británicos y el imponente apoyo del pueblo argentino a lo que habíamos hecho nos detuvieron en la concreción de aquel plan. El gobierno de los Estados Unidos tenía que impedir ese conflicto, e hizo mucho para lograr ese propósito. El general Haig, en mi opinión, creyó demasiado en las ventajas de negociar con otros generales, olvidando las diferencias entre un general norteamericano y uno argentino. Las diferencias psicológicas entre el Norte y el Sur son mucho mayores que las similitudes del carácter militar. El general Haig estuvo equivocado en cuanto a la voluntad de Gran Bretaña para negociar. Pronto se dio cuenta de que el futuro de su diplomacia de lanzadera no prometía mucho al comprender la dura intransigencia de la señora Thatcher. Ella insistía en restaurar la autoridad británica en las Islas, la postergación de cualquier discusión sobre la soberanía y el derecho de los isleños a la autodeterminación. El mayor error de Haig fue pensar que él podía convencer a la señora Thatcher, ignorando su intolerancia, algo que quedó en evidencia por su actitud en las negociaciones antes, durante y después de la guerra.

El 2 de mayo, el Presidente del Perú hizo una proposición muy

*La Resolución 502 del Consejo de Seguridad de las Naciones Unidas recomendaba el cese inmediato de las hostilidades y el retiro de las islas de las tropas argentinas. Propuesta por Gran Bretaña, también recomendaba a ambos gobiernos que resolvieran sus diferencias por medios diplomáticos, a fin de respetar en forma absoluta los propósitos y principios de la Carta de las Naciones Unidas.

buena y positiva, que iba más allá de las propuestas de Haig, en el sentido de que no establecía la necesidad de restaurar la autoridad británicas en las islas y no determinaba como una condición previa los deseos de los isleños. Nosotros aceptamos esa propuesta. Yo la acepté en nombre del general Galtieri, pero él pidió algún tiempo para obtener el acuerdo de la Junta. Al parecer, según el presidente Belaúnde, Gran Bretaña estaba preparada para aceptar también esa proposición... y entonces ellos hundieron el *General Belgrano*. Esto causó una enorme indignación en la Argentina y las negociaciones se dieron por terminadas. Ése había sido el momento en que las negociaciones habían estado más cerca del éxito.

La propuesta británica del 21 de mayo tenía un grave defecto: al mencionar el artículo 73 de la Carta de las Naciones Unidas volvía a introducir los deseos de los isleños como condición previa para un acuerdo. La Argentina no podía aceptar eso.

Yo no creo que la Argentina haya modificado su posición durante todo el conflicto; en ningún momento aceptó el apoyo militar soviético. Tampoco fuimos a Cuba para pedir la ayuda de Castro; fuimos a una conferencia de los no-alineados que tuvo lugar en Cuba. Naturalmente, yo saludé a Castro porque él era el jefe de Estado en ese país. En Europa las personas se dan la mano, en América Latina se abrazan. Ese abrazo no implicaba ningún apoyo ideológico para Castro, era simplemente una forma de saludar a nuestro anfitrión. Argentina ha estado en el movimiento de los no-alineados desde 1973. Durante la guerra, la Argentina no hizo absolutamente ninguna declaración que pudiera interpretarse como contraria a Occidente o a los principios anticomunistas. Lo que nosotros hicimos fue buscar cualquier apoyo posible durante la guerra, y ustedes recordarán qué clase de aliados buscó Winston Churchill en la Segunda Guerra Mundial.

Supongo que toda derrota tiene su parte culpable, y como todo estaba a cargo de la diplomacia argentina es muy natural que quienes andan en busca de un chivo emisario apunten hacia mí con sus dedos. Yo he cometido errores como cualquier otro ser humano, pero no creo haber estado equivocado en el consejo fundamental que di. Cuando apoyé la ocupación lo hice con la condición de que ello provocaría la intervención de las Naciones Unidas o de un mediador. No me arrepiento de haber rechazado las propuestas norteamericana y británica durante las negociaciones, pero sí apoyé, en cambio, las propuestas peruanas. Puedo haber incurrido en errores diplomáticos pero nunca fui desleal con mis superiores y siempre defendí los intereses argentinos.

Yo pensaba que Estados Unidos cometía una grave equivocación en su política con respecto a las Américas; no era de su interés apoyar a una de las partes en conflicto. Ganar una batalla no significaba ganar la guerra, y la reocupación de las islas no pone fin al conflicto. La decisión de los Estados Unidos de apoyar a Gran Bretaña fue severamente criticada en toda América y provocó un gran recelo en los latinoamericanos. Yo no creo que los Estados Unidos se haya recuperado completamente de su media vuelta política cuando prestó su apoyo a Gran Bretaña. La batalla por las Malvinas en 1982 no fue una batalla decisiva... el conflicto continúa. No ha contribuido a una solución del problema. Creo que los argentinos comprenden que no fuimos derrotados por Gran Bretaña. Fuimos derrotados porque tuvieron el apoyo de los Estados Unidos. No fue ciertamente un fiasco. Yo siento profundamente que todo haya culminado en una guerra que costó las vidas de muchos argentinos y dejó heridos a muchos otros. Eso me conmueve profundamente, pero la Argentina estaba defendiendo sus derechos.

...las nuevos sistemas... imperativo... la base de la cons-
...ción... del liderazgo de los Estados Unidos. En otro tiempo nivela-
...tima, Estados Unidos estaba tratando de invertir la figura a del continente en América Central, y por ese motivo intentaba establecer sólidas relaciones con las regiones aisladas de toda América Latina,
incluyendo a la Argentina. Estos dos deseos exteriores condiciona-

DAVID GOMPERT

David Gompert era subsecretario de Estado Adjunto para Asuntos Políticos en el gobierno de los Estados Unidos. Acompañó a Alexander Haig en sus viajes entre Londres y Buenos Aires cumpliendo sus misiones de pacificación. Actualmente es vicepresidente de AT&T, en Washington DC.

La crisis de las Falklands tomó al gobierno de los Estados Unidos y especialmente al departamento de Estado completamente por sorpresa. Nosotros estábamos mal preparados para actuar en relación a ella porque había sólo unos pocos expertos en la oficina latinoamericana que conocieran los distintos aspectos del tema. El resto de nosotros en el nivel político, asesores de Alexander Haig como secretario de Estado, estábamos operando más sobre la base del instinto y la intuición —y aun del impulso— que obedeciendo a un refinado conocimiento del verdadero problema.

Había de nuestra parte una tendencia a verlo en el contexto de una política mucho mayor. Esto determinó nuestro punto de vista sobre el problema y qué habríamos de hacer al respecto. En ese particular momento de la historia, Estados Unidos estaba enfrentado a dos desafíos muy importantes en materia de política exterior. Por un lado, estaba intentando ejercer el liderazgo en la OTAN, efectuar el despliegue de los nuevos sistemas nucleares, fortalecer la alianza de la OTAN alrededor del liderazgo de los Estados Unidos. En otro frente muy distinto, Estados Unidos estaba tratando de invertir la marea del comunismo en América Central, y por ese motivo intentaba establecer sólidas relaciones con los regímenes afines de toda América Latina, incluyendo a la Argentina. Estos dos desafíos exteriores condicionaron nuestro enfoque y nuestra comprensión sobre la crisis de las Falklands.

Era claro que si nosotros proporcionábamos material y abierto apoyo político a Gran Bretaña causaríamos un daño muy severo a nuestras relaciones con toda América Latina, no sólo con la Argentina. Es posible que hayamos sobreestimado el daño que habríamos hecho, pero en esos momentos parecía que nuestra política hacia América Latina iba a retroceder por años si salíamos en apoyo directo de Gran Bretaña.

Por otra parte, una consideración aún más absoluta era el imperativo de evitar otra crisis de Suez. En 1956, Estados Unidos retuvo el apoyo a Francia y Gran Bretaña, y nuestros aliados sufrieron como resultado la humillación. Para nosotros, en esos momentos, aun antes de comprender las particularidades del tema, el peor desenlace posible habría sido que Gran Bretaña intentara recuperar las Falklands y fracasara; y que fracasara porque Estados Unidos le había negado o retirado su apoyo. Estábamos atrapados entre dos objetivos políticos muy difíciles y, por esa razón más que por ninguna otra, sentimos que era esencial una participación activa de Estados Unidos para evitar un conflicto.

La disposición de los ánimos durante los viajes de ida y vuelta de las negociaciones cambió dramáticamente. Comenzó con una sensación de entusiasmo. Nadie había muerto y las fuerzas se hallaban todavía separadas por miles de kilómetros. Nos estimulaba la idea del desafío, porque sabíamos que no iba a ser fácil encontrar alguna base para negociar, pero aquella sensación de entusiasmo se convirtió en desaliento después de las primeras visitas a Buenos Aires y a Londres. En Londres no encontramos una disposición muy positiva para la negociación. Allí, el punto de vista era sumamente simple: "Tropas extranjeras han ocupado un territorio que se encuentra bajo la responsabilidad de Su Majestad. El objetivo inmediato es la expulsión de las tropas, no la negociación de las condiciones después que esas tropas se hayan ido." Eso fue aproximadamente todo lo que recibimos de Londres a manera de aliento.

Trasmitimos a la Argentina el mensaje de que los británicos iban a luchar, y de que nosotros no íbamos a intentar persuadir a Gran Bretaña para que no lo hiciera. Los argentinos no lo recibieron bien. Era claro que esperaban que los británicos no fueran a pelear y de que nosotros usaríamos nuestra influencia para convencerlos de que no lo hicieran. Y así iniciamos un período de desaliento durante el cual llegamos a preguntarnos si no nos habríamos lanzado a un callejón sin salida. Posteriormente, después de una nueva visita a Londres y regreso a Buenos Aires, descubrimos que ambas partes estaban desplegando pragmatismo... ambas deseaban encontrar alguna base para evitar el conflicto armado. En ningún momento habíamos sido particularmente optimistas en el sentido de que seríamos capaces de hallar ese terreno en común, pero entonces entramos en una fase en la que vimos alguna esperanza. Ese optimismo se convirtió en frustración en forma casi dramática cuando descubrimos en Buenos Aires que el gobierno con el que estábamos tratando se mostraba mucho menos dispuesto a tomar decisiones y sostenerlas que el gobierno de Londres. En Londres la democracia actuaba con plena capacidad de decisión, con una sola figura que ejercía una poderosa autoridad tanto sobre la política como sobre la estrategia militar. En Buenos Aires estábamos tratando con una junta que no tenía autoridad suficiente para decidir y mantener las decisiones.

Mientras que en Londres encontrábamos dificultades tratando de obtener concesiones, la frustración en Buenos Aires obedecía a que *obteníamos efectivamente* las concesiones — algunas veces concesiones muy significativas que podrían haber evitado el conflicto— sólo para descubrir al día siguiente que esas concesiones se habían evaporado. El ministro de Relaciones Exteriores y otros miembros de su equipo negociador tenían que consultar con más y más de los diversos integrantes del poder en Buenos Aires. Y estaban casi seguramente sujetos a encontrar algunos elementos que no querían apoyar determinadas concesiones. Y de esa manera todo se desmoronaba... mucho más rápido de lo que habíamos tardado para coordinar dichas concesiones. Quedábamos frustrados y desalentados. Después de un par de visitas, nada más, a cada una de las capitales, ya estábamos empezando a sentir que perdíamos la carrera con la flota británica que navegaba hacia el Atlántico Sur. Una vez que comenzara el conflicto armado todo el clima habría de cambiar, obviamente; aun los términos de discusión cambiarían y nosotros perderíamos la oportunidad de brindar una solución pacífica.

En Buenos Aires la atmósfera era irreal, ésta es la única forma de decirlo. Nosotros estábamos asesorando al gobierno argentino en el sentido de que los británicos iban a pelear y que iban a ganar. Les dijimos que apoyaríamos a los británicos y pintamos un cuadro sumamente pesimista para la dirigencia argentina. Al mismo tiempo, ellos habían estimulado al público y las multitudes a tal punto que reinaban la alegría y el entusiasmo exuberante por lo que se había hecho. Había grandes expectativas, por cierto ingobernables. El estado de ánimo en la Argentina variaba desde el pesimismo de los círculos dirigentes, donde nosotros asesorábamos a la junta y a los negociadores sobre lo mal que iban a ponerse las cosas, hasta las calles y los discursos al pueblo en los que se destacaban los victoriosos avances de la Argentina, y cómo iba a terminar todo bien. Fue la dirigencia en la Argentina la que realmente creó esa contradicción mientras buscaba el apoyo popular. Mientras alimentaban las emociones del pueblo, se colocaron a sí mismos en una posición en la que debían mostrar algo. La única salida de las negociaciones que podría haber resultado en la supervivencia de la dirigencia argentina habría sido aquella en que demostraran que realmente habían logrado algo significativo: por lo menos, la bandera argentina flameando en las Malvinas. Esa clase de frutos era imposible en las negociaciones.

Ésta fue ciertamente la más penosa de todas las misiones diplomáticas en que he intervenido. Las negociaciones eran agotadoras. Si tan sólo hubieramos podido retirarnos al avión y dormir durante las dieciocho horas que se necesitaban para ir de Londres a Buenos Aires y viceversa, creo que habríamos podido manejar la situación. No pudimos hacerlo por dos razones. En primer lugar, la sensación de entusiasmo y desafío. Realmente, teníamos que hacer un buen uso del tiempo, de manera que pasábamos la mayor parte de esos vuelos de ida y vuelta discutiendo, trazando proyectos y recogiendo nueva información, en un intento de perfeccionar y redefinir los parámetros de la negociación. La otra razón por la que no podíamos descansar adecuadamente eran las condiciones en que nos encontrábamos. El avión mismo era un lugar de trabajo. . . resultaba imposible desaparecer y dormir unas pocas horas. El secretario Haig es un hombre de extraordinaria resistencia y energía y constantemente organizaba reuniones, buscaba cambiar ideas sobre el tema, revisaba las posiciones, trataba de encontrar nuevas formas para conseguir que una u otra parte vieran las cosas con una luz diferente. Teníamos ese ambiente de intenso trabajo en un escenario no particularmente cómodo. Por encima de todo aquello se hallaba el requerimiento de que pasáramos esas dieciocho horas en el aire repasando material para comprender lo que había ocurrido en la visita previa y planear lo que debíamos tratar en la visita siguiente.

Todo el equipo estaba cansado y sucio. Y yo no era ciertamente una excepción. Por un lado, todos nosotros habríamos necesitado un descanso y teníamos la esperanza de que tal vez nos dieran la oportunidad de ir a nuestras casas y, aunque más no fuera, ponernos ropa limpia. Al mismo tiempo, todos comprendíamos que estábamos corriendo contra el reloj. Cada día era importante y nosotros simplemente debíamos aprovecharlo y usarlo mientras hubiera alguien en cualquiera de las puntas para hablar con nuestro equipo. Estábamos preparados para seguir durante todo el tiempo que fuera necesario, aun con el ritmo que llevábamos. Yo me sentía cansado, pero también estimulado por la situación y entusiasmado ante ella. A medida que progresaban los viajes, todos tomábamos más y más conciencia de la gravedad de la crisis. Cuando nos acercábamos al punto en que sabíamos que los británicos iban a llegar al teatro de guerra, apreciamos la seriedad, la gravedad y la condición de mortal que estaba tomando la situación. Hubo una sensación de responsabilidad personal por hacer lo que pudiésemos, para recorrer el último tramo, aun a nivel individual, para contribuir con esa última idea o mantenernos alertas unas pocas horas más para encontrar la forma de impedir que los hombres se mataran entre ellos. Ésa era, por lejos, la emoción más importante que todos sentíamos.

El más memorable de los recuerdos de Londres era la señora Thatcher, su propia persona y la forma en que ella presidía el gabinete de Guerra y hablaba de Gran Bretaña en las negociaciones. Lo hacía con energía y elocuencia, con marcada autoridad y profundas convicciones. Yo no creo que ella desease ver un conflicto a cualquier precio. Creo que estaba completamente preparada para usar la fuerza en la expulsión de esas tropas. Y no estaba dispuesta a comprometer, de ninguna manera significativa, principios o intereses importantes a fin de evitar el uso de la fuerza. No tuve nunca la impresión de que ella estuviera decidida realmente a usar la fuerza si se podía encontrar otra salida.

El gabinete de Guerra se reunió con nosotros en forma de grupo. Ella presidía, pero permitía que otros hablaran, que tocaran aspectos particulares del problema, basados en su experiencia. Pero en todos los casos era ella quien tenía la última palabra, y en ciertas situaciones pasaba explícitamente por arriba de algún miembro de jerarquía de su gabinete para estar absolutamente segura de que no faltaba claridad en nuestras mentes con respecto a la posición británica. Habíamos dicho a la señora Thatcher que era realmente confuso y desconcertante tratar con los argentinos. Ella nos hizo comprender con toda facilidad dónde estaba Gran Bretaña, qué haría Gran Bretaña y cuál era la posición británica. Al mismo tiempo, no dejaba de mostrarse pragmática. Además de su preocupación, creo, por evitar el derramamiento de sangre, estaba dispuesta a considerar ciertos compromisos siempre que no se desviaran fundamentalmente de los principios en juego y que no atentaran contra los intereses británicos en forma esencial. Estaba también dispuesta a darnos concesiones que pudiésemos emplear para ayudar a la junta a salir de la trampa en que ella misma se había colocado. Ella comprendía el problema que tenían. Es una mujer política y comprendía los problemas en que pueden meterse los políticos en la Argentina alentando públicas expectativas. Trató de ayudar en ese juego pero no mostró nunca inclinación a tomar compromisos que crearan la apariencia, en su cuerpo político o en el mundo en general, de que Gran Bretaña había rendido las Falklands, que Gran Bretaña se había sometido bajo la presión norteamericana, o que había abandonado los intereses y el bienestar de los isleños.

Ella quería estar absolutamente segura —y nosotros la apoyábamos en ese aspecto— de que resultara claro para el mundo, cualquiera fuese el resultado de ese conflicto, que los argentinos no debían ser recompensados por intentar resolver la disputa mediante el uso de la fuerza. Eso era más importante que los otros principios en juego, tales como la autodeterminación. Ella consideraba que si los argentinos pudieran disfrutar de las consecuencias de sus actos, otros regímenes serían alentados a resolver sus disputas por la fuerza. En relación a este principio, nosotros la apoyábamos completamente y yo creo que ella lo comprendió.

La señora Thatcher se mostró algo impaciente con nosotros al principio. No estaba convencida de que las negociaciones pudieran llegar a ninguna parte, y ni siquiera de que fueran convenientes, porque sentía que serían inútiles y aumentarían la presión sobre Gran Bretaña. Comprendió por qué sentíamos nosotros que debía haber negociaciones una vez que las iniciamos. En el análisis final, cuando aquéllas terminaron y comenzó el conflicto armado, le proporcionamos apoyo político y material. Estaba convencida de que Estados Unidos había actuado adecuadamente y de que podía confiar en él.

Mirando hacia atrás, si bien la guerra fue horrible, pudo haber sido mucho peor; pudo haber derivado hacia la acción militar en la propia Argentina continental. Estuvimos motivados por el miedo de que todo empeorara, y las probabilidades decían que *podía* empeorar. Estábamos preocupados por una escalada de la guerra, ataques directos de bombardeo sobre la Argentina y un posible desborde sobre Chile. Siempre existió la preocupación por la posibilidad de una intervención soviética, el peligro de que ellos pudieran sacar tajada de eso, como resultado de una expansión y una escalada del conflicto. Temíamos que la Argentina y otros países latinoamericanos se hicieran cada vez más dependientes de las armas soviéticas. Nos formamos un escenario aterrador en el que los soviéticos podían ganar ventajas geopolíticas como resultado de esta crisis, y compartimos esas preocupaciones con Gran Bretaña, porque queríamos que nuestros más próximos aliados comprendieran esos miedos. Temíamos lo que ocurriría si caía la junta y ocupaba el poder en la Argentina un régimen menos estable y quizás izquierdista. Temíamos una pérdida de la influencia norteamericana en toda América Latina en reacción contra nosotros. Finalmente, los viajes de ida y vuelta fracasaron, porque la política en Buenos Aires hizo imposible que la junta negociara de buena fe. Las perspectivas para cualquier régimen militar de ser desalojado no eran agradables. Estos oficiales militares tenían temor de las consecuencias de ser derribados del gobierno como resultado de haber tenido que rendirse. La junta consideraba que debían tener algo significativo para mostrar por la acción que habían emprendido, de lo contrario serían ridiculizados y condenados al ostracismo. Era imposible conseguir de los británicos esa clase de concesiones, y ni siquiera intentamos lograr algunas que podrían haber sido suficientemente significativas para permitir que la junta mostrase que realmente había dado algo a la Argentina como resultado de la ocupación.

Sentimos una marcada decepción por el hecho de que nuestra diplomacia fracasara, porque sabíamos que si hubiésemos estado tratando con gobiernos objetivos, racionales y con capacidad de decisión en ambas partes, y no en una sola de ellas, habríamos sido capaces de lograr un acuerdo. No teníamos duda alguna sobre eso. Habíamos conseguido una solución justa y un acuerdo en principio en ambas partes; pero simplemente no fue finalmente aceptado por la Argentina. Y entonces la pena se apoderó de nosotros, cuando vimos venir las consecuencias inmediatas de nuestro fracaso. Obviamente, no éramos responsables de que los hombres estuvieran empezando a matarse entre ellos. Sabíamos que habíamos tenido un acuerdo tan cerca, casi al alcance de todos, y fue un fracaso nuestro no aferrarnos a ese acuerdo, nuestro fracaso no lograr que lo aceptaran en Buenos Aires; eso quitó el último obstáculo, permitiendo así que las fuerzas se empeñaran y comenzara la matanza.

...los latinoamericanos, en el Consejo Nacional de Seguridad, y yo, nos ocupamos muy especialmente de hablar con el embajador argentino y un visitante miembro del gabinete sobre la gran importancia que daba nuestro gobierno al hecho de que la disputa no motivara el uso de la

---

Ambos países reclamaban soberanía sobre el Canal de Beagle, un estrecho marítimo que corre entre el territorio argentino y el chileno, al pie de América del Sur.

JEANE KIRKPATRICK

La profesora Jeane Kirkpatrick fue embajadora de los Estados Unidos ante las Naciones Unidas desde 1981 hasta 1985. Fue también miembro del gabinete del presidente Reagan y del Consejo Nacional de Seguridad. Es también miembro titular del Instituto Norteamericano de la Empresa, en Washington DC, y una figura prominente del Partido Republicano.

Yo no tenía la menor idea de que la Argentina iba a invadir las Falklands. Me tomó totalmente por sorpresa, como a todo el gobierno de los Estados Unidos. Habíamos pensado como posible que la Argentina estuviese preparando una acción militar contra Chile, por la disputa del Canal de Beagle.* Después que la administración Reagan se hizo cargo del gobierno visité seis países latinoamericanos, uno de los cuales fue la Argentina. Me asesoraron muy cuidadosamente para que aludiera al tema del Canal de Beagle, lo que hice con cierta profundidad en reunión con Galtieri y el ministro de Relaciones Exteriores de entonces, Emilio Camilión. Cuando los argentinos fueron a Estados Unidos, nuevamente, en las Naciones Unidas, les dije que nosotros íbamos a considerar imperdonable cualquier intento para arreglar la disputa por el Canal de Beagle por la fuerza. Lo dejamos perfectamente aclarado. Roger Fontaine, que en esa época tenía a su cargo los asuntos latinoamericanos en el Consejo Nacional de Seguridad, y yo, nos ocupamos muy especialmente de hablar con el embajador argentino y un visitante miembro del gabinete sobre la gran importancia que daba nuestro gobierno al hecho de que la disputa no motivara el uso de la

---

*Ambos países reclamaban soberanía sobre el Canal de Beagle, un estrecho marítimo que corre entre el territorio argentino y el chileno, al pie de América del Sur.

fuerza. Es verdad que nadie dijo al gobierno argentino en ningún momento: "Los Estados Unidos no comprenderían un esfuerzo para arreglar la disputa de las Falklands por la fuerza", porque jamás se le ocurrió a nadie que eso fuera siquiera una posibilidad. Es literalmente cierto que nadie en el gobierno de Estados Unidos, en ningún nivel de especialización ni de autoridad, concibió esa posibilidad. Por lo tanto, cuando se produjo, tuvimos que esforzarnos para comprenderlo. Lo que yo pensé en esos momentos fue que la Argentina había iniciado este acto irrazonable y reprensible de invadir y ocupar las Falklands en un espasmo de nacionalismo. Nosotros sabíamos que ellos estaban viviendo tiempos de profundo nacionalismo. Como en el caso del Canal de Beagle, los argentinos siempre habían considerado que las islas Falkland les pertenecían. En un acto de autoafirmación, es de suponer, simplemente decidieron reclamar lo que consideraban que era suyo, y reclamarlo por la fuerza. Lo hicieron sin pensar que Gran Bretaña iba a resistirse, y mucho menos que los Estados Unidos pudieran ayudar a Gran Bretaña en su oposición.

Desde el comienzo, todo el conflicto me pareció muy extraño. Me parecía —desde un punto de vista objetivo— mucho menos importante de lo que realmente era para ambas partes, porque las islas Falkland por sí mismas no parecían tener importancia para nadie. Sin embargo, de pronto se habían convertido en el foco de ese conflicto enormemente intenso. Desde el punto de vista de los Estados Unidos, la crisis era muy difícil. Si alguien pregunta en una encuesta a los norteamericanos: "¿De quién se siente usted más cerca, quién le importa más, a quién iría usted a defender en una guerra en caso de invasión?", Gran Bretaña es el país del cual se sienten más cerca los norteamericanos en su mayoría. Yo personalmente me siento próxima a Gran Bretaña y siempre ha sido así, porque compartimos la herencia anglosajona.

Por un lado existe ese compromiso. Yo no diría que se trata de un compromiso de alianza que podría habernos colocado en las Falklands como aliado de Gran Bretaña, porque la alianza de la OTAN está, como lo señaló recientemente Lord Carrington, limitada a la zona de defensa de los países de la OTAN, y limitada en su pertinencia. Más allá de la alianza de la OTAN, Gran Bretaña y los Estados Unidos tienen, desde el punto de vista norteamericano, un interés especial, una relación especial. Por lo tanto, si Gran Bretaña entra en guerra, es obviamente algo por lo que Estados Unidos necesita preocuparse.

América Latina está muy cerca de nosotros y también somos americanos. Todos los países del hemisferio conforman "las Américas".

Compartimos una herencia con "las Américas", toda la experiencia del descubrimiento, exploración y colonización. Ser parte del Nuevo Mundo es una importante circunstancia. Y es también una circunstancia estratégicamente relacionada para nosotros, porque el Caribe y el territorio del norte de América Latina, especialmente América Central y el Canal de Panamá, como también el Atlántico Sur y el Pacífico Sur, tienen una relación estratégica que otras partes del mundo no tienen. Eso es real. Es concreto.

Nuestros lazos con los países de América Latina son significativos. Siempre reprochan a los Estados Unidos que no se interesan realmente por ellos, ésa es su principal censura contra nosotros. Generalmente, en todos los países latinos hay una corriente antiyanqui. El mayor reproche es: "A Estados Unidos no le importamos nosotros; a ustedes les importa Europa".

Por mi experiencia en las Naciones Unidas especialmente, supe que los países de América Latina respaldaban a la Argentina y su reclamo de las Islas Falkland, y lo siguen haciendo hasta hoy. Eso no significa que todos aprobaran la actitud argentina al invadir y ocupar las Falklands. Pero sí significa que cuando la situación lo exigía, todos ellos apoyaban a la Argentina, con la posible excepción de Chile. La mayoría de ellos lo hicieron con intensidad considerable. En las Naciones Unidas tuve una particular oportunidad en que me recordaron la intensidad con que los gobiernos latinoamericanos consideraban la situación.

A mí me parecía que, mientras Gran Bretaña y la Argentina tenían interés en las Falklands, Estados Unidos tenía un interés muy especial y profundo en evitar la guerra, en que hubiese un arreglo pacífico de este conflicto, y en no ser arrastrado a él. Yo pensaba que teníamos más que perder que cualquiera de los combatientes potenciales.

La noche en que los argentinos invadieron las Islas, cierto número de miembros importantes del gobierno de los Estados Unidos asistían a una comida en la Embajada Argentina en Washington DC. El gobierno argentino se había propuesto ofrecer una comida en mi honor durante el período en que fui presidenta del Consejo de Seguridad de las Naciones Unidas. Es una práctica diplomática común, y yo había aceptado y elegido la fecha. Ellos habían invitado a todos los funcionarios de jerarquía del gobierno de los Estados Unidos relacionados con América Latina. El subsecretario de Estado, el subsecretario de Defensa, los jefes de Estado Mayor de las distintas fuerzas, el secretario adjunto para América Latina y nueve altos funcionarios del gobierno de Estados Unidos también estaban invitados. Cuando los argentinos iniciaron su invasión de las Falklands, el problema de si debíamos asistir o no constituyó una importante decisión para nuestro gobierno. Desde el día anterior sabíamos que se iba a producir la invasión, y la decisión de que sí debíamos asistir a la comida fue tomada por el Presidente, Ronald Reagan. No fue una decisión personal mía, fue una decisión política hecha por el presidente Reagan. ¿Por qué la tomó? Porque sabía que quería emprender todos los esfuerzos posibles para detener un conflicto armado, y ya había resuelto con respecto a la mediación. Pensó que cancelar la comida habría constituido un acto de especial hostilidad hacia el gobierno de la República Argentina, que disminuiría sus posibilidades de una mediación exitosa.

Francamente, en esos momentos no me sentí nada feliz al respecto. Y creo que ocurrió lo mismo con la mayoría de nosotros. Me sentí un poco violenta ante la superposición de los hechos. Personalmente, me sentí casi explotada.

Los argentinos estaban convencidos de que me habían dado varias señales con referencia a su intención de ocupar las Falklands. Yo no me di cuenta de que las habían dado hasta que se produjo la invasión de las Islas. Entonces comprendí que realmente ellos habían intentado comunicarme que iban a hacerlo, y yo no lo había captado en lo más mínimo. Supongo que parecía algo inverosímil.

El embajador argentino, Esteban Takacs, me llamó un día para proponerme que almorzáramos juntos. Durante el transcurso de esa reunión dijo que los británicos habían arrestado a un grupo de chatarreros argentinos en las islas Georgias del Sur. Takacs dijo: "¿Sabe usted? Eso nos ha producido un profundo desagrado. A toda la Argentina le ha desagradado. Usted debe saber que esto nos ha molestado aún más que la situación que motivó la disputa del Canal de Beagle".

Creo que debo de haber dejado pasar el comentario sin inmutarme porque él volvió a tocar el tema y dijo: "Tendremos que hallar realmente una forma de arreglar este asunto, porque nos tiene a todos sumamente preocupados y molestos".

Yo pensaba: ¿Por qué no seguiremos hablando de algo importante?, y no le presté más atención. No volví a pensar en esa conversación hasta después de la invasión de las Falklands. Entonces me di cuenta de que él había estado tratando de decirme que intentaban hacerlo. Le dije, después de haber ocurrido, cuando todo había terminado, que entendía que había estado tratando de darme una señal. Le dije que sentía mucho no haber sido capaz de captarla, que en ningún momento lo informé a mi gobierno, y nunca pensé mucho sobre ello. Me respondió que no debía sentirme tan mal, porque había dado a Tom Enders (el secretario de Estado adjunto para América Latina, de los Estados Unidos) muchas más señales claras que a mí, y Enders las había ignorado por completo.

Quedé muy sorprendida por la oferta final de Gran Bretaña a la Argentina en las negociaciones... En esos días, yo había estado muy activa, junto con el secretario general de las Naciones Unidas, para tratar de persuadir a los argentinos de que fueran más conscientes con respecto a la mediación y a un arreglo pacífico. Había estado intentando con mucho empeño de convencerlos de que iba a haber realmente una guerra. Ya entonces era claro que la habría, y que ellos iban a ser derrotados si la había. Ellos seguían diciendo que los británicos eran absolutamente irrazonables y que la señora Thatcher se negaba a transigir. En el día anterior al desencadenamiento de la guerra, hubo una ocasión en la que Nicanor Costa Méndez, el ministro de Relaciones Exteriores de la Argentina, Enrique Ross, su asesor, y su embajador ante las Naciones Unidas, Eduardo Roca, se hicieron presentes en la residencia del embajador de Estados Unidos para tratar precisamente un último esfuerzo en la mediación del conflicto. Nos ocupamos específicamente de los esfuerzos del secretario general y del plan Belaúnde.* Yo intenté convencerlos de que aceptaran esas propuestas, diciéndoles que iban a sufrir una terrible derrota.

El embajador británico ante las Naciones Unidas, Sir Anthony Parsons, me hizo en esos días una descripción completa del ofrecimiento hecho por la señora Thatcher como última posición británica. Francamente, me sentí muy sorprendida ante la generosidad de esa oferta. Repetí una y otra vez a los argentinos presentes, que si aceptaban ese ofrecimiento podían hacerlo con honor, y aun podrían haber ganado algo de esa desafortunada aventura. Creí a Tony Parsons cuando dijo que la señora Thatcher iba a sufrir problemas políticos en su país debido a esa oferta tan generosa. Por primera vez comprendí cuán seria era realmente la señora Thatcher, y su propio deseo de evitar esa guerra. Y por primera vez también comprendí cabalmente cómo era imposible para esos representantes del gobierno argentino tomar la decisión de no continuar adelante. Ante todo había una especie de frivolidad en su actitud como si no tuvieran realmente conciencia, como si no captaran bien cómo sería la guerra. No tenían sensibilidad ante la tragedia y la pérdida de vidas que suponía. No tenían noción de que

*El plan de paz propuesto por el presidente del Perú.

iban a ser derrotados. No tenían experiencia de guerra. Iban a combatir contra una de las grandes potencias mundiales, tal como lo es Gran Bretaña, y no podían ni siquiera tratar el asunto con total seriedad. No podían decidir entre ellos, y era claro por entonces que habían resuelto, de hecho, seguir adelante, aunque más no fuera por la razón de que eran incapaces de unirse en la decisión de no ir a la guerra.

Comprendí entonces que habría una guerra y que iban a morir hombres jóvenes. Eso era particularmente significativo para mí porque tenía tres hijos justo en la edad de ir a la guerra. Jóvenes ingleses y jóvenes argentinos iban a morir en una guerra librada por causas que, francamente, entonces y ahora no me parecieron dignas de sacrificarles vidas.

SIR ANTHONY PARSONS

Sir Anthony Parsons, ya retirado, fue diplomático durante cuarenta años. Cuando se produjo la crisis de las Falklands él era embajador de Gran Bretaña ante las Naciones Unidas, en Nueva York. Durante unos pocos días, en abril de 1982, él propició la resolución 502 en el seno de las Naciones Unidas, que proporcionaba las bases legales, bajo leyes internacionales, para que Gran Bretaña reclamara las Islas, si era necesario por la fuerza.

Cuando surgió la crisis, en las Naciones Unidas había preocupación por una cantidad de problemas: el Medio Oriente, el Líbano, Arabia/Israel, Nicaragua. El tema de las Falklands apenas había sido tratado en las Naciones Unidas y nunca ante el Consejo de Seguridad. El asunto de la soberanía se había tratado en Asamblea General, pero no durante muchos años. En consecuencia los hechos tomaron por sorpresa a toda la organización. El día anterior a la invasión argentina, el Ministerio de Asuntos Exteriores me instruyó para que llamara a reunión de emergencia del Consejo de Seguridad para tratar de tomar alguna acción preventiva. Llamé a mis colegas, los otros miembros del Consejo de Seguridad. Ellos sencillamente no podían creerlo. Es cierto que era el 1º de abril.[1] Uno o dos de ellos creyeron literalmente que yo estaba haciéndoles una "broma de abril", y que no hablaba en serio. Tuve muchas dificultades para lograr que el Consejo de Seguridad se instalara alrededor de la mesa.

El tema tenía una cualidad única en los últimos tiempos de las Na-

---

[1] Fecha que en Europa equivale al Día de los Inocentes en la Argentina.

ciones Unidas: era absolutamente fresco. En la mayor parte de los debates de la ONU se trabajaba en terrenos arados durante muchos años: árabes/israelíes; Sudeste asiático; África del Sur. Pero realmente por primera vez, desde el día anterior a la invasión, todos, excepto yo y mi colega argentino, llegaban para encontrarse con un problema absolutamente nuevo. A medida que el debate progresaba durante los primeros dos o tres días antes de que obtuviésemos la Resolución 502, se podía ver que los delegados cambiaban de posición según la forma en que se iban desarrollando las discusiones. Fue el primer debate verdadero en su sentido más genuino en que yo haya participado en las Naciones Unidas. Reinaba una atmósfera asombrosa. Por esa circunstancia y por nuestra apreciación de que eso era territorio absolutamente nuevo para todos, estábamos decididos a obtener la resolución tan rápido como fuera posible, no tanto para tomar desprevenida a la gente sino para lograr que se decidieran mientras el tema estaba aún fresco. Teníamos la impresión de que, si comenzaba un largo período de negociaciones se incorporarían nuevas consideraciones al debate. La gente empezaría a condicionar su acuerdo a esa resolución en relación con nuestro acuerdo para una ocasión futura sobre algún asunto que fuera importante para ella. Pensábamos que teníamos que aislar eso y conseguir lo que buscábamos dentro de un máximo de cuarenta y ocho horas; el menor tiempo posible para lograr una resolución.

La suerte estuvo de nuestro lado. En primer lugar, por la composición del Consejo de Seguridad; los miembros no permanentes cambian cada dos años y la composición del Consejo varía mucho. La delegación árabe había correspondido a Jordania. Habría podido ser Libia, en cuyo caso las cosas hubieran sido más difíciles. Del lado argentino, hacía muy poco tiempo que se había retirado el anterior embajador ante la ONU. Era un hombre de mucha experiencia y fue eventualmente el negociador argentino en una etapa posterior a la crisis. Su sucesor sólo había llegado cuatro o cinco días antes de que estallara. Nunca había estado antes en las Naciones Unidas y el pobre individuo estaba completamente perdido. Y eso fue una gran ayuda. Yo llevaba allí algún tiempo, mi equipo estaba formado por gente experimentada y todos sabíamos exactamente qué queríamos hacer y cómo queríamos hacerlo.

Cuando comenzó realmente el debate, esperamos doce horas para permitir que llegara y participara el ministro de Relaciones Exteriores argentino, Costa Méndez. Los argentinos pensaban que, siendo un país del Tercer Mundo no alineado, enfrentado en la ONU a una potencia anteriormente colonial, iban a tener ventajas, especialmente porque la mayoría en la ONU aceptaba su punto de vista sobre el tema de la soberanía. De modo que, cuando llegó Costa Méndez y los siete miembros no alineados del Consejo pidieron verlo antes del debate, en vez de tener un gran trabajo para convencerlos de la justicia de lo que había hecho la Argentina al invadir las Islas Falkland, escuchar sus preguntas, responderlas cuidadosamente, y otros detalles, pudo terminar con ellos en pocos minutos. Recuerdo cuando estábamos todos sentados alrededor de la gran mesa en forma de herradura en la sala del Consejo, esperando que él saliera de su reunión preliminar con la delegación de no alineados. Entraron en el salón mucho antes de lo esperado. Creíamos que les iba a tomar otra media hora, pero salieron en pocos minutos. Mirando sus caras, me resultó muy claro advertir que la reunión no había marchado del todo bien. Creo que él se limitó a decirles: "Miren, yo me voy a ocupar de todo esto, ustedes sólo tienen que apoyarme. No hay problema." El ministro no apreció, por supuesto, que lo que ellos tenían en sus mentes era el uso de la fuerza para arreglar un problema político, y no un asunto de soberanía.

Él cometió uno o dos errores importantes durante el propio debate, lo que me ayudó considerablemente; uno de ellos en particular. Después que yo me hube referido tres o cuatro veces a la manera en que la Carta de las Naciones Unidas establecía el arreglo pacífico de las disputas, él pidió la palabra. Dijo que tal vez yo no había comprendido. Esa doctrina de la Carta sólo se aplicaba a disputas que se habían producido a partir de 1945, cuando se creó la Organización de las Naciones Unidas. Como la mayor parte de las delegaciones que rodeaban la mesa estaban envueltas en sangrientas disputas y hostilidades que se remontaban al siglo XIX y que estaban todas en consideración en la ONU, resultó de su parte un verdadero tiro por la culata. Yo podía ver cómo cambiaban los votos en mi dirección mientras él decía eso. De manera que tuvimos mucha suerte, efectivamente.

La posición de los soviéticos fue muy interesante. Fueron tomados completamente por sorpresa. Como todos los demás, apenas se habían enterado de la disputa por las Falklands a través de los años. En nuestra delegación estábamos en una buena posición para observarlos, porque, alfabéticamente, nos sentamos junto a ellos. Durante todo el día, o día y medio, que duró el debate, estuvieron corriendo constantemente —de ida y vuelta— en dirección al teléfono ubicado fuera de la sala del Consejo, para informar a Moscú lo que estaba ocurriendo y pedir nuevas instrucciones. Resultaba sumamente claro para nosotros que estaban en un verdadero lío. No sabían qué hacer, porque veían, a medida que avanzaba el debate, que los miembros no alineados del Consejo, con quienes ellos siempre querían estar en un mismo lado por razones de buena propaganda, se estaban moviendo hacia nuestro lado. Se hallaban enfrentados a una elección muy fea, o apoyaban, o no se oponían ni vetaban, una resolución británica, o agraviaban a una cantidad de naciones no alineadas que evidentemente iban a votar por nosotros. Esto es lo que explica el hecho de que se abstuvieran y no vetaran la resolución. Simplemente, no podían ponerse en la posición de votar en favor de una resolución británica, pero al mismo tiempo no podían cruzarse en el camino de la mayoría no alineada.

Es muy difícil revisar la historia de las negociaciones entre Gran Bretaña y la Argentina por las Falklands sin aprovecharse de "conocer lo que ya pasó", es difícil proyectarse hacia atrás, hacia aquella atmósfera del momento. Pero me parece ahora que nosotros fuimos demasiado confiados en cuanto a la básica excelencia de las relaciones anglo-argentinas. Es cierto que, durante todo el siglo pasado aproximadamente, Gran Bretaña y Argentina han estado probablemente mucho más cerca una de la otra, excepto por el asunto de las Falklands, que Gran Bretaña con cualquier otra nación latinoamericana, con la posible excepción de Chile. Antes de que ellos invadieran, nosotros estuvimos siempre confiados, en el subconsciente, en que, cualquiera fuese la evolución de las negociaciones, aun cuando ellas fracasaran por completo y se interrumpieran, prevalecería la naturaleza básica positiva de las relaciones anglo-argentinas. Es necesario poner esto en el contexto de nuestras otras disputas en la región —Guatemala y Belice—, donde nuestras relaciones con Guatemala nunca habían sido particularmente buenas. Las relaciones diplomáticas se interrumpieron en los primeros años de la década de 1960. Tuvimos una serie de negociaciones con Guatemala en nombre de los habitantes de Belice. Yo no creo que habríamos arriesgado una ruptura, una ruptura mayor, en las negociaciones con Guatemala si no hubiésemos tenido una adecuada fuerza de disuasión presente en Belice durante todo el tiempo, como guardia contra toda acción impetuosa que pudiera seguir a la ruptura de las negociaciones.*

Nunca hicimos eso con los argentinos y las Falklands. Negociamos, y las negociaciones continuaron de una manera irregular e intermitente durante unos diecisiete años. Pero nunca nos enfrentamos al interrogante: "Si estas negociaciones finalmente fracasaran y, aparen-

*En Belice se hallaban estacionadas tropas británicas y aviones de combate de la RAF. Belice era anteriormente la colonia de Honduras Británica.

temente, no existe para la Argentina ninguna otra forma de progreso, ¿es probable que la Argentina haga algo?" Nunca dispusimos del dinero necesario para tener una adecuada fuerza de disuasión en las Falklands para el caso de que las negociaciones fracasaran. De manera que, cuando llegó el punto final decisivo, cuando realmente se quebró el proceso de las negociaciones finales, en 1980 —ahora podemos verlo— nos tomó realmente desprevenidos e inermes. Ya no se podían exprimir más las negociaciones. No habíamos previsto una fuerza defensiva adecuada. De ese modo, las Islas eran sumamente vulnerables.

Creo que hubo una falla importante en la diplomacia de ambas partes. Aprovechando una vez más la visión actual de las cosas, fallamos de nuestro lado en apreciar la profundidad del sentimiento nacional argentino con respecto a las Islas, y el hecho de que ese sentimiento nacional podía estallar si contaba con la clase de gobierno apropiada, como realmente ocurrió, en el momento exacto, en la Argentina. Durante los diecisiete años anteriores a 1982 esto no había sucedido. Tuvimos uno o dos sustos y nos habíamos quedado un poco en la actitud de aquello de "cuidado que viene el lobo".

Del lado argentino, en forma equivalente, fallaron en apreciar la profundidad del sentimiento en este país con respecto a los isleños, no a las Islas, sino a los isleños propiamente dichos, la comunidad de las Falklands. Los argentinos pensaban que Gran Bretaña, que había descolonizado una cuarta parte de la población del mundo desde 1950, siempre se había retirado cuando la empujaban vigorosamente quienes querían la independencia. Los isleños pueden haber hecho bulla y protestado, pero con toda seguridad ellos no iban a reaccionar en un ciento por ciento a lo que la Argentina creía que era un último caso de descolonización.

Existieron las así llamadas señales no captadas. Nosotros dimos una serie de pasos en los meses anteriores a la invasión, que fallaron en la interpretación del punto de vista de ellos; por ejemplo, la decisión de retirar el HMS *Endurance*. Hubo otra decisión —no dar a los isleños la total ciudadanía británica— además de algunas otras (incluyendo la no provisión del dinero necesario para ampliar la pista del Aeropuerto de Stanley, con un costo de doce millones de libras). En lo que respecta a nosotros, todas esas medidas eran acciones separadas tomadas por sus propios méritos. Pero ahora podemos ver que, para la Argentina, eran una suma de actos que sugerían que estábamos perdiendo interés en esa parte del mundo y, especialmente, en las Islas. Eso contribuyó a llevarlos a la conclusión de que, si hacían algo violento como para apoderarse por la fuerza de las Islas, era poco probable que nosotros hiciéramos mucho más que presentar unas protestas en las Naciones Unidas y aceptar el statu quo.

La invasión habría podido evitarse si desde un principio hubiésemos instalado en las islas una fuerza adecuada para defenderlas. Pero no lo hicimos. Decidimos que podíamos permitirnos negociar, aunque las negociaciones fracasaran, y que no había peligro, dada la situación básica de las relaciones anglo-argentinas. En los primeros meses de 1982, cuando se cerraron las negociaciones en la ONU, en Nueva York, y la Argentina no publicó el comunicado convenido, nos dimos cuenta claramente de que estábamos en una situación más peligrosa. Luego, cuando se produjo el asunto de los chatarreros en las Georgias del Sur, también comprendimos que la temperatura estaba subiendo.

Viéndolo ahora en perspectiva, si nosotros hubiéramos previsto en esa etapa, digamos unas pocas semanas antes, que la invasión era inminente, podríamos haber pedido una reunión del Consejo de Seguridad y anunciado que temíamos un ataque por sorpresa en el Atlántico Sur, enfocando así la atención de todo el mundo hacia esa región. De haber hecho eso, habría sido mucho más difícil para la Argentina tomar la decisión de invadir. El hecho fue que, en febrero de 1982, aunque no teníamos nada que ofrecer en las ruedas de negociaciones de Nueva York, la atmósfera era extremadamente amistosa. Recuerdo haber comentado esto en su momento.

Pero a la luz de la historia de los diecisiete años anteriores de negociaciones, a la luz de la historia del siglo y medio en las relaciones anglo-argentinas, se habría necesitado un verdadero genio para llegar a esa conclusión y dar un paso tan dramático. No debemos olvidar que, como nuestra posición sobre la soberanía de las islas apenas es compartida por unos pocos miembros de las Naciones Unidas, nunca sentimos mucho entusiasmo para sacar a relucir el tema en la ONU; estábamos en una situación realmente difícil.

Supongo que habíamos llegado a estar satisfechos de nosotros mismos. En las ocasiones previas en que habíamos enviado fuerzas de tareas secretas (1952, 1966 y 1977), nada había ocurrido. En dos oportunidades, por lo menos, Argentina no se había enterado de que habíamos enviado a alguien allá abajo, de manera que el abierto objetivo de disuasión no se cumplió.

Mi punto de vista como diplomático profesional es que, sin la menor duda, ninguna de las partes sale bien de esto. Ambas erraron sus evaluaciones, ambas hicieron cálculos equivocados, y terminamos en guerra una con otra. Esto no tiene nada de excepcional: desde 1945 ha habido entre cien y ciento cincuenta guerras internacionales, y prácticamente todas ellas han comenzado por errores de apreciación de una de las partes sobre una determinada combinación de hechos. Es discutible que hubiera podido ser conjurada. Yo no puedo evitar mi impresión de que, si volviésemos a vivir todo aquello, y sólo tuviéramos la información de que hoy disponemos y no del futuro, se habría producido la misma sucesión de hechos.

Después de que se iniciaron las hostilidades —con el hundimiento del *Belgrano*—, el ataque al HMS *Sheffield* y el envío de la Fuerza de Tareas —resultó difícil a las negociaciones ante la ONU creer que la Argentina y Gran Bretaña se hallaban en guerra, y que se iba a producir una verdadera lucha. Durante el mes de abril hubo una cierta cantidad de escaramuzas aquí y allá. Gradualmente, las delegaciones del Consejo de Seguridad comenzaron a darse cuenta de que se estaba produciendo algo muy serio. Yo estaba ansioso por disipar esa atmósfera de que se trataba de alguna forma de un juego. Seguí haciéndoles comprender, en las consultas informales detrás-de-la escena, con todo el Consejo presente, que manteníamos dos o tres veces por día, que estábamos siguiendo dos caminos. Había un camino diplomático para lograr que los argentinos abandonaran pacíficamente las Islas, y un camino militar, si no podíamos conseguir una retirada pacífica.

En la ONU, hacia fines de abril, hubo ya una decidida comprensión de que existía una guerra en desarrollo. Aunque en Gran Bretaña el hundimiento del *Belgrano* causó diversas reacciones emotivas, en Nueva York, sorpresivamente, tuvo muy poco efecto. Para empezar, la mayor parte de los delegados eran hombres de mi edad, cuyos países habían estado envueltos en guerras durante muchos años, y se estaban acostumbrando al hecho de que existía la posibilidad de una guerra muy seria en el Atlántico Sur. Coincidentemente, el secretario general acababa de recoger personalmente el testimonio de las negociaciones, después del fracaso de los viajes de ida y vuelta de Haig en misión de paz. Los cerebros en las Naciones Unidas estaban empezando a centrarse más en sus negociaciones que en diversos incidentes de la guerra. No cabe duda de que el hundimiento del *Belgrano* y las bajas que produjo tuvieron el efecto de una conmoción. En vez de ser la víctima de una agresión, parecía como si empezaran a vernos más como matones. Esto quedó contrarrestado un par de días después por el hundimiento del HMS *Sheffield*. Psicológicamente y en cierta forma esto equilibró a las dos partes en las mentes de la ONU en general. Pero esta explosión de hostilidades en los primeros días de mayo no afectó en realidad materialmente al proceso de negociaciones que se desarrollaba en Nueva York.

Cuando regresé a Londres el 15 de mayo nos hallábamos al final de una quincena de las negociaciones más intensas en que alguna vez haya yo participado, en toda mi vida. Había estado viendo al secretario general dos o tres veces por día, y otro tanto había hecho mi contraparte argentina. Habíamos estado trabajando en toda una serie de textos en borrador de lo que habría sido un tratado, un acuerdo de unos quince o veinte artículos. Habíamos intercambiado telegramas con Londres de varios textos, cambios y correcciones a lo largo de todo ese período. Se había conducido toda esa negociación contra un fondo de creciente interés público; más interés de los medios de comunicación de Nueva York por esta crisis que ningún otro hecho que pudieran recordar los más antiguos miembros de la ONU desde que ésta fue creada. En cualquier momento en que se acercara al edificio de la ONU me veía asediado por las cámaras de televisión, micrófonos de radios y periodistas gráficos. No podía caminar por la calle sin que me siguiera una gran procesión de personas que me hacían preguntas. Ocurría lo mismo a mi contraparte argentina. Existía una atmósfera de tormentosas negociaciones.

Claramente, yo tenía que ir a mi país. Las pilas de telegramas, correcciones y nuevos borradores había crecido a un punto tal que sólo podía ser aclarada frente a frente. Volví a Gran Bretaña y pasé un largo día reunido en Chequers con todo el gabinete de Guerra. Repasamos esos documentos, línea por línea, palabra por palabra, coma por coma, punto por punto. Una y otra vez y una vez más. Fue una reunión muy bien organizada y ordenada, llevada a cabo en forma sumamente metódica. Y para el final del día habíamos llegado a redactar un texto limpio de un proyecto de acuerdo, que era aceptable para nuestro gobierno. Esencialmente, consistía en un acuerdo según el cual las Naciones Unidas iban a administrar las Islas, junto a representaciones iguales de Gran Bretaña y la Argentina, durante un período de seis meses que podía ser ampliado y durante el cual continuarían las negociaciones bajo los auspicios del secretario general para alcanzar una solución definitiva del problema. Antes de que todo esto ocurriera debía producirse, naturalmente, la retirada argentina de las Islas.

Habíamos estado revisando el texto línea por línea. Al final de la reunión yo me sentí ligeramente ansioso ante la posibilidad de que la enorme trascendencia de lo que habíamos acordado pudiese haber quedado algo desdibujada por nuestra concentración en los detalles. Recuerdo haber hablado a solas con la Primera Ministra después que estuvo todo terminado, repasando el tema con un enfoque más estratégico, para asegurarme de manera absoluta de que todo lo establecido fuera completamente claro para ella.

En algún momento se presentó el interrogante sobre si la Argentina aceptaría o no lo que estábamos proponiendo. Me pidieron mi punto de vista. Respondí diciendo lo que yo pensaba: que serían completamente locos si no lo aceptaban, pero que las evidencias de las negociaciones Haig sugerían que allá en Buenos Aires estaban en medio de una confusión tan terrible que podía resultarles muy difícil ponerse de acuerdo. Yo pensaba que la probabilidad de que fuera aceptada nuestra propuesta estaba por debajo del cincuenta por ciento.

Estaba convencido entonces, y lo estoy ahora, de que ésa era una oferta absolutamente seria. Lo que quería el gobierno británico era obtener la retirada argentina, y si podíamos lograrla pacíficamente, mejor. Si no la podíamos obtener en forma pacífica, tendríamos que hacerlo de otra manera. Yo estaba convencido de que la Primera Ministra y todo el gabinete querían la retirada argentina y estaban siguiendo con toda honestidad dos posibles caminos. Si el camino pacífico daba buen resultado, sería obviamente lo mejor. Pero si no tenía éxito, había una clara determinación para recuperar las Islas, para reparar la agresión cualquiera fuese el costo. La sugerencia de que todo eso no era más que una maniobra y de que habíamos armado un documento que sabíamos que iba a ser rechazado a fin de llegar a la lucha a toda costa es una absoluta tontería. En el documento se hacía una oferta sumamente razonable, que cualquier gobierno sensato habría aceptado sin lugar a duda. El hecho mismo de que fuera publicado para la Cámara de los Comunes aunque no hubiera sido aceptado, me demostró de manera fehaciente que el gobierno actuaba con total seriedad. Por cierto, yo pensaba que la señora Thatcher iba a tener problemas con el partido Conservador si el convenio hubiera sido aceptado por la Argentina. Supongo que habría habido elementos en el país y en el partido de ella, y no solamente en su partido, que habrían sentido que se cedía demasiado, que estábamos pagando un precio muy alto por la retirada argentina de las Islas.

Al término de la sesión —era un domingo—, yo tenía en mis manos el documento. No telegrafié siquiera a mi gente en Nueva York. Se había convenido que yo volaría para regresar en el primer Concorde de la mañana siguiente al amanecer, y lo presentaría al secretario general en persona, aproximadamente a las once de la mañana, hora de Nueva York. Con el Concorde uno llega más o menos antes de partir.

Me detuve en mi oficina de la ONU para hacer escribir dos copias, y entregué una a Pérez de Cuéllar. Empezamos a leerlas juntos. Creo que él se sintió genuinamente conmovido por la flexibilidad que exhibíamos. Me dijo: "¿Realmente proponen esto? Quiero decir, ¿ésta es... realmente la oferta de ustedes?"

Le contesté: "Sí, es así. Y no hay dudas sobre eso. Pero es nuestra oferta final. Sentimos que las negociaciones se han extendido ya lo suficiente y no podemos dejar que sigan indefinidamente. Ésta es nuestra última oferta, y debemos tener una respuesta de la Argentina dentro de las cuarenta y ocho horas. No estamos poniéndoles una pistola en la cabeza en el sentido de las negociaciones, pero creemos que ellos han tenido tanto tiempo como nosotros para negociar, y que cuarenta y ocho horas es tiempo suficiente para alcanzar una conclusión final."

Pérez de Cuéllar estuvo de acuerdo con eso. No pensaba de ninguna manera que fuese irrazonable. Discutimos sobre la posibilidad de que la Argentina lo aceptara o no. Yo expresé mi punto de vista muy parecido al que había sostenido en Londres ante mi propio gibierno. Ambos pensábamos aproximadamente lo mismo: ellos deberían aceptarlo con ambas manos, pero la caótica situación del gobierno en Buenos Aires era tal que teníamos nuestras dudas.

Tuvimos una respuesta un par de días después. Fue una noche realmente dramática. Las actuaciones del Consejo de Seguridad habían finalizado en la ONU por ese día, y yo me encontraba de regreso trabajando en mi oficina a eso de las diez de la noche. Pérez de Cuéllar me llamó diciendo que tenía la respuesta argentina, pero que estaba en español. Llevaría cierto tiempo traducirla. Me preguntó: "¿Puede esperar hasta la mañana?". Le respondí: "No, no puedo. Con la diferencia horaria eso significa un día entero perdido. Debo tenerla esta noche. ¿No puede usted traducirla en síntesis, o leerla conmigo e ir traduciéndola a medida que lo hacemos, para que yo pueda dar a mi gobierno una idea clara sobre cuál es la respuesta?".

Llegué a su oficina alrededor de medianoche. Su expresión era sombría. Por lo que pude ver la contestación no era buena. Empezamos a leer el telegrama argentino en una improvisada traducción de él. Tan pronto como empezó la lectura comprendí claramente que era una respuesta negativa. Ni siquiera se refería a los puntos detallados de nuestro documento de negociación. Consistía realmente en un torrente de retórica que ni siquiera estaba adecuadamente dirigido a los puntos en cuestión. Vi que eso era todo; habíamos alcanzado el final de ese particular camino. Lo mismo pensó Pérez de Cuéllar.

Tuvimos una escena bastante emotiva. Yo le dije: "Como usted sabe, el resultado de este documento será que una cantidad de jóvenes de ambas partes, que hoy están con vida, morirán dentro de pocos días... No se reproche usted de ninguna manera por esto. No creo que nadie hubiese podido negociar con mayor intensidad, con mayor devoción, o con mayor habilidad que usted. Tengo una sensación de gran tragedia por el hecho de que la negociación haya fracasado." Nos separamos esa noche con ese estado de ánimo.

Volví a ponerme en contacto con Pérez de Cuéllar a la mañana siguiente. Dijo que quería hablar personalmente con la Primera Ministra y con Galtieri. Tomé las medidas para que la Primera Ministra lo llamara por teléfono ese mismo día algo más tarde. Él llamó a Galtieri. En esos momentos yo me hallaba en el Consejo de Seguridad y pasé caminando junto a su sala privada justo cuando él hablaba por teléfono a la Argentina. Hacía veinte minutos que estaba en el teléfono con Galtieri. Salió con una expresión de perplejidad en su rostro. Le dije: "¿Hubo algún resultado positivo?" Me contestó: "Sabe usted, yo realmente ni siquiera sé de qué hemos estado hablando." Había sido una conversación absolutamente caótica.

Luego lo llamó la Primera Ministra. Tuvieron una conversación racional y amistosa. Él sugirió uno o dos pequeños cambios en el texto, que a mí me pareció que no alteraban mayormente las cosas ni en uno ni en otro sentido. Después, Pérez de Cuéllar hizo las mismas sugerencias a Galtieri. Estábamos preparados para asumir de inmediato los cambios, pero queríamos ver cómo reaccionaría Galtieri. Ellos no contestaron. Con eso estaba todo dicho y yo me sentí muy decepcionado. Pensaba que habíamos estado muy cerca y que podría haberse producido un desenlace pacífico si no hubiera sido por el total fracaso argentino para ponerse de acuerdo.

Lo más extraño con respecto a toda la crisis, para mí, fue que no me cansé en ningún momento, según creo. Yo había estado trabajando no sé cuántas horas por día. Nunca me acostaba antes de las primeras horas de la mañana, porque veía hasta muy tarde los programas nocturnos de la TV norteamericana. Y ya estaba otra vez en acción en los primeros minutos del amanecer. Eso era constante, pero no creo que en algún momento me haya sentido cansado realmente. Desde el comienzo mismo trabajamos sin tener nunca un descanso. Siempre había muchas cosas que hacer, y más y más y más.

Supongo que para mí mi pequeño grupo de trabajo era algo así como encontrarse sobre una tabla de surf. Nos llevaba una enorme ola y debíamos poner tanta atención para mantenernos de pie que no teníamos tiempo para pensar en el cansancio. Hubo una atmósfera de gran tristeza en nuestra misión y entre las delegaciones amigas también, cuando comprendimos que las negociaciones habían terminado y que no había otra alternativa que la recuperación militar de las Islas.

Yo había sido soldado, sabía cómo era la lucha y pensaba en nuestros muchachos soldados que estaban a bordo de los buques meneándose en el Atlántico Sur. Durante todo el tiempo nos ocupamos en la ONU de cuestiones relativas a la paz y la guerra. Todos teníamos clara conciencia del hecho de que no se trataba de un juego y de que realmente iba a morir mucha gente. Iban a morir en cantidades sustanciales en lo que nos parecía una pelea completamente innecesaria entre dos países que tenían relaciones muy estrechas entre ellos. Yo tenía amistades de nacionalidad argentina que habían estado allá desde la década de 1880, y me parecía espantoso. Pero no había salida. Jamás vacilé en mi convicción de que estábamos haciendo las cosas bien. Había existido una agresión, lo que constituía una clara vulneración de todo lo sostenido por la Carta de la ONU. Esa agresión debía ser reparada. Si se podía lograrlo pacíficamente, bien; pero si no, debería ser reparada en alguna otra forma.

Fue una tremenda frustración. Sentimos desde el principio mismo que, por primera vez en muchos años, teníamos detrás de nosotros la fuerza de toda la comunidad internacional en cuanto a nuestra respuesta a un acto de agresión. Desde el momento en que obtuvimos la Resolución 502 ya no perdimos más ese apoyo. Además, teníamos las negociaciones que, por su propio impulso, crearon una especie de optimismo en nuestras mentes. Eran tan intensas que pensábamos que debían tener éxito. Hubo una gran caída después de todo aquello. Aun después de los desembarcos británicos, Pérez de Cuéllar todavía intentó revivir las negociaciones para evitar la batalla final. Una cantidad de delegaciones pedían que se hiciera una tregua y cesara el fuego. Yo le aclaré perfectamente y en todo momento que no se podía pensar siquiera en que nos dejásemos arrastrar por la Argentina a un pantano de interminables negociaciones a fin de anular el ímpetu de las operaciones militares y de alguna manera invertir la situación diplomática para generar nuestro descrédito. Dejé absolutamente aclarado que, aunque recibiríamos con buena voluntad cualquier iniciativa, habría siempre una condición inalterable: acuerdo inmediato e incondicional de los argentinos para retirarse de las Islas. Solamente en esas circunstancias contemplaríamos nosotros la posibilidad de un cese del fuego o algo parecido. Nunca logramos eso, y así fue como tuvimos que continuar hasta el fin.

Si el convenio ofrecido por la señora Thatcher hubiera sido aceptado por ellos, habría comenzado un período de seis meses de negociaciones diplomáticas bajo la tutela del secretario general. Se admitía que ese período podría extenderse y podría no haber finalizado a los seis meses. Habríamos tenido un escenario con las banderas de la ONU — Argentina-Gran Bretaña flameando en las Islas y la presión que esas negociaciones habrían generado. Considerando todos estos antecedentes, me resulta sumamente difícil creer que esas negociaciones hayan terminado en el fracaso. No estoy diciendo que habrían concluido con que Argentina tomara simplemente las Islas como si tal cosa. Esto es pura especulación, pero no puedo evitar sentir que habrían terminado con alguna clase de reconocimiento de la presencia argentina en las Islas Falkland, con todas las garantías que fueran necesarias.

Una cosa es cierta. Si los argentinos las hubieran aceptado, se hallarían en una situación mucho mejor, en cuanto a su reclamo de las Islas, de lo que están en las presentes circunstancias. Yo no puedo creer que el mundo en general hubiera permitido el colapso de esas negociaciones después de todo lo que había pasado.

MARINOS

HÉCTOR BONZO

El capitán de navío Héctor Bonzo era un oficial de carrera en la Armada Argentina. Era el comandante del crucero *General Belgrano* cuando fue torpedeado el 2 de mayo, apenas fuera de la Zona de Exclusión alrededor de las Malvinas. Retirado ahora del servicio activo, es vicepresidente de una compañía constructora de nuevos submarinos para la Armada Argentina.

Cuando se produjo la ocupación de las Malvinas, el *General Belgrano* se encontraba en dique seco para el mantenimiento y reparación general de una de sus máquinas. Despedimos a los buques que iban con nuestras fuerzas a retomar las islas. Desde el muelle los saludamos y les deseamos buena suerte. Dos semanas más tarde zarpamos nosotros para consolidar la operación de ellos.

El día en que la bandera argentina flameó otra vez en las islas fue memorable e inolvidable para todos nosotros. Muchas de las tradiciones de la Armada Argentina son tradiciones inglesas porque habíamos tenido —y aun los tenemos— amigos ingleses, y hemos estado juntos en el mar fraternizando estrechamente. Cuando uno está tomando parte en algo como la ocupación de las Malvinas, los sentimientos patrióticos van más allá de cualquier amistad posible

Yo recibí el comando del *General Belgrano* en noviembre de 1981. Había sido oficial en ese buque, de manera que llegar a ser su comandante significó para mí un gran orgullo. Cuando me hice cargo, en una ceremonia especial el 4 de diciembre, fue un momento inolvidable, un recuerdo indeleble. Eso, por supuesto, ocurría en tiempo de paz. Hicimos maniobras y ejercicios de instrucción. Cuando comenzó el conflicto del Atlántico Sur, nos convertimos en un buque de guerra en el que todos los miembros de la dotación tenían el mismo objetivo. Era una maravillosa tripulación y habría de mostrar sus méritos en la guerra. Nuestra misión era patrullar la zona del Mar Argentino, es decir, al sur de las Malvinas. Debíamos salir en una línea oeste-este y regresar hacia el oeste. Navegábamos en todo momento fuera de la Zona de Exclusión, nunca más cerca de treinta y cinco o cuarenta millas (sesenta o setenta kilómetros).

En la mañana del 2 de mayo, el buque estaba regresando de su patrullaje con rumbo oeste, a media velocidad, siguiendo un curso de doscientos ochenta grados, para volver directamente al continente argentino. Nos hallábamos a noventa y cinco millas al sudeste de la Isla de los Estados y soplaba un fuerte viento de frente. A las dieciséis y un minuto oímos la primera explosión. Pensé inmediatamente que se trataba de un torpedo, otros creyeron que era un ataque aéreo. Esa primera explosión fue la que causó el mayor número de muertes, ya fuera por la onda explosiva inicial o por el calor y la inundación. El segundo impacto se produjo cuatro segundos después. El torpedo hizo impacto a quince metros de la proa, y esos quince metros prácticamente desaparecieron debajo del agua. Las dos explosiones inutilizaron todos los servicios de emergencia, especialmente la del primer torpedo, que penetró debajo de la sala de máquinas y destruyó las bombas, el sistema contra incendio y las luces de emergencia.

Desde ese momento en adelante todo sucedió muy rápidamente, aunque pareció durar una eternidad. Yo estaba subiendo al puente en el momento de la primera explosión, y cuando llegué arriba ya pude ver que el buque se escoraba. Cinco minutos después tenía una inclinación de quince grados a babor. Vi que había movimiento en cubierta, donde un oficial estaba preparando a la dotación para abandonar el buque, y que subían a los marinos heridos desde las cubiertas inferiores. Los médicos trataban de administrar morfina o primeros auxilios a los que habían sufrido quemaduras. Todos los conscriptos y suboficiales trataban de ayudarse entre ellos. Todo estaba muy bien organizado. No hubo pánico. Hubo hombres que bajaron cinco o seis veces a las cubiertas inferiores para subir heridos.

A las dieciséis y quince el buque tenía una escora de diecinueve grados, pero yo retenía aun la orden de abandonar el buque, con la esperanza de poder salvar más gente. Cuando vi que la situación no tenía esperanzas, que no había posibilidad de salvar el buque, y cuando todos habían ocupado sus puestos de emergencia... entonces di la orden.

Es la más trágica que puede dar un comandante en su vida. Todos lo habíamos estudiado pero nunca lo habíamos hecho en la realidad. Aquí ocurrió una situación que revela la actitud de la dotación. Yo creí que no había nadie más a bordo; en esos momentos el buque tenía una inclinación de cuarenta a cuarenta y cinco grados; la cubierta se hallaba tapada con petróleo, pero los incendios se estaban extinguiendo por la entrada de agua de mar. Yo me encontraba todavía a bordo, tratando de soltar unas cuantas balsas más, aunque en realidad teníamos más de las que necesitábamos. Entonces oí la voz de un oficial detrás de mí. Yo no lo había visto antes, y él me dijo: "Vamos, señor." Me di vuelta. Era un artillero que quería estar conmigo hasta el último momento. Le ordené que fuera a su balsa salvavidas pero él se negó y sólo se mostró dispuesto a saltar cuando estuvo seguro de que yo saltaría detrás de él. Saltamos al agua y alcanzamos cuatro balsas que se hallaban a unos quince metros del buque esperándonos, rehusándose a alejarse del costado de la nave a pesar del peligro de ser arrastrados hacia abajo cuando el buque se hundiera.

El *General Belgrano* fue tan noble en su muerte como lo había sido en su vida. Zozobró muy lentamente y empezó a hundirse, mostrando la herida abierta en su casco, pero no tragó con él a ninguna de las balsas salvavidas. Cuarenta o cuarenta y cinco de ellas lo rodeaban, y en algunas comenzaron a cantar el *Himno Nacional Argentino* a la vez que gritaban: "¡Viva el *General Belgrano!*"

En esos momentos, en lo único en que puede pensar un comandante es en su buque y en los héroes que se están hundiendo con él. Es difícil explicar lo que yo sentí... era parte de mi vida lo que se hundía con el buque. Me sentí inmediatamente mucho más viejo. Pero había otras cosas en que pensar. En ese momento ni siquiera había pensado en mi familia. No tenía familia, sólo un buque y más de mil cien hombres. De ellos, setecientos setenta habían sobrevivido. Y todo esto ocurría en uno de los mares más peligrosos del mundo, con vientos de hasta ciento veinte kilómetros por hora y temperaturas de congelamiento. Esto no era coincidencia, se debía a nuestro entrenamiento y espíritu de cuerpo. Cuando llegamos a Puerto Belgrano (la principal base naval argentina, quinientas millas al sur de Buenos Aires) mantuvimos reunida a la dotación durante los siguientes treinta días. Ellos querían permanecer juntos, pero se los necesitaba en otras unidades.

El 2 de junio llegó el momento de separarnos y hubo una misa. Yo hablé a la dotación durante una hora, y debo decir que se ha mantenido entre nosotros un fuerte lazo de unión. Hasta el día de hoy conservamos nuestra Asociación del *Belgrano*. Todavía visito a muchos miembros de las familias de esos trescientos sesenta y ocho héroes que permanecen en el fondo del mar.

71

JUAN ANTONIO LÓPEZ

El capitán Juan Antonio López era un médico naval que se encontraba a bordo del *Bahía Paraíso*, un buque hospital argentino pintado de blanco y que operaba según las normas de la Convención de Ginebra como un navío no combatiente. Se le permitió navegar entre las Islas Malvinas recogiendo soldados argentinos heridos. Había una zona de rescate al norte de las islas, donde los equipos médicos británicos entregaban a sus soldados enemigos heridos a sus contrapartes argentinas.

Sentimos una fuerte conmoción al enterarnos de que habían hundido al *General Belgrano* porque todos nosotros teníamos muchos amigos entre los hombres de su dotación. Navegamos tan rápido como fue posible hacia la zona de rescate. Estábamos preocupados porque el mar era frío. Las balsas salvavidas del *General Belgrano* derivaban con la corriente más hacia el sur, en dirección a la Antártida. No eran ésas las mejores condiciones para sobrevivir. El hecho de que el setenta por ciento de la dotación del *Belgrano* haya sobrevivido se debe a su buena instrucción y eficiencia. Recogimos algunos de ellos cuando estaban casi congelados, virtualmente muriendo por exposición. Enviamos adelante a nuestro helicóptero para buscar las balsas. Nos daría la posición y nosotros las alcanzaríamos lo más rápido posible. Cuando estábamos cerca de una balsa, dos hombres-rana se zambullían y sujetaban a ella un cabo. La mayor parte de los sobrevivientes se hallaban tan cansados que tuvimos que levantarlos a bordo. Les quitamos la ropa y les dimos prendas abrigadas, un baño caliente y mucho líquido caliente, té y chocolate. Después fueron todos a la cama.
Muchos de ellos tenían quemaduras graves y debieron ser trata-

dos de inmediato. La parte más dolorosa del rescate fue hallar balsas en las que los sobrevivientes habían muerto por fallas del corazón debidas al intenso frío, aunque tenían trajes de supervivencia y contaban con raciones. Habían seguido todos los procedimientos. Lo único que pudimos hacer fue identificar los cadáveres y prepararlos para embarcarlos de vuelta a nuestro país. Recuerdo un caso en el que vimos una balsa con tres cuerpos. Uno de ellos estaba acostado sobre la cubierta que hacía de techo. Parecía que hubiera estado actuando como vigía, hasta quedarse dormido y morir congelado. Pero cuando vimos la balsa por primera vez parecía estar durmiendo pacíficamente con las manos dobladas debajo de la cara. Tenía puesto un traje de supervivencia y estaba realmente muy abrigado. Todo lo que se podía ver de él era su cara, que asomaba del equipo. Cuando lo alzamos a bordo nos dimos cuenta de que estaba muerto. Era el teniente Gerardo Sevilla.

Teníamos encuentros periódicos con el buque hospital británico *Uganda*, al norte de San Carlos, donde nosotros recogíamos a bordo a los soldados argentinos heridos, que ya habían sido tratados por los médicos británicos. Dentro del drama de la guerra se daba la paradoja de que pudiésemos encontrarnos con los médicos británicos, transferir los prisioneros heridos en una zona especialmente determinada, que era un sector de paz en medio de la guerra. En una ocasión visitamos el *Uganda* para retirar a nuestros heridos y establecer contacto con nuestros colegas británicos, quienes luego devolvieron nuestra visita viniendo a bordo de nuestro buque. Quedaron sorprendidos al comprobar que nuestro buque era muy similar al de ellos y tenía las mismas instalaciones. Estos contactos en una zona libre de guerra permitieron que los médicos británicos y argentinos salvaran muchas vidas. Recuerdo que durante nuestra visita al *Uganda* dimos a los médicos británicos antibióticos, tranquilizantes, placas de rayos X y otros elementos médicos que ellos necesitaban.

Era muy triste ver a todos esos hombres jóvenes heridos. Los médicos navales hicieron todo lo que estuvo a su alcance para ayudarlos. En nuestras reuniones con los médicos ingleses hablamos sobre las Islas; decían que para ellos la guerra no tenía sentido en absoluto. Les pregunté por qué querían recuperarlas, y era obvio que estaban cumpliendo órdenes. Nosotros explicamos nuestra posición y nuestros derechos geográficos e históricos sobre las Malvinas.

PATRICK KETTLE

El capitán de corbeta Patrick Kettle, un oficial ingeniero, prestaba servicios a bordo del HMS *Sheffield* durante un período de cinco meses en el Océano Índico y el Mediterráneo. El buque estaba regresando — a cinco días de navegación de Gran Bretaña— cuando se le ordenó cambiar su rumbo hacia el Atlántico Sur. El *Sheffield* ya nunca regresó a su base. El 4 de mayo, a unas sesenta millas al sur de las Islas Falkland, recibió el impacto de un misil Exocet.

Cuando viajábamos hacia la Isla Ascensión yo pensaba que iba a una verdadera guerra; se estaban dando todas las probabilidades para que lo fuera. En años anteriores me había enterado de que había problemas con las Falklands y, debido a la magnitud de la fuerza y por las impresiones recibidas de la radio y la prensa, parecía que no habría forma de librarse de ella. Yo tenía una sensación de miedo con respecto a todo el asunto, mucha gente la tenía, y muy rápidamente fuimos tomando conciencia, a partir del simple hecho de tener que preparar el buque. Había que pintarlo de arriba abajo y asegurarse de que estaba en condiciones de entrar en guerra. Fue pintado de gris. Tuvimos que descargar algunas provisiones y asegurarnos de que teníamos suficientes alimentos y munición. Eso terminó de hacernos ver claramente las cosas.

Comprendí que, al participar en hechos de esta naturaleza, había una posibilidad de perder la vida. Era algo que yo debía enfrentar. Mi esposa e hijo habían quedado en mi país y yo estaba preocupado pensando que, si debía perder la vida, no podía ser que no tuvieran nada de mí. Lo pensé por un tiempo y decidí escribir una carta a mi esposa para explicarle cuánto la amaba, mis sentimientos hacia ella, cosas por las cuales podría recordarme... una pieza musical, un lugar a donde ir. Le di algunos consejos sobre cómo comportarse si quedaba viuda, si mal no recuerdo. Me resultaba muy difícil escribir. La más difícil fue la que le escribí a mi hijo. No la he vuelto a leer, pero estaba por cierto borroneada por las lágrimas. Después de escribirlas, y fue la cosa más dura que he hecho en mi vida, las envié por correo a mi padre y le pedí que se las entregara en caso de que yo muriera. Ahora me alegro de haberlo hecho y, naturalmente, mi esposa ha leído esas cartas y nuestro matrimonio se ha fortalecido.

En los pocos días que pasaron antes de que sufriéramos el impacto del Exocet,* ocupábamos una posición frente a la Fuerza de Tareas, y sólo en el primer día estuvimos bajo el ataque directo de aviones. Volaban sobre las islas; nosotros los oíamos a cualquier distancia. Después nos encontramos en acción, y esperábamos y escuchábamos los mensajes cuando derribábamos o dañábamos aviones argentinos. Simplemente debíamos estar allí y aguardar. Mi tarea como ingeniero consistía básicamente en mantener en funcionamiento toda la maquinaria y esperar que hubiera daños en acción. Era una espera terriblemente larga hasta que ocurriera algo. Nos dimos cuenta de que sólo ocurriría durante las horas de luz de día, y pasamos aquellos pocos días anteriores sintiendo mucho miedo durante las horas diurnas y logrando alguna sensación de seguridad durante la noche.

Las guardias que teníamos eran largas: trabajábamos cuatro horas y descansábamos otras cuatro, pero para alguien en mi posición de ingeniero son muchas horas de turno. Yo las llenaba hablando a los hombres que formaban los equipos de control de daños y de la sala de control de máquinas. Hasta pude leer un poquito. Teníamos que encontrar cosas para hacer, para mantener ocupadas nuestras mentes y no quedarnos en el lado triste de la vida. Por ejemplo, podíamos oír cargas de profundidad a la distancia, y la mente de uno podía comenzar a preguntarse: ¿Habrá un submarino cerca? En general, se trataba de animales marinos a los que lamentablemente se les lanzaba cargas de profundidad. Vivimos esa larga espera y aburrimiento durante los tres días que estuvimos activos en las aguas de la Zona de Exclusión.

*Exocet. Misiles antibuques fabricados por Aérospatiale, de Francia, que fueron lanzados desde aviones de combate a reacción Super-Etendard, a cargo de pilotos de la Aviación Naval Argentina. Estos misiles, que tienen una cabeza de guerra altamente explosiva, son guiados por radar en vuelo rasante sobre la superficie del mar y buscan automáticamente su blanco.

El día que recibimos el impacto yo había entrado de guardia al mediodía. Fue una guardia muy tranquila, parecía que el buque estuviera en ejercicios en un día domingo, casi muerto. Yo había hablado a los equipos de control de averías en los extremos de proa y popa del buque. También había estado en la sala de operaciones para hablar con el oficial a cargo, con la intención de saber qué estaba sucediendo y comunicarlo a la jefatura de control de averías. Durante la media hora siguiente decidí leer un libro. Diez minutos después se oyó una señal (un mensaje por el sistema de altoparlantes de intercomunicación del buque) por el que se requería la presencia en la sala de operaciones de su oficial jefe. Por el tono de la voz me di cuenta de que algo estaba ocurriendo. Entonces dejé a un lado mi libro, estiré las piernas y me preparé para lo que pudiera suceder luego.

Esperé; me pareció que fueron más o menos diez segundos, quince. Miré alrededor: no pasaba nada, no había alarma, decidí tomar mi libro de nuevo. Lo abrí y... en ese mismo instante se produjo un intenso ruido, y una gigantesca corriente de aire atravesó la sala de control de máquinas y entró en el pasillo del lado de babor. Frente a mis ojos pasaron personas, libros, hojas de documentos, y el aire se llenó de polvo. Fue como un ciclón. Me arrancó de mi sillón que, como descubrí después, se partió en tres o cuatro partes.

Me levanté. Mi primera reacción fue: todavía estoy vivo. La siguiente, buscar mi salvavidas y luego buscar la alarma radial, quería asegurarme de que todo el buque estaba alerta y en movimiento hacia donde correspondía para actuar frente al incidente. Me encontré con que la alarma principal no funcionaba. Pude comunicarme con el sector de proa del buque y recibí el mensaje anunciando que la sala de operaciones había quedado destruida. Más tarde descubrimos que no se trataba de la sala de operaciones, pero luego se interrumpió la comunicación con el sector de proa. Casi inmediatamente el compartimiento se llenó de humo. Para mí, olía como el humo químico normal que usábamos durante nuestros ejercicios de control de averías. Parecía increíble que en esa situación de ataque yo pudiera pensar como si estuviésemos en medio de un ejercicio.

Pronto el humo se hizo más denso. Yo había marcado el incidente en el tablero como correspondía, pero pocos minutos después ya ni siquiera pude verme la mano frente a la cara. Comprendí que no podía hacer nada más desde mi posición, de modo que ordené la evacuación de la sala de control de máquinas y de la jefatura de control de averías. Salimos arrastrándonos sobre manos y rodillas, con las narices tan pegadas al piso como era posible. Allí había aire, y podíamos respirar y lograr salir sin mayores obstáculos, relativamente, de ambos compartimientos.

Cuando pude salir al aire puro, hablé con el oficial infante de marina, de máquinas, que se estaba ocupando de un problema técnico para asegurarse deque podíamos eliminar parte del humo. Yo resolví dirigirme al sector de popa del buque para saber si nos estábamos hundiendo o no y comprobar la actitud de la nave en el agua. Por el momento estábamos flotando normalmente. Alcancé a ver todo el extremo delantero de la banda de estribor, y había agua que salía por un enorme agujero de la estación principal contra incendio; era el agua que se empleaba para combatir el fuego. Se veían cables eléctricos cortados, con los extremos sueltos, y también salía humo por el agujero. Pude ver que no había peligro inmediato de que el buque se hundiera y nos decidimos a tratar de controlar el fuego. No podíamos poner agua en el resto de la estación contra incendio, por lo tanto, debíamos atacar ese fuego primitivamente utilizando baldes colgados de una cuerda. Esto sucedía en 1982.

La lucha contra el fuego continuó durante cinco horas; nos pareció que sólo había sido media hora. No teníamos medios de comunicación; yo debía ir de un lado a otro para asegurarme de que todo eso se estaba realizando. Pensaba que el que había hecho impacto en nuestro buque había sido un misil lanzado desde el aire, y sospechaba que quien lanza uno de esos misiles muy probablemente lanza un segundo, de manera que me preocupaba calculando en qué momento podíamos recibir el número dos. Fue sólo un pensamiento pasajero. Hablando más tarde con un suboficial pude saber que el segundo Exocet nos había errado y lo habían visto pasar de largo detrás de la popa de nuestro buque.

No sentía miedo. Estaba demasiado ocupado como para sentir miedo. Inicialmente lo sentí, pero esos sentimientos desaparecieron cuando empecé a trabajar para combatir el fuego. Recuerdo que volvía caminando desde un extremo del buque y me encontré con un médico a quien había conocido en el HMS *Fife*. Me detuve de golpe para hablar con él y le dije: "Me alegro de verlo; hacía mucho tiempo que no lo veía. Ahora estoy demasiado ocupado y debo apurarme." Después tuve oportunidad de pasar unos minutos con ese médico, a quien habían traído en vuelo desde el *Hermes*. Tenía una condecoración por sus esfuerzos y la ayuda prestada por nosotros en Dominica cuando fue azotada por un huracán.

Pensé repentinamente que algunos de mis amigos de a bordo podían estar muertos, pero comprendí que debería alejarme de esos pensamientos y concentrarme en los que estaban vivos. Alguien me informó que una determinada persona había muerto. No tenía tiempo para pensar en eso, mis pensamientos estaban dirigidos a la acción que teníamos entre manos. Vi heridos y quemados pero sabía que teníamos médicos; ellos y el suboficial auxiliar de sanidad los estaban manejando eficazmente. Era trabajo de ellos y se lo dejé.

Abandonamos el *Sheffield* y nos llevaron al HMS *Arrow*. Nos entregaron doscientos cigarrillos; recuerdo cuánto los agradecí. Las cosas parecían estar tranquilizándose. Ya estaba oscureciendo, se acercaba la noche y me sentí relativamente seguro. Por cierto, había decidido darme una ducha para quitarme algo de la suciedad del humo. Me quité toda la ropa y me di un hermoso baño caliente en las duchas de la cámara de oficiales. Desgraciadamente, en ese momento oímos el temido anuncio: "Alerta roja de ataque aéreo", y allí estaba yo, listo para la acción, completamente desnudo. Nunca me he vestido más rápido en mi vida. Sabía que me estaba poniendo una ropa que no correspondía para la situación. Pero para cualquier clase de acción lo más conveniente es estar totalmente vestido, de manera que mi reacción instantánea fue asegurarme de que ponía cada pierna en la correspondiente abertura del pantalón, y no las dos en una sola. Me acerqué al equipo de control de averías del HMS *Arrow*. Yo no conocía esa clase de buque, su disposición, de manera que no podía ser realmente de mucha ayuda, excepto en los lugares más próximos. Sólo tenía que esperar la voz que anunciaba el fin de la alerta. No fueron momentos felices.

Volví a mi casa sumamente deprimido. Había sufrido tanto miedo como nunca en mi vida. Jamás me había asustado tanto antes. Había visto morir a mis amigos. Regresé en un VC10 de la RAF, que aterrizó en Brize Norton. Me reuní con mi esposa en la sala VIP, que estaba muy bien puesta, y de repente tuve que enfrentarme con una barrera de la prensa. Recuerdo que caminamos hacia el automóvil con mi esposa y mi hijo en su sillita, y teníamos frente a nosotros, caminando de espaldas, a todos los canales norteamericanos de noticieros, con sus camarógrafos y sonidistas. No podía comprenderlo, no podía pensar por qué yo era tan importante.

Subimos al auto y partimos hacia Portsmouth. Pedí que me llevaran a Southsea, y pasamos junto a la orilla del mar antes de llegar finalmente a casa. Cuando íbamos junto al mar vimos gente que estaba disfrutando de sus vacaciones de verano; comían helados sentados en sus reposeras, pasando así las horas del día, descansando. Sentí ganas de ir a tomarlos de un brazo, sacudirlos y decirles: "Oigan, estamos luchando en una guerra, hay gente que se está matando." Sentí que para ellos la guerra era algo que ocurría a las ocho de la mañana, cuando recogían el diario; o a la noche, a las nueve, cuando miraban las noticias por TV. Creo que me llevó mucho tiempo readaptarme. En todas partes a donde iba la vida continuaba con toda normalidad; la gente seguía comprando casas y saliendo de vacaciones.

Durante todo el conflicto de las Falklands la prensa se mostró extremadamente patriotera, con grandes titulares sensacionalistas. Había grandes multitudes que vivaban. Para mí sólo era un recordatorio de agosto de 1914. La guerra es algo que a veces tiene que hacerse, pero no tiene que ser hecha en ese estado. Yo creo que sólo cuando hundieron el *Sheffield* la gente comprendió que estábamos realmente en una verdadera guerra,

Me resultaba muy difícil hablar a mi esposa sobre mis experiencias. La única forma en que pude hacerle saber cómo me había sentido fue relatando todo a otras personas pero asegurándome de que ella estaba oyendo, y conscientemente lo hice en varias ocasiones. Este conflicto ha estado trabajando en mi interior durante algún tiempo, pero ahora me alegro de poder decir que me las he arreglado para librarme de él y decirle a mi esposa exactamente lo que pasé y me siento mucho mejor.

Me he quedado con el sentimiento de lo absurdo de la guerra. Es un mensaje que se ha comunicado antes muchas veces. La guerra es el infierno, créanme.

STEVE IACOVOU

Steve Iacovou era un subteniente de la Armada Real que se encontraba a bordo del HMS *Sheffield* cuando éste fue hundido. Fue una de las primeras personas a bordo de la nave que divisaron el misil Exocet antes de sufrir el impacto.

Habíamos ocupado ya el puesto asignado en el patrullaje del Atlántico Sur, frente a las Islas Falkland. Hay diferentes niveles de "posiciones de combate", y nos encontrábamos en posición de defensa, lo que significaba básicamente que todo el buque estaba en alerta. No esperábamos exactamente algún problema en esos momentos, pero nos hallábamos en una situación de preparados para el caso de que algo se presentara.

Yo me encontraba de guardia en el puente. El timonel cuenta con un ayudante, que trabaja mano a mano junto a él tomando y dejando el timón por momentos. Yo permanecía de pie detrás de él, dándole algunas instrucciones. Había varias personas alrededor, un par de oficiales de guardia, el oficial navegante y un operador de radio. Era un hermoso día, el mar estaba completamente calmo, y no creo que por entonces estuviésemos demasiado preocupados por que pudiera pasar algo.

En todo momento manteníamos una muy buena vigilancia visual por razones obvias. Yo noté algo más o menos al mismo tiempo, creo, que el oficial de guardia; ambos estábamos observando el mar en la misma dirección. Pareció que se acercaba un torpedo porque se veía el mar agitado y con reflejos cambiantes. Yo dije que pensaba que era un torpedo. El piloto también enfocó sus binoculares hacia el mismo sitio y dijo: "No, es un Exocet". En esos momentos el misil se orientó directamente hacia nosotros. Estaba en el horizonte, de manera que, al principio, sólo pudimos vislumbrarlo, un brillo fugaz, a varias millas de distancia. La visibilidad sólo tenía el límite de la propia vista; lo habíamos descubierto muy temprano. En los ejercicios de entrenamiento a uno no le disparan Exocets. Es algo que se ve en las películas de instrucción pero siempre en una vista lateral. Nunca se los ve venir de frente como lo estábamos experimentando en ese momento. Me quedé inmóvil, como hipnotizado por ese misil que venía hacia nosotros. Durante un breve instante nadie supo exactamente qué estaba pasando. El piloto parecía haber salido muy rápidamente. Había abandonado el puente tan pronto como divisamos el misil, y yo pude ver que se había dirigido en seguida abajo y a popa para hacer despegar el helicóptero. El resto de nosotros nos preparamos. Era muy poco lo que podíamos hacer. Usamos el intercomunicador y lanzamos un grito: "¡Cúbranse!" Eso fue todo. Ni siquiera estuvimos seguros de que hubiera salido por los altoparlantes... no fue mucha la gente que recordara haberlo oído. El oficial de guardia y los otros miembros de la dotación del puente empezaron a acomodarse en sitios protegidos, pero recuerdo que yo y el segundo oficial de guardia seguíamos paralizados por la impresión del misil. Continuamos mirándolo casi hasta el momento del impacto, entonces nos abrazamos y nos lanzamos al suelo.

Fue sólo cuestión de segundos antes de que el misil nos alcanzara; no hubo tiempo suficiente para hacer algo con el buque. Yo me había preparado para algún tipo de explosión, pero nada de eso ocurrió. Hubo solamente un fuerte ruido sordo, más que una intensa explosión. Todo se sacudió, se levantó polvo por todas partes, caían cosas de las cuadernas y todo pareció ser el centro de una estruendosa implosión. Los hombres corrían en su totalidad hacia cualquier parte: el oficial de guardia estaba tratando de hacerse cargo, el segundo oficial de guardia quería usar el intercomunicador; el contramaestre había abandonado el puente, de modo que tomé los controles del buque para comprobar si aún teníamos posibilidad de dirigirlo. El puente se llenó de humo y pronto no vimos casi nada desde esa posición. Cuando pedí instrucciones al segundo oficial de guardia me di cuenta en seguida de que nadie me respondía, de manera que yo también abandoné el puente. Descubrí luego que, en realidad, el oficial de guardia había ordenado que todos lo abandonáramos.

La lucha contra el fuego fue increíble. El calor es difícil de describir, y se acercaba cada vez más. Tuvimos el caso de alguien que corrió hacia un pasadizo de donde no salían llamas sino solamente calor. Él tenía que correr atravesando ese calor para alejarse del punto del impacto. Así lo hizo, y se quemó de arriba abajo. En realidad, quedó bien, pero sufrió una serie de quemaduras menores y partes chamuscadas; tuvo mucha suerte. La lucha contra el fuego duró bastante. Tratábamos de cerrar la escotilla que había encima del incendio para cortar la entrada de aire y oxígeno a las llamas. Había gente en botes junto al costado del buque, tratando de cerrar el agujero con agua para privar igualmente al fuego de otra entrada de aire. Era mucha la gente que se esforzaba por detener el fuego enfurecido, valiéndose de cualquier cosa para apagar las llamas. En instrucción se enseña que las máscaras para gas sólo proporcionan un cubrimiento muy breve contra el humo, pero yo intenté usarla y otro tanto hicieron todos mis compañeros mientras trataban de sofocar el incendio. Teníamos muy poco éxito, solamente logramos circunscribirlo, pero no apagarlo. Después de un tiempo comprendimos que no íbamos a poder apagarlo pero continuábamos luchando para que no avanzara.

Yo estaba preocupado temiendo una explosión. No era el fuego lo que temía, lo estábamos combatiendo, era el hecho de que podían estallar la munición, las granadas y los misiles que llevábamos. Parecía que ya teníamos el fuego bajo control, no íbamos a ser víctimas de las llamas. En poco segundos nuestras botas se pegaban al piso, tan caliente estaba. Hasta podíamos despellejarnos los pies tratando de caminar.

Ninguno de nosotros tenía frío, naturalmente. Nos mojábamos unos a otros para tratar de acercarnos al fuego lo más posible. Cuando el comandante ordenó que cesara la lucha contra incendio y subiéramos a la cubierta superior, la tarde brillante se estaba convirtiendo ya en anochecer y hacía mucho frío. Allí la gente tenía mantas y otras ropas de abrigo que nos facilitaron.

La fragata HMS *Arrow* se acercó rápidamente, se colocó cerca de nosotros y comenzó a ayudarnos con sus mangueras. Obviamente no podían acercarse demasiado. Supongo que también ellos estaban preocupados ante la posibilidad de que pronto volara todo. Hubo un curioso incidente poco después del impacto del misil. Los artilleros de un cañón Oerlikon se prepararon para derribar uno de nuestros propios aviones porque se estaba acercando desde la dirección del enemigo. Estábamos sumamente preocupados ante la idea de que los argentinos intentaran acabar con nosotros. Tuve sentimientos encontrados cuando recibimos la orden de abandonar el buque. La mayoría de los miembros de la dotación se sintió muy triste ante la necesidad de abandonar esa nave en la que habíamos estado durante algunos meses y, en muchos casos hasta dos años. Es una extraña unión la que se estabalece entre uno y esa montaña de metal; uno llega a convertirse en parte del buque. Sentíamos tristeza por tener que irnos, pero estábamos sinceramente aliviados al pensar que salíamos de un buque que podía estallar en cualquier momento.

Todos empezaron a abandonar la nave. Había helicópteros que recogían a los heridos. Muchos saltaban del buque, desde la popa, con trajes protectores descartables. Eso no me gustaba mucho porque el agua parecía demasiado fría, debo admitirlo. Tenía además la preocupación de que uno saltara al agua y luego no lo encontraran. La HMS *Arrow* había tendido algunas redes y yo decidí que intentaría cruzar de esa forma. Salté la corta distancia entre las dos naves. La red estaba colocada para el caso de que no saltáramos bien. Creo que dos o tres me acompañaron y nos levantaron a bordo.

En la *Arrow* nos pusieron a todos juntos en el mismo sector y se esforzaron por hacernos sentir tan cómodos como pudieron. Todos fueron muy generosos y nos dieron ropas de abrigo. Lentamente empezamos a mirar alrededor, escuchando el relato de los casos en que nuestros camaradas no habían podido salvarse. Uno pronto notaba cuáles eran los que habían muerto, al no ver sus caras; mirábamos alrededor buscando a los amigos, a aquellos con quienes habíamos pasado mucho tiempo, para ver si habían logrado cruzar. Todos perdieron amigos. Constituíamos una dotación en la que reinaba la amistad, porque habíamos estado mucho tiempo juntos.

Los tripulantes de la fragata HMS *Arrow* actuaban con cierta cautela con nosotros en cuanto a cómo debían hablarnos; no sabían exactamente cómo abordarnos, cómo hablar sobre el incidente. Mostraban una gran cólera contra los argentinos, pero no sabían cómo tratar el tema de que nos habían dejado fuera de combate. Querían que les dijéramos qué se sentía. Probablemente eran tan curiosos como cualquier persona lo sería, pero no se animaban a hacernos las preguntas que querían. En general lo dejaron librado a nosotros, una vez que nos hubiésemos recuperado.

Sufrimos una fuerte conmoción por la pérdida de nuestro buque; no lo habíamos esperado. No creo que nadie en un mundo civilizado habría esperado realmente que dispararan contra nosotros o que nos hundieran. Creíamos que habíamos ido allá abajo para cumplir una tarea que no requeriría ninguna clase de hostilidades. Creíamos que habría una solución puramente diplomática para todo el conflicto, pero estábamos equivocados.

Ver el misil desde el puente es algo que uno no olvida. Fue una sensación de pavoroso poder que viene hacia uno. Más que ser capaz de reconocer los timones del misil, me parecía más bien que era alguna clase de explosión en marcha hacia uno, algo totalmente increíble. Después, durante mucho tiempo, cerraba mis ojos y eso era lo único que podía ver, esa especie de impresión grabada en mi mente.

ALAN WEST

El capitán de fragata (ahora capitán de navío) Alan West comandaba la fragata HMS *Ardent*, que se hundió como resultado de un bombardeo aéreo argentino el 21 de mayo en el Estrecho San Carlos. Fue condecorado y actualmente es comandante de un destructor. Preside la Asociación HMS *Ardent*. Todos los años, en mayo, los miembros de la que fue su dotación se reúnen en una iglesia naval en Plymouth, donde celebran una misa conmemorativa.

Mi buque zarpó dos semanas después de la partida de la Fuerza de Tareas principal hacia el Atlántico Sur. Unos tres o cuatro días antes de la salida me dirigí a Northwood, que es el cuartel de la Marina Real, y de donde se comanda toda la operación. Estaban empleando una gran cantidad de dinero para reunir equipos y alistar todo. Considerando la magnitud de la organización con que se trabajaba en Northwood resultaba evidente que, a menos que los argentinos se retiraran de las Falklands voluntariamente, nosotros lucharíamos contra ellos. Yo sentía que los argentinos no se iban a retirar, porque no es esa la personalidad del pueblo argentino. Creo que no tenía la menor duda.

Regresé a mi casa convencido de que habría una lucha y, por cierto, cuando dejé a mi esposa le dije: "Tú sabes que vamos a pelear". Dije eso porque mucha gente en Gran Bretaña no creía que se produjera una guerra. Yo dije que sí la habría y que si se trataba de una guerra naval no estaríamos peleando con principiantes absolutos, de manera que se iban a perder buques. Como es obvio, eso la preocupó, pero yo pensaba que ella debía conocer los hechos. Lamentablemente no me di cuenta de que mi pequeño hijo — que entonces tenía seis años — estaba escuchando afuera. Cuando fui a decirle adiós, le aseguré:

— Adiós, William. Volveré pronto, no te preocupes.

— Sí — respondió él —, pero tú dijiste que se iban a perder buques, papito.

— Bueno, yo te prometo que voy a volver a casa — le dije.

Cuando perdimos el *Ardent*, saltó a su bicicleta y pedaleó dando vueltas en el jardín; no quería creerlo. Después volvió y dijo:

— Está bien, papito dijo que él iba a volver a casa.

Eso lo mantuvo luego tranquilo durante todo el conflicto.

Yo no pensé en que podría no volver a casa cuando estaba a bordo del buque o cuando nos encontramos bajo ataque. Cuando yo estaba volviendo a casa sí lo hice, pero esas cosas son muy difíciles. Le tocan a uno una cuerda sensible y lo hacen sentir sumamente triste, porque algunos de mis muchachos no regresaron. Es una experiencia que hace cambiar a la gente. He aprendido mucho. He estrechado mi amistad con mucha gente. Los que fueron mis chicos en el buque son ahora y para siempre "mis chicos" y eso es mucho. Tenemos una reunión cada año y formamos una familia muy unida. Tratamos de cuidar a los miembros de las familias de los muchachos que murieron. Eso es algo maravilloso.

El 21 de mayo fue el día de los desembarcos británicos en San Carlos. La fragata HMS *Ardent* entró en primer lugar y pasó por diferentes canales dentro del Estrecho de San Carlos. Ocupamos una posición en una ensenada de nombre Grantham Sound; desde allí, nuestro cañón de 4.5 pulgadas Mark 8 tenía alcance suficiente para batir el aeródromo de Pradera del Ganso. Nuestra misión durante toda la mañana de invasión consistía en proveer apoyo a un ataque de fuego de cañones navales para impedir que pudieran usar el aeródromo los aviones Pucará[1] y, además brindar también apoyo a un ataque de diversión del SAS.[2] Disparábamos granadas hacia Pradera del Ganso, a una distancia de unos dieciocho kilómetros, y en muchos casos el tiro podía considerarse muy bueno.

Unos días antes habían desembarcado dos hombres que cumplían tareas de marcadores. Establecimos contacto con uno de ellos después de nuestra llegada a la posición establecida. Ellos comenzaron a actuar a la hora exacta prefijada y abrimos fuego. En esos momentos, era como para reírse de los viejos "Brits", pero yo pensaba que todo eso era asombroso. Habíamos navegado ocho mil millas (catorce mil ocho-

---

[1] Los Pucará eran aviones biturbohélice, lentos pero muy maniobrables, empleados para efectuar ataques a baja altura contra las tropas británicas y helicópteros.

[2] SAS: Servicios Aéreos Especiales británicos.(*N. del T.*)

cientos kilómetros) y llegado en el horario exacto, a las cuatro de la mañana. Estos otros muchachos habían venido en otros buques, desembarcado, y se hallaban esperando en un pequeño agujero. Llamaron y... "clic"; hablamos con ellos y "bang" disparó el cañón. Yo pensé: ¡Es extraordinario!

Seguimos disparando pero nosotros también estuvimos sufriendo ataques durante toda la mañana. Era un día maravilloso... desgraciadamente. El día anterior a la llegada a las Falklands estaba nublado y con nieblas, exactamente lo que necesitábamos, porque sabíamos que nos hallábamos dentro del alcance de sus aviones. Pero esa mañana el tiempo estaba claro como el cristal. Como era de prever, aproximadamente una hora después de la salida del sol llegó el primer ataque de cazabombarderos. Nosotros seguíamos bombardeando la costa y empezamos a tirar contra los aviones que nos atacaban.

Ese mismo día, cuando terminamos nuestro apoyo de fuego con cañones, nos acercamos más a la costa. Ya habíamos sufrido algunos ataques, las bombas habían caído a uno y otro lado del buque, pero nada fue muy grave. Me comuniqué para pedir nuevas instrucciones, y entonces nos colocaron en una posición de "guardavallas"* para detener los ataques aéreos que llegaban desde el sur, porque esos bombardeos eran realmente intensos. El comodoro a cargo de la fuerza anfibia estaba claramente preocupado, porque si ellos hubieran empezado a atacar a los buques anfibios o las costas donde las tropas intentaban desembarcar, el día habría sido totalmente distinto. Nosotros formábamos parte de una línea de fuego que debería evitar que fueran destruidos o dañados los buques que se hallaban cerca de la costa. Los buques de la Armada Real que estaban en la bahía frente a San Carlos recibieron ese día realmente lo peor de los ataques, e impidieron que éstos llegaran a otras naves, algo que era crucial para el desembarco. Yo digo a mis muchachos que lo verdaderamente grande que logramos ese día fue que ni un solo soldado resultó muerto en el desembarco. Ésa era nuestra misión.

El primer ataque realmente pesado que sufrimos fue el de los aviones navales argentinos A4. Sabíamos que eran navales porque estaban pintados de blanco y se los podía ver mucho mejor. Yo estaba hablando por el intercomunicador a toda la dotación. Vi que esos aviones se

---

*Las fragatas de la Armada Real se usaron como "guardavallas" en el Estrecho San Carlos el día en que desembarcó la Fuerza de Tareas. El término se refiere al hecho de que los buques se situaron en una posición tal que buscaba atraer los ataques de los aviones enemigos, para evitar que llegaran a las tropas terrestres que estaban desembarcando en San Carlos.

nos acercaban y les informé que estaba entrando otro ataque. Ellos se acercaron más y más y dejaron caer sus bombas. Se las veía fácilmente en la caída, y yo pude prever que harían impacto a popa. Grité "¡Cúbranse!", y todos los muchachos se arrojaron al piso. Las bombas estallaron, con una maldita y enorme explosión. Nuestro lanzador de misiles Seacat voló cerca de treinta metros. Cayó sobre la cubierta de vuelo, mató a varios hombres y abrió un tremendo agujero en la cubierta, causando incendios, inundación y otros daños.

En el puente, comenzaron a sonar todas las alarmas. Inicialmente, estábamos tratando de saber qué había sucedido. Logramos poner todo bajo control bastante rápido. Los equipos de control de daños habían empezado a luchar contra las inundaciones, y los incendios ya estaban básicamente extinguidos. Por los informes que me llevaron, pude establecer qué averías había sufrido la nave. Desgraciadamente, había perdido mi lanzador de misiles Seacat. Además, debido a otra falla, el cañón de 4.5 estaba temporariamente fuera de servicio. La fragata *Argonaut* acababa de comunicar al comodoro que podía flotar y combatir, pero no podía moverse porque le habían inutilizado la caldera. Yo envié un mensaje diciendo que podíamos flotar y movernos, pero no podíamos combatir, porque no nos quedaban armas.

El comodoro me comunicó que regresara hacia los otros buques, porque yo estaba solo, aislado, y me distinguían con toda facilidad. Empecé a hacerlo cuando llegaron las olas de ataques siguientes, Mirages y A4 (Skyhawks). Nuevamente recibimos grandes impactos, la mayor parte de ellos en la popa, porque yo estaba navegando contra el viento tratando de causarles problemas con la puntería. Si uno apunta al medio de un buque que navega exactamente contra el viento, se produce una descomposición de fuerzas con efecto cruzado, de modo que todas las bombas tendían a caer en la popa. Eso era malo porque mató a una gran cantidad de hombres de mi equipo de control de daños. Pero si las bombas hubieran dado en el medio del buque hubieran muerto mucho más tripulantes. En ese sentido, tuvimos suerte.

Hubo muchas explosiones de gran intensidad, llamas y denso humo. Algunos hombres heridos aparecieron en el puente; mi apuntador de Seacat estaba totalmente cubierto de sangre. Había volado desde la posición de puntería por sobre el costado de la nave, aterrizó en uno de nuestros botes y trepó a bordo. Envié rápidamente a un oficial para que le diera morfina. Por los informes que me llevaban resultó evidente que el buque estaba gravemente dañado. Otros buques habían comprobado eso mismo y, después de mi mensaje informando esa situación, las fragatas *Brilliant* y *Yarmouth* se nos acercaron y esperaron, porque continuaban los ataques. Finalmente, se trataba de establecer exactamente la gravedad de todos los daños.

Los informes decían con toda claridad que no íbamos a poder salvar el buque. El problema consistía en decidir si permanecíamos a bordo probándolo, o si usaríamos la *Yarmouth* para sacar tantos de mis muchachos como fuera posible. De modo que tenía que tomar la decisión de abandonar la nave o permanecer en ella. Lo pensé mucho, porque uno termina por amar a su buque, especialmente el comandante. Dar la orden de abandonarlo fue probablemente una de las decisiones más duras que he debido tomar en mi vida. En último análisis, es a la gente a la que uno realmente ama. Piensa que es a todo el buque, pero en realidad es a la gente. Fue difícil. Tuve que pesar la información que tenía. Tenía que pensar en cuánto tiempo requeriría, si había alguna posibilidad de poner el fuego y los daños bajo control. Según los informes que recibí, eso no era posible. Si hubiera sido en tiempo de paz, podríamos haber puesto otros buques lado a lado y usado mucho más equipo. Posiblemente podríamos haber hecho algo, aunque todavía lo dudo.

Finalmente, tomé la decisión. Era algo que debía hacer. Yo era el comandante, y nadie más podía hacerlo. Después que hube tomado la decisión, los muchachos dejaron de combatir el fuego y, en forma sumamente ordenada subieron a cubierta, se prepararon y controlaron que no quedara ninguno que estuviera con vida. Les ordené a todos que se fueran. Yo me mantuve allí en el puente, solo. Ya casi todos mis hombres habían salido, y la fragata *Yarmouth* había arrimado su popa a nuestra proa, porque nos estábamos hundiendo. Finalmente yo también caminé y pasé al otro buque. Fue muy triste. Cuando nos alejábamos del nuestro, sé que muchos de mis muchachos estaban llorando. Yo mismo derramé mis lágrimas.

En esos momentos no pensaba en los pilotos que me estaban bombardeando. En lo que a mí respecta, eran aviones que trataban de hundir mi buque, y nuestro intento de derribar a esos aviones no era más que una acción militar. No pensaba de ninguna manera en términos personales. Ésa es una de las características de combatir en la armada, no es tan personalizado como saltar dentro de una trinchera donde hay alguien y tratar de matarlo. Yo pensaba que los aviones eran cosas odiosas y quería destruirlos absolutamente, pero no pensaba en los pilotos. Si uno veía un avión que caía al mar o estallaba en el aire, pensaba, como todos: ¡Bravo, bajemos otros más!

En forma retrospectiva, pienso que sus pilotos se comportaron tal como lo había previsto. En el viaje hacia el sur, cuando hablaba con mis marinos les decía que la fuerza aérea de los argentinos era nuestra principal amenaza, sin lugar a dudas. Como es sabido en el ambiente militar, no se puede pensar en un desembarco anfibio hasta que no se cuenta con la superioridad aérea. En ese sentido, supongo que lo nuestro fue algo así como arriesgar en el juego, pero yo sabía que se producirían cruciales ataques. Si usted es piloto de caza en esos veloces aviones de reacción monoplazas, tiene que ser bueno... o está muerto. Quiero decir que no importa de qué país es usted, porque tiene que tener reacciones tremendamente buenas; usted tiene que ser bueno. ¿Y los argentinos? Si usted piensa, ¿qué son ellos: corredores de automóviles, jugadores de polo? ¿Qué mejor tipo de individuo para sentarlo en un avión de combate, volando a muy baja altura? Tiene que tener reacciones rápidas. Ellos eran como *The Few*, pero de nacionalidad argentina. Yo no me sorprendí en lo más mínimo.

Sus capacidades para la utilización del armamento, su habilidad para los lanzamientos, no fueron tan destacables. Entraban muy bajo, muchas de ellas eran bombas de caída libre, y elegían sus blancos a ojo, como se dice. Si hubiera sido nuestra flota, todos los aspectos relativos al uso de armamento se habrían conducido en forma muy superior. Habrían atacado los blancos que ellos querían. No se hubieran dejado sustraer y seducir para atacar los buques escolta. Al hacer eso, los argentinos perdieron la guerra. Si hubieran hundido las naves anfibias o un portaaviones, podrían haber ganado la guerra. Pero cayeron en nuestras manos e hicieron lo que nosotros queríamos: atacaron los buques.

92

KEN ENTICKNAB

Ken Enticknab estaba a cargo de uno de los equipos de control de daños, como suboficial principal a bordo de la fragata HMS *Ardent*. Resultó gravemente herido, y lo salvaron de ahogarse cuando lo levantó del mar el capitán de corbeta cirujano Rick Jolly, colgando del cable del torno de un helicóptero. Posteriormente fue ascendido y recibió la Medalla de la Reina al Valor.

Yo era suboficial a bordo de la fragata HMS *Ardent*. Era el encargado de ingeniería, responsable de los sistemas de refrigeración, aire acondicionado y maquinaria doméstica. En los puestos de combate estaba a cargo del control de daños a popa, lo que significaba ocuparse de los incendios, entradas de agua y cualquier otro daño causado por los ataques. Cuando el buque recibe algún impacto, usted tiene que enviar dos tercios de sus hombres a hacer una inspección general, cubriendo la parte del buque que tiene asignada, para descubrir exactamente cuáles son los daños e informarle. Después, entrar en acción para ocuparse de remediarlos. Mi tarea consistía en obtener una imagen de los daños que pudiera señalar en un diagrama de la nave. Después hablaba con los que estaban coordinando el control de daños, de manera que el comando pudiera estar siempre informado.

Cuando llegaron los cazabombarderos argentinos nosotros estábamos en el comedor. Nos arrojamos al piso para cubrirnos. Uno tiene que cubrirse la cabeza con las manos y esperar cualquier explosión. Cuando se produjo, yo grité: "¡Vayan!", y mi equipo partió para efectuar la inspección. Con el impacto de cada bomba el buque daba realmente un salto. Empezaba a entrar agua en las cámaras de la cubierta superior, y había un horrible olor acre por el humo. Cuando me levanté pude ver, a través de la puerta anterior, que el impacto había sido en la sección contigua. Quedé realmente petrificado. Acababan de enviarnos a nuestra posición en medio del Estrecho San Carlos para atraer el fuego. Sabíamos que nos iban a atacar y que probablemente sufriríamos daños. Cuando eso ocurrió, al principio fue una especie de alivio, porque ahora teníamos algo que hacer en nuestra sección. Habíamos estado acostados en el suelo todo el día, desde las primeras horas de la mañana.

Ese alivio porque podíamos levantarnos duró uno o dos segundos. Cuando recuperé mi sentido común pude ver que el baño de la cámara tenía el piso completamente hundido y había vías de agua en el cielo raso y varias otras partes. Mi equipo estaba recogiendo los materiales que se usan para evitar que entre agua por el costado de un buque. Les grité que dejaran eso y armaran una bomba para sacar el agua. Me dirigí hacia delante para apreciar el daño en esa sección, rompí un par de cerraduras de las puertas para ver la extensión del daño detrás de nosotros, en el depósito de cerveza y la cantina. Me di cuenta de que el agua sólo podía venir de los conductos que tenían fluido en su interior y aislé rápidamente los sistemas alrededor del área dañada, de manera que el agua que estaba entrando fue disminuyendo. Eché una rápida mirada a los otros compartimientos y estimé los daños. Alcancé a oír que una de las máquinas diesel seguía en marcha. Cuando me acerqué al tablero de interruptores eléctricos, todos los cables colgaban sueltos, cortados por la mitad. Recuerdo haber salido en puntas de pie, temiendo quedar electrocutado.

El oficial de máquinas, que es el coordinador de daños en el sector HQ1, estaba de pie en la puerta, gritándome, queriendo saber qué estaba pasando. Pude darle un rápido informe y luego volví a bajar al comedor donde estaba mi cuadro de situación. Quería completarlo y recibir el resto de los informes que entraban. Nos ordenaron "Cubrirnos". La nave ya había escorado bastante y nos encontrábamos en quince a treinta centímetros de agua. Del lado de estribor llegaba hasta la cintura.

Recuerdo haberme vuelto a despertar después de eso. El comedor estaba oscuro como boca de lobo. Eché una rápida mirada alrededor y alcancé a ver que tenía una mano herida. Conservaba puesto el guante antiflama y apenas pude ver una masa ensangrentada. No había dolor, nada de dolor. Yo pensé: bueno, en estos días pueden volver a coserle los dedos a uno, no hay problema. Me palpé rápidamente el resto del cuerpo. Tenía un gran pedazo de fórmica clavado en la parte superior de la cabeza. Me lo quité y traté de ponerme de pie. No pude lograrlo. Conseguí ponerme en cuatro patas pero no pude avanzar porque había algo que me lo impedía. Entonces sólo pensé en zafarme. Me sentía algo defraudado por el hecho de que aún estaba con vida. Uno reza. Pude oír que alguien se movía cerca, en medio de los escombros; se arrimó y me preguntó: "¿Estás bien, compañero? ¿Bien?" Le respondí: "Okay. Sácame esto de la espalda".

Pudo quitarme lo que tenía encima y me ayudó a levantarme. Miré brevemente alrededor y alcancé a ver un incendio y eso fue prácticamente todo. Tratamos de avanzar tropezando. En esos momentos ya estábamos boqueando en busca de aire y empezábamos a ahogarnos. Ambos nos sentamos. No podíamos ver nada. Pensamos que no íbamos a poder salvarnos. La norma establece que cuando uno está envuelto en humo debe acercarse todo lo posible al piso, porque el humo normalmente sube. Tratamos de bajar la cabeza todo lo que pudimos pero aun así no teníamos aire.

Recuerdo lo que yo estaba pensando. En esos días, mi esposa tenía un embarazo de cinco meses, de nuestro primer hijo, y yo quería volver a casa. Como si hubiera sido un milagro, el buque debe de haberse movido en cierta forma porque pudimos aspirar una bocanada de aire delicioso. El agujero en el costado debía de haber captado algo de aire. Entró hasta donde nos encontrábamos y pudimos llenar nuestros pulmones. Empezamos a movernos hacia la popa de la nave, pero no podíamos subir por el agujero porque era allí donde estaba el fuego. No podíamos atravesarlo. Seguimos avanzando pero no encontramos ningún lugar por donde pudiésemos subir. Había demasiados escombros. Sin embargo, finalmente encontramos un sitio para salir, debajo del torno, y logramos abrirnos camino a través de esa pequeña abertura de unos sesenta centímetros por veinticinco. Yo debía de estar perdiendo mucha sangre. Me sentía sumamente débil, y caí en un agujero.

El marinero de primera Dillon (a quien se le otorgó luego la Medalla George) logró sacarme. Estábamos de pie sobre un lado del buque, nos colocamos nuestro salvavidas, aspiramos algo de aire y saltamos al agua. Él me agarró y me llevó nadando para alejarme de la nave. Mis pensamientos se centraron entonces en las hélices —debo mantenerme lejos de ellas— y también en el hecho de que el resto del equipo estaría probablemente luchando contra los incendios. Tenían que habernos visto saltar al agua, y pronto nos recogerían. Habíamos oído decir que el tiempo de supervivencia en el agua era de alrededor de dos minutos. No habíamos tenido tiempo de ponernos nuestros trajes especiales de supervivencia, simplemente habíamos saltado al agua.

Una vez que nos alejamos del buque miré hacia atrás y alcancé a ver los trajes color naranja de toda la dotación en la cubierta superior, esperando para abandonar la nave. Tuve un horrible pensamiento: si los argentinos volvían otra vez y atacaban el buque, muchos de nosotros estaríamos perdidos.

Pude ver un buque que se acercaba por mi derecha y pensé: Ah, vienen a recogernos, nos han visto... pero pasaron de largo; obviamente iban a buscar a los sobrevivientes que aún se hallaban en nuestro buque. Aparecieron algunos helicópteros que venían desde tierra y vi que uno de ellos se detenía en el aire para recoger al marinero de primera Dillon. Después se acercó a donde yo me encontraba y me recogió. El hombre del torno chapoteaba en el agua delante de mí hasta que enganchó el extremo del cable en la correa de nylon azul que llevaban nuestras chaquetas salvavidas. Normalmente la usan para subirlo a uno a un bote. Yo pensé: Oh, no, no me ha puesto alrededor el *strop*.* Y mientras ambos subíamos pude ver que era un capitán de corbeta cirujano quien había bajado para recogerme. Nos dejamos caer en el piso del helicóptero Wessex y lo oí gritar: "Llevemos a éstos al *Canberra*, ¡rápido!" Después de eso, desperté en el *Canberra*. Sentía mucho frío.

Yo estaba bastante malherido. Tenía graves laceraciones en el cráneo y un gran desgarrón en la espalda, provocado por aquello que me había inmovilizado. Finalmente perdí dos dedos de mi mano izquierda, un precio pequeño que pagué por mi vida. Es muy difícil pensar ahora cómo he cambiado con respecto a lo que era antes. Creo que soy más tolerante con las otras personas. Algunas cosas que me importaban antes no me interesan tanto ahora, porque me he visto muy cerca de la muerte. Disfruto de la vida.

---

*El *"strop"* es un lazo colocado en el extremo del cable del torno, mediante el cual se levanta con seguridad la persona a quien se está rescatando.

SAM BISHOP

Sam Bishop, un hombre de Ulster, era suboficial en la Armada Real y prestaba servicios en la fragata HMS *Antelope*. La nave fue bombardeada el 23 de mayo de 1982 en el Estrecho San Carlos y debió ser evacuada debido a que una bomba no llegó a estallar. Finalmente, el buque estalló junto con los misiles del sistema de armas Seacat. La fotografía de la explosión apareció en los periódicos y la televisión de todo el mundo.

Cuando ocurrió todo aquello estábamos en Portland, en un período de ejercicios. Nos ordenaron volver de inmediato a Plymouth, nuestro puerto base, reabastecernos de vituallas y cargar al completo combustible y munición. Conseguí llamar por teléfono a mi esposa el viernes por la noche. Nadie sabía cuándo íbamos a zarpar, de modo que decidí arriesgar y le dije: "¿Puedes venir mañana y traer a los niños? No dejen de venir. Me gustaría verlos antes de partir."

Mi esposa logró ir el sábado con los dos niños. Aunque yo estaba de guardia los hice subir a bordo del buque. Uno de los otros oficiales la llevó a su casa y allí se quedó por esa noche. Pude pasar todo el domingo con ellos, antes de que tomaran el tren para regresar a Northampton. Yo sentí una gran emoción pero traté de mostrarme valiente: "Vamos a zarpar, la Armada Real no ha sido vencida nunca, y cuando ellos sepan que estamos llegando se irán de las islas y yo volveré a casa. No te preocupes."

Como vivíamos en Northampton, ella no estaría cerca de otras personas de la Armada; podría ocurrir que recibiera algo tarde las noticias, por eso traté de asegurarme de que confiaba en que yo volvería a casa sano y salvo. Pero cuando su tren partió, otros pensamientos comenzaron a agolparse en mi mente: ¿Podía eso ser real? ¿Qué ocurriría si nos encontrábamos con lo peor, los extremos? Y luego uno piensa: Bueno, para eso me han estado pagando, aunque cuando uno ingresa en la Armada jamás se imagina que tendrá que ir a la guerra o que tendrá que pelear.

Empecé a pensar: ¿Volveré a ver alguna vez a mi esposa y a los niños? Siempre he dicho que si estalla la guerra volveré a Belfast, donde nací. Yo no ingresé para ir a la guerra. Todo esto parece una broma.

Cuando los llevé a la estación, dije a mi esposa que hacía quince años que estaba en la Marina y no podía ir simplemente y decir: "Miren, yo no quiero ir ahora". Uno no ingresa en un club y, cuando las cosas se ponen mal, dice: "Bueno, ahora no soy más socio". Yo dije: "No quiero ir, pero tengo que ir. Los contribuyentes han estado pagando mis salarios todos estos años y... bueno, han llamado mi número, han llamado todos nuestros números. Es nuestro deber."

Yo creía en lo que estábamos haciendo. Mi esposa, no, pero las actitudes de las mujeres son distintas de las de los hombres. Yo era un hombre de servicio, un miembro de la Armada. Creía en que las Falklands eran británicas, que estábamos haciendo lo correcto al pelear contra ellos para recuperarlas. Todavía hoy lo creo.

De pronto, todo el mundo tenía un gran interés en las Falklands: dónde estaban; qué eran. Obtuvimos recortes de diarios, consultamos el atlas y los libros y leímos sobre el tema. Eran británicas. No podíamos dejar que otros ocuparan lo que es británico, porque si lo hacían, entonces vendrían a tomar otras cosas que son británicas sin lugar a dudas, y entrarían y se apoderarían de ellas. Aquello es parte de Gran Bretaña aunque... no sea parte de Gran Bretaña. Es parte de Gran Bretaña aunque se encuentre a ocho mil millas de distancia (catorce mil ochocientos kilómetros), y nosotros no podemos entregarlas simplemente.

Había buen humor a bordo. Recibimos todos los informes cuando los hombres de la Real Infantería de Marina recuperaron las Georgias del Sur. Se levantó una gran aclamación con repetidos vivas, y empezamos a llevar la cuenta: uno para nosotros y uno en contra de ellos. Estábamos sentados a la mesa y comenzaron a llegar rumores de que habían bombardeado un buque, pero no se sabía con seguridad cuál era. Se oyó entonces por los altavoces al oficial de guardia anunciando que el comandante iba a hablar y todos debíamos estar cerca de algún altavoz. El comandante dijo que todos debíamos sintonizar el Servicio Mundial de la BBC. Así fue como descubrimos que habían atacado y hundido al *Sheffield*. No se sabía cuántas vidas se habían perdido. Para nosotros fue una tremenda conmoción, porque hasta ese momento todo el mundo pensaba: "Esto va a terminar mañana... nosotros nunca veremos acción alguna."

Era todo un mal sueño. Nos llegó con un repentino impacto, por lo menos a mí. Ha ocurrido. ¡Han hundido un buque de la Armada Real! Esta vez vamos a entrar. ¿Por qué no vamos y lo terminamos de una vez?

No sabíamos qué estaba pasando. No recibíamos las noticias que queríamos oír, aunque nos llegaban informes filtrados. Pensábamos: ¿por qué no hacen esto y por qué no hacen aquello? Nosotros hacemos simplemente lo que nos dicen. Pero cuando hundieron el *Sheffield* la actitud de todos a bordo del buque cambió hasta tal punto que la gente dudaba de ciertas cosas: ¿Podríamos hacer esto, o deberíamos hacer aquello? Empecé a colocar todos los equipos de lucha contra el fuego que había alrededor del buque en distintos lugares, de manera que tuviésemos varios depósitos.

Nos sentimos mal por haber perdido compañeros que estaban en el *Sheffield*; sentíamos como si hubiera sido parte de nosotros. Ustedes han visto Vietnam en televisión. Han visto la Primera Guerra Mundial y la Segunda. Después se ve un buque atacado y hundido, se ven los sobrevivientes, la gente que está muriendo. Y de repente uno se da cuenta de que era de nuestros buques el que estaba allí. Se siente como si fuera parte de uno mismo lo que se ha perdido. Porque pudo haber sido uno. Aunque no sepa quién está a bordo, es inevitable que tenga amigos en todos los buques de la flota, cuando ha estado en la marina durante tanto tiempo. Y uno siente una gran pérdida.

Hasta que nos enteramos de que habían hundido la fragata HMS *Ardent*, no habíamos visto acción alguna. Pero eso nos acercó más, porque se trataba de una fragata clase 21, lo mismo que la *Antelope*. Estábamos todos sentados reunidos cuando el comandante trasmitió un comunicado: tendríamos el honor de reemplazar a la *Ardent*. Al día siguiente partiríamos hacia las Falklands. Eso nos hizo circular la adrenalina, especialmente cuando nos enteramos del tremendo castigo que había recibido la *Ardent*. Fue entonces cuando conocí el término "guardavalla". Pregunté a alguien qué significaba, y me dijo: "Tenemos que atajar cualquier cosa y todas las cosas que ellos nos arrojen."

Esa noche hubo bastante tensión. Lo primero que hicimos a la mañana siguiente fue ubicarnos a todos en "puestos de combate". Conocíamos todos los toques que debíamos escuchar, es decir, qué hacer según los diferentes toques, y así comenzamos.

Mi puesto era en la sala anterior de máquinas, con un fogonero.

Estábamos sentados controlando las máquinas, aburridos, pensando: Tal vez no suceda hoy, tal vez ellos no vengan hoy. Entremos, acabemos de una vez, vámonos. Iba a ser la primera vez en mi vida que vería acción de guerra. No sabía cómo iba a reaccionar bajo el fuego. Eso era más aterrador —pensar en eso, pensar en cómo iba a reaccionar. ¿Me iba a destacar, me iba a quebrar de miedo?

Entramos, y entonces oímos un toque para ir a buscar comida, "comida de acción de guerra". Nada de eso parecía real todavía, sin embargo, sabíamos que sí lo era. Toda la dotación del buque estaba muy tensa. Los chicos más jóvenes, los marineros adolescentes, eran asombrosos; todos ellos voluntarios, pero muy profesionales. Todo el mundo estaba asustado, pero no lo demostraban.

Se oyó un toque: "Están entrando cuatro aviones, pronto nos atacarán".

Yo pensé: ¡Oh, no!

Lo peor allá abajo era que no se podía ver nada, no se sabía qué estaba pasando. Teníamos nuestras esperanzas: Por favor, que el cañón funcione bien, por favor que todo lo que está a bordo funcione bien. Y así fue. Ciento por ciento. Se podía oír el ruido de la ametralladora del avión y luego los disparos de nuestro cañón. Y después oímos: "Zipper Uno", que significaba el comienzo de otro ataque con bombas, y que uno debía arrojarse al piso.

Llenábamos todo el lugar, tratábamos de evitarnos cuando nos movíamos. Después del primer ataque supimos que había caído una bomba hacia proa matando a un joven camarero llamado Stevens. Nos impresionó porque el muchacho había estado en la mesa de suboficiales, que a la vez era el puesto de proa de primeros auxilios.

Y uno pensaba: tuvimos suerte. La bomba no estalló, y gracias a Dios por eso. Después tuvimos otro ataque y perdimos las luces en la sala anterior de máquinas. Yo oí solamente la palabra "fuego" desde la sala posterior de máquinas, porque tenía puestos los auriculares. Después me di cuenta de que había una quemadura en el cielo raso, sobre mi cabeza. Pensé: Bueno, eso no estaba antes allí. Se hallaba conmigo un joven fogonero. Le pregunté: "¿Cuánto tiempo hace que eso está allí?" Y él me dijo: "Creo que estaba allí esta mañana."

Sentí que caía agua, y pensé que esa agua estaba saliendo del extremo de la Olympus* que no correspondía, entonces llamé al Centro de Control del buque. Les dije: "Hay una quemadura, y parece que allí

---

*La HMS *Antelope*, como todas las otras fragatas británicas en el Atlántico Sur, tenía dos turbinas de gas Rolls-Royce Olympus TM3B, que daban al buque una velocidad máxima de treinta nudos.

hay agua". Y ellos me contestaron: "¡Ah, ya sabemos todo con respecto a esa bomba!"

Lo que yo no sabía era que la bomba había penetrado, rompiendo la maquinaria del aire acondicionado y motivando que el gas se liberara. Entonces comenzó a sonar la alarma contra gas. Fue el peor momento de mi vida, porque pensé: No es una bomba común, se trata de una bomba de gas. Mi cerebro empezó a trabajar. Perdí el control durante un minuto porque creí que podía oler el gas y sentirle el gusto. Mi imaginación enloqueció. Traté de sacar mi máscara antigás, y sentí los nervios de mis piernas. Pensé: Ahí está, me voy a desmayar, puedo sentirlo, soy un desertor. He viajado ocho mil millas, hemos sido bombardeados y muero por el gas.

Parecieron minutos, pero probablemente sólo fueron unos segundos, cuando comprendí que había hecho sonar la alarma. El oficial de guardia se puso de pie y dijo que podíamos quitarnos las máscaras. "Es una falsa alarma". Explicó lo que había ocurrido. Fue el mayor alivio que he sentido en mi vida, poder respirar otra vez aire fresco.

Durante un largo tiempo permanecí en la sala de máquinas con una bomba que no había estallado. Si reflexiono, fue una tontería. Yo pensaba: ¿Cuánto metal puedo tener entre esa bomba que está sobre mi cabeza y yo? Estaba unos tres metros sobre mi cabeza y tenía debajo unas cuñas que la afirmaban, de manera que no vibrara cuando nos movíamos. El saber que la bomba estaba asegurada me daba alguna tranquilidad. Traté de ponerme del otro lado de una de las máquinas Olympus, pensando que eso me protegería si la bomba estallaba. Al recordar el efecto que tuvo la bomba (cuando finalmente estalló) aquello parece tonto. Es el instinto de conservación. Yo seguía mirando y pensaba: Bueno, todavía no has estallado. Me decía: Si eso estalla, ¿qué daño causará, cómo será de grave? Fue entonces que comprendí que debía hacer algo para ocupar mi mente. De modo que ordené al fogonero que controlara el sistema de aire mientras yo verificaba el de combustible. Debíamos mantenernos ocupados... eso nos ayudó a seguir adelante.

Recé a Dios ese día. No soy un hombre profundamente religioso, pero pienso que ésa es la parte culpable de la mayoría de los seres humanos. Decimos que no necesitamos la religión, pero cuando esa bomba estaba allí, me encontré diciendo: "Por favor, Dios, quiero ver a mi esposa, a Laura y a Mark otra vez. Quiero ver a mi familia. Quiero volver a casa."

(Sam Bishop y el resto de la dotación del buque tuvieron que ubicarse en un lugar más seguro a bordo mientras los oficiales encargados de desarmar la bomba trataban de desactivarla.)

Más tarde vi a los que iban a desarmar la bomba. No pude verla, y en realidad tampoco lo quería. Nos presentamos en la Sala de Control y nos ordenaron marchar a la cubierta de vuelo. Parecía una hermosa noche. No recuerdo haber sentido frío. Ahora mis nervios se estaban calmando. Me sentía bastante bien: "Pasé por todo eso y no me dejé vencer por el miedo ni me puse en ridículo."

Informaron que el primer intento de desactivar la bomba había fallado y que iban a intentarlo de nuevo. Ahora noté el frío, y pedí prestado un suéter a uno de los marineros. Entramos en el hangar, donde estaba un poco más cálido. Oímos que el segundo y el tercer intento de desactivar la bomba también habían fallado. El comandante nos informó que el especialista para desarmarla no estaba muy tranquilo con esa bomba. Decía que no era "normal". Nosotros no sabíamos qué quería decir con eso, solamente sabíamos que era una bomba y queríamos deshacernos de ella. Iba a intentarlo por cuarta vez. Estábamos varios conversando en el hangar cuando se produjo una tremenda explosión. El buque pareció desaparecer debajo de nuestros pies. Estábamos por todas partes. Todos se calmaron, salimos hacia la cubierta de vuelo y cuando miramos hacia la banda de estribor vimos que ese lado estaba en llamas, desde la línea de flotación hasta lo alto del buque, donde la bomba había estallado. Estábamos vivos todavía, pero pensé: ¡mi Dios, miren eso! Era terrible mirar las llamas y pensar lo que podía haber ocurrido si hubiera habido gente abajo cuando ocurrió la explosión.

Hicimos todo lo que pudimos, pero era inútil. Intentamos bajar de la cubierta de vuelo para ver si podíamos combatir el fuego. Entraron dos hombres, vestidos con trajes especiales "Fearnaught" (ropas protectoras, resistentes al calor, usadas para combatir incendios). No había forma en que pudiésemos llegar cerca de la sala anterior de máquinas, donde estaba el incendio. Las llamas se extendían hacia atrás bloqueando el paso. Algunos habían logrado salir, incluyendo al segundo oficial de desactivación de bombas. Dieron la orden de dirigirse a los botes. Primero pusieron en ellos a los heridos, y nosotros nos colocamos los trajes "sólo una vez", pensando: gracias a Dios por esto, porque sabíamos que había mucha munición a bordo. Nuestra preocupación aumentó cuando las llamas llegaron cerca. Subimos a un bote del HMS *Intrepid*. Los encargados del bote fueron muy valientes. Se acercaron y lo pusieron junto a nosotros. No tuvimos que pasar ni cerca del agua, simplemente dimos un paso y entramos en el bote. Ellos se mantuvieron allí hasta completar la carga y sólo entonces comenzaron a alejarse. Todos los que habían estado hacia popa ignoraban si los de proa habían podido salir.

A unos mil metros de distancia se podía ver que la nave ardía furiosamente. Fue entonces que se produjo la gran explosión. Pudimos sentirla. Pudimos imaginarnos que el agua nos caía encima, aunque probablemente no fue así. Lo registró esa dramática fotografía que apareció en todos los diarios. Fue también en esos momentos cuando agradecimos a nuestra estrella de la buena suerte. Nos pareció que había ocurrido sólo dos o tres minutos después de haber abandonado el buque. Era como una exhibición de fuegos artificiales, iluminó totalmente el cielo. Se podía haber creído que alguien había preparado todo, colocando la munición en el medio del buque para dar un fantástico espectáculo. Sentíamos una tremenda pena. Un tipo dijo: "Dos años y medio de trabajo perdidos." Pero era más que eso. Como yo tenía mi familia en Northampton, había vivido a bordo cuando estábamos en puerto, había sido mi hogar. Se siente una gran sensación de pérdida y vergüenza. "¿Por qué nuestro buque? ¿Por qué lo hundieron?"

A la noche salimos y caminamos un poco por la rampa de la popa del HMS *Intrepid*. Ellos no sabían qué decirnos. Nosotros no sabíamos adónde mirar. Uno se siente como si fuera un prisionero de guerra, aunque esté a bordo de un buque propio. Uno piensa: Bueno, ¿debo sonreír y decirles "hola, muchachos?" Pensarán: Tiene que estar loco. ¿O me muestro triste y abatido? No sabíamos qué hacer y ellos no sabían cómo hablarnos, cómo reaccionaríamos; si estaríamos conmocionados todavía o llenos de la alegría de la primavera. Fue una experiencia sumamente extraña.

Al día siguiente, cuando nos despertamos, nos dimos cuenta: Aquí estamos, todavía vivos. Entonces empezó todo de nuevo. Ordenaron a la dotación del buque ocupar sus puestos de combate, pero nosotros no podíamos hacer nada porque no era nuestro buque y estaba fuera de nuestro control. Era realmente como para destrozar los nervios. El *Intrepid* estaba anclado en la Bahía San Carlos. Nos indicaron que permaneciésemos en el comedor, porque no conocíamos bien el buque. No teníamos puestos a bordo, de manera que sólo estaríamos en el paso. Cuando llegaron los ataques pudimos oír cómo disparaba el Seacat y a los hombres que tiraban con sus fusiles a los aviones. Pensábamos: ¿Por qué no puedo yo hacer algo? Uno se queda allí sentado en el comedor escuchando todo y rezando. Indefenso.

Cuando volví a Portsmouth y regresé a mi trabajo después de la licencia, vi a todos los otros buques que volvían: *Invincible, Hermes*, la *Bristol*; todos ellos. Eran héroes porque volvían, traían sus buques de vuelta. Uno se sentía como si hubiera perdido. Yo no querría pasar por una batalla todos los días, pero pensaba: ¿Por qué nosotros no trajimos de vuelta nuestro buque? Uno se sentía culpable. Veía a otros tipos y todos decían: "Tú estabas en la *Antelope*. La hundieron, ¿no es así?", como si fuera algo especial. Quiero decir, nosotros no éramos héroes. Entramos por un solo día. El único día en que vimos acción realmente, nos hundieron. Uno agradece a Dios por estar vivo, pero también piensa: Qué ironía... tanto trabajo puesto en ese buque, un costo tan alto, un día de combate y todo perdido.

Cuando uno mira hacia atrás aquella explosión, piensa que mucha gente dejó de creer en Dios, pero Él tiene que estar allí, no importa en qué forma ni en qué religión. Él... hay alguien allí cuidando de nosotros. Uno piensa: Bueno, Él murió y probablemente pensó lo mismo exactamente. Uno piensa: No; Él me contestó. Es un alivio muy grande que tú estés con vida. Uno empieza a pensar si ha sido suficientemente bueno con los chicos y la esposa. Yo podría haber estado muerto, haberme equivocado en la vida. ¿Había estado haciendo bien las cosas en mi vida? Creo que toda mi actitud hacia la vida cambió ese día.

Sé que cuando volví a casa hice pasar un infierno a mi mujer y a los chicos; no eran más que discusiones y decirles que se fueran; yo no me daba cuenta. En mi trabajo, yo era normal. Lo cumplía alegremente, sin pensarlo. No sabía lo que estaba haciendo hasta que un día mi esposa me lo dijo. De no haber sido por ella, que se pegaba a mí, no sé lo que podría haber sucedido.

RICK JOLLY

El capitán de corbeta cirujano Rick Jolly, OBE,* fue uno de los integrantes del equipo de médicos que asistieron a la Fuerza de Tareas durante la Operación Corporate. Era el comandante del hospital de campaña de Ajax Bay, en la Isla Soledad, donde se trató la mayoría de los heridos en combate. Actualmente dirige un importante proyecto de investigación sobre los efectos del estrés en los comandantes superiores que se hallan en servicio activo.

Antes de desembarcar en San Carlos habíamos estado en el mar durante seis semanas, de manera que era mucho lo que se había planificado. Pero no podíamos planificar ciertas cosas, por ejemplo el tiempo meteorológico. La Armada Argentina ya había demostrado, con el *Sheffield*, que tenía una cierta competencia. Por lo tanto, quedaba una cantidad de variables cuando entramos en las abrigadas aguas de San Carlos: ¿había minas por allí? ¿estábamos cayendo en una trampa? Hubo un gran alivio el día anterior a la invasión, porque el tiempo estaba horrible, la base de las nubes se hallaba a muy baja altura y la Fuerza Aérea Argentina no nos iba a encontrar. Cuando se puso el sol el 20 de mayo, parecía que de alguna forma íbamos a desembarcar. Lo primero que oyó esa mañana la mayoría de nosotros a bordo del *Canberra* fue la apertura de la línea de fuego con cañones en San Carlos, para saturar la zona con granadas.

Los hechos se desarrollaron muy rápidamente. Por desgracia, la Dama Fortuna desertó de nosotros, porque el tiempo estaba bueno pa-

*OBE: Orden del Imperio Británico. (*N. del T.*)

105

ra volar. Es importante hacer la distinción entre el "Callejón de las Bombas" (Bomb Alley), en la Bahía San Carlos, donde los "patos" de la "laguna de los patos" eran los buques anfibios que llevaban tropas y abastecimientos de combate, y la "zanja" cubierta de agua del Estrecho San Carlos, que separa a las Falklands del Oeste y del Este (Gran Malvina y Soledad). Éste variaba desde poco menos de dos kilómetros de ancho al norte hasta veinte kilómetros aproximadamente en Grantham Sound (Estrecho Grantham) donde se encontraba la fragata HMS *Ardent*. En esa zanja había una línea defensiva, un pique de seis fragatas y un destructor. Había mucha agua entre esas fragatas cuando trataban de cubrir las rutas de aproximación a lo largo de las cuales vendría la Fuerza Aérea Argentina. Hubo un primer ataque, temprano, a la fragata HMS *Argonaut*, que resultó tal vez un poco apresurado, pero indicó la determinación de sus pilotos que, ese mismo día algo más tarde, quedó confirmada.

Inicialmente yo volé en un helicóptero para evacuación de heridos hasta la *Argonaut*. Nos dijeron que nos retiráramos porque estaban a punto de recibir otro ataque aéreo, y pudimos ver cómo llegaban los A4 Skyhawks, y luego una escuadrilla de Mirages. Cuatro atacaron el *Antrim*. Vimos que la fragata *Broadsword* derribaba un Mirage. Después vimos que habían hecho impacto en la *Ardent*. Al principio pensamos que había caído otro avión, pero el humo se mantenía y oí por radio el indicativo de llamada del buque, que correspondía a la *Ardent*. De inmediato decidimos ir a ayudarla. Fuimos a reabastecernos en la Bahía San Carlos, cargamos dos camillas y volamos hasta la nave. Fuimos el primer helicóptero en la escena. El piloto, Mike Crabtree, iba muy silencioso cuando pasamos sobre la montaña y volamos a través del humo. Desde atrás no podíamos ver qué estaba pasando. Sentíamos el penetrante olor a humo. Nos detuvimos en vuelo estacionario frente al cuarto de babor y miramos. Fue una vista que jamás olvidaré. En la nave estaban ardiendo todos los fuegos del infierno. Se hallaba anclada y su cañón apuntaba directamente al cielo. Había perdido toda la energía hidráulica, la cubierta de vuelo se veía destrozada y parecía que hubiese sido cortada con un abrelatas. Tuvimos esa terrible sensación de ser impotentes. La fragata HMS *Yarmouth* había llegado y colocado su proa junto a la *Ardent*. Había ordenado a la dotación que abandonara el buque; ya tenían puestos los trajes color naranja, "sólo-una-vez", de supervivencia, y estaban cruzando a la *Yarmouth*.

En ese momento vimos dos sobrevivientes en el agua y bajamos el lazo de salvamento hacia ellos. Para abreviar una larga historia, alguien tenía que bajar a buscarlos. Se ha hablado mucho de esto pero, desde mi punto de vista, fue en gran parte un esfuerzo de la tripulación. Yo sólo fui, básicamente, el gancho al final del cable del torno. El crédito pertenece igualmente al miembro de la tripulación que operaba suavemente el motor del torno, de manera tal que ninguno de los sobrevivientes se soltara de mis manos o del gancho por un tirón. Además, hay que tener en cuenta el vuelo estacionario perfecto que hacía el piloto. Y que había sido él quién tomó la decisión de ir en busca de ellos, poniendo su Wessex en la línea de cualquier ataque subsiguiente.

El primero de los hombres que estaban en el agua agitaba las manos. Creímos que era para atraer nuestra atención, pero de pronto me di cuenta de que se estaba ahogando. No podía alcanzar el lazo que bajamos hacia él en el extremo del cable. Era obvio que alguien iba a tener que bajar a levantarlo. Yo me ofrecí voluntariamente porque me parecía que era lo que correspondía hacer, y fue sólo cuando estuve colgado del lazo que me di cuenta de que no estaba vestido para esa tarea. Todavía tenía la cámara en el bolsillo, y el agua iba a estar horriblemente fría. Hubo un estremecimiento por la descàrga de electricidad estática cuando toqué el agua. Entré en ella y la sentí muy fría. Me costaba respirar. Me arrastraron un poco hasta el sobreviviente, lo agarré y empezaron a levantarnos. Yo estaba decidido a que nada en la tierra iba a hacer que lo soltara. Fue muy difícil para el hombre que manipulaba el motor del torno y el cable; debía hacerlo levantando más de doscientos kilos de cuerpos empapados de agua de mar hasta el interior del helicóptero. Pero lo hizo. Yo estaba exhausto cuando el tripulante me hizo una seña con el pulgar hacia arriba y me dio unas palmaditas en el hombro. Estaba señalando otra vez hacia abajo. Esta vez fuimos en busca de Ken Enticknab. Mientras iba descendiendo me preparé para deslizar el lazo por arriba de mis hombros para colocarlo alrededor del cuerpo de este suboficial herido (suboficial principal). Pero él estaba muy débil y su chaleco salvavidas se había roto. Yo no tenía la fuerza necesaria para sostenerlo. Entonces metí el gancho en su salvavidas y así nos levantaron.

Todavía quedaba una hora de luz de día, llevamos a los dos sobrevivientes al *Canberra* y regresamos para buscar otros más. En esos momentos, la fragata *Ardent* ya había sido abandonada de modo que fuimos a la *Yarmouth* para ver qué podíamos hacer para ayudar allí. Me bajaron con el cable. El joven cirujano naval estaba muy ocupado. Caminé por todo el buque observando a esos muchachos tiznados y maltrechos. Se los veía exhaustos. Habían estado todo el día en eso. Lo que habían hecho esos muchachos era colocarse entre una fuerza aérea hostil y bien manejada y nuestros soldados, que estaban tratando de desembarcar en la costa. Creo que algunos de los miembros de la dotación se hallaban ligeramente ansiosos por el hecho de que allí no había nadie que reconociera lo que ellos habían logrado. Todos los periodistas se hallaban en la costa, con el comandante de la brigada, y no llegaron a ver nada de eso.

En el *Canberra*, los infantes de marina que aún estaban a bordo les hicieron un homenaje. Cuando llegamos con los heridos, estos chicos del Batallón 42 de Comandos estaban allí encorvados bajo el peso de sus cargas de munición y tenían las caras cubiertas por la crema de camuflaje. En medio de la oscuridad, aplaudieron muy suavemente.

Yo no había pensado en mi vida que vería buques atacados por aviones en vuelo bajo con bombas de guerra, y nubes de trazadoras disparadas por los artilleros antiaéreos; o que experimentaría los efectos de la tremenda velocidad con que se mueven estos aviones a reacción. Cuando se ve venir aviones enemigos hacia uno, se tiende a detenerse. Es como moverse en una pesadilla, es imposible urgirse a uno mismo para apurarse lo suficiente. Yo sentí miedo. Creo que sería justo decir que, cualquiera que haya estado en las Falklands y no tuvo miedo... una de dos: o es un mentiroso o no estuvo allá.

El 27 de mayo —la noche antes de que el 2 de Paracaidistas combatiera por Prado del Ganso— sufrimos un ataque en Bahía Ajax, donde habíamos instalado el hospital de campaña, por un par de Skyhawks que lanzaron un total de ocho bombas. Había una elevada cantidad de heridos que necesitaban asistencia médica. La bomba que cayó en el matadero, detrás de la antigua planta de envase de carne de cordero, volvió a convertirlo tristemente en un matadero. Hubo cinco muertos y veintisiete heridos, y un cúmulo de trabajo por hacer.

Esa noche, Alan Swann, el residente experto en desarme de bombas, de la RAF, me pidió que fuera a ver lo que había encontrado en la sala de refrigeración en los fondos. Era una enorme bomba de cuatrocientos kilos, retardada con paracaídas, que estaba encajada allí. * Mi primera reacción fue darme vuelta y correr. Él soltó una carcajada y dijo: "Yo no me molestaría, señor, hay otra sobre su cabeza." Y había

---

*Los pilotos argentinos pasaban muy bajo sobre sus blancos, para tener mayor exactitud en los lanzamientos, pero especialmente para evitar el fuego antiaéreo. A esa poca altura, el retardo por paracaídas hacía más lenta la caída de la bomba, lo suficiente para permitir que el piloto se alejara de la explosión cuando la bomba diera en el blanco.

realmente otra de esas cosas, a unos trece metros de distancia, con el paracaídas desgarrado.

Había que tomar algunas dicisiones difíciles. Sabíamos que ésta era la primera vez que ellos usaban esas bombas. Era una nueva clase de bombas, diferente de las norteamericanas o la británica Mk 82. Había una posibilidad de que hubieran usado espoletas con retardo, pero calculamos que, como era la primera vez, probablemente no se habrían preocupado por usar otro tipo de espoleta que la de impacto. De manera que nos olvidamos de las bombas y continuamos nuestro trabajo, porque no habríamos podido ir a ninguna otra parte. Todos los tipos fotografiaron las bombas y se asustaron con los flashes en la oscuridad. Pero lo siguieron haciendo, y durante las doce semanas siguientes continuaron operando, hasta cuando sonaba la alarma roja por ataque aéreo. Irónicamente, teníamos uno de los pilotos argentinos en nuestro hospital de campaña. Y fue uno de sus camaradas del mismo escuadrón el que había lanzado las bombas sobre el hospital.

Desde el punto de vista médico, yo creo que nuestros heridos tuvieron un tratamiento un poquito mejor. Nuestros cirujanos de combate conocían bien el mecanismo por el cual la munición moderna causa realmente las heridas. El tratamiento es muy simple, muy básico y muy crudo. Consiste en una amplia limpieza del músculo muerto, dejando la herida abierta para evitar el desarrollo de la gangrena o el tétano. Nosotros tratábamos así a todos nuestros pacientes, y un tercio de ellos eran, por supuesto, argentinos. Después de la rendición, capturamos su hospital de campaña y volvimos a operar a todos sus pacientes, porque los cirujanos argentinos parecían haber hecho casi una tarea de bordado, dejando prolijamente la herida por fuera, cuidando su apariencia exterior y colocando un clip metálico, pero dejando que se ulcerase el interior putrefacto. Creo que nosotros salvamos sus vidas cuando los capturamos y volvimos a operarlos.

Hubo dos momentos muy malos. El primero fue durante la noche, cuando hundieron al HMS *Coventry* y al *Atlantic Conveyor*, y comprendimos que se estaba desarrollando una verdadera guerra en el mar. La duda era si a ellos se les acabarían los aviones antes que a nosotros se nos acabaran los buques que nos defenderían. Esa noche la moral estaba un poco baja. La otra mala noche fue cuando llegamos a Port Stanley (Puerto Argentino), quedamos relevados de nuestras funciones, y los buques llevaron a los prisioneros argentinos de regreso al continente. La moral quedó muy baja porque estábamos exhaustos, sucios, muy cansados y no teníamos nada que hacer, excepto resignarnos a nuestras diarreas, de las que todos sufríamos. Sin embargo, ese mal momento nos ha llevado a un sentimiento de gran orgullo. Por primera vez en la historia de las guerras, los perdedores han vuelto primero a sus hogares. Estábamos actuando según la tradición de Lord Nelson, que dijo en sus oraciones antes de Trafalgar: "Que después de la victoria, la humanidad sea la característica predominante de la Flota Británica". Estoy seguro de que, mirando hacia abajo desde algún castillo de popa celestial, tuvo una gran satisfacción por lo que vio.

Reflexionando sobre todo aquello, estoy decepcionado por el hecho de que mucha gente en este país da por sentada la existencia de los privilegios que tenemos. Todo lo que disfrutamos en sociedad —la capacidad de criticar a nuestro gobierno, de enfermarnos, de tomarnos un día libre, de ir a donde nos plazca, de tener un automóvil, la apertura y la libertad de que gozamos— ha tenido que ser obtenido mediante la lucha en nuestra historia. Porque hemos gozado de cuarenta años de paz, la gente habla de derechos sin darse cuenta de que tiene responsabilidades para mantener nuestra sociedad. La guerra agudiza mucho esos sentimientos. Estoy orgulloso de pertenecer a las fuerzas armadas y espero retirarme a los sesenta siendo un hombre satisfecho y feliz.

MARION STOCK

Marion Stock prestó servicios en la Armada Real como miembro del Real Servicio Naval de Enfermeras Reina Alejandra. Era enfermera titular a bordo del buque hospital SS *Uganda*, que patrullaba en la zona de guerra de las Falklands, protegido por los artículos de la Convención de Ginebra, al igual que el argentino *Bahía Paraíso*. Se permitía a estos buques entrar en una zona neutral para recoger heridos. Entre los pacientes del *Uganda* se hallaban los Guardias Galeses, gravemente heridos cuando fue bombardeado el *Sir Galahad*.

Al principio era algo nuevo. Como enfermeras no habíamos salido nunca antes al mar; la mayoría de nosotras nos mareamos y vomitamos. Habíamos oído hablar de la popa del buque y de la parte de estribor, pero sólo eran términos navales y nunca nos habíamos molestado realmente en aprender qué significaban. Pronto lo descubrimos. Las primeras dos semanas tuvimos que trabajar duro para abastecer el buque, pero no creíamos que fuera a pasar nada. Pensábamos: Cuando lleguemos allá abajo nos van a decir: "Ya pueden volver a casa ahora". No fue hasta que hundieron al *Sheffield* que captamos la realidad. Fueron momentos muy tristes. La mayor parte de nosotras conocía al personal de sanidad del *Sheffield* y, además, teníamos tripulantes de vuelo y especialistas de radar que conocían gente. Habíamos estado cuatro semanas en el mar y no nos volvíamos a casa. Interiormente pienso que todas nosotras creíamos que no íbamos a ser capaces de resistir. Ninguna de nosotras sabía exactamente quiénes iban a subir a bordo, si tendrían heridas graves o sólo ligeras. Nos preguntábamos si, personalmente, estábamos preparadas para resistir todo lo que tendríamos que recibir. Cuestionábamos en realidad nuestra capacidad.

Yo estaba trabajando en la sala "Vista al Mar", la principal sala quirúrgica general, que trataba todos los distintos casos médicos. El día en que hundieron al *Galahad*, yo y otra enfermera llamada Sally nos presentamos para cumplir nuestro turno a las ocho de la noche. Nos indicaron que fuésemos a la cámara de oficiales, que había sido convertida en una sala más para recibir esos heridos. Ya antes de llegar a la puerta se sentía ese horrible hedor a quemado. Muy cerca del comedor había una pequeña cocina, y allí olía como si alguien hubiera dejado quemar las tostadas. Abrimos las puertas y vimos unas cuarenta camas con caras negras. Tuvimos un sentimiento de horror. Queríamos cerrar las puertas y correr. Pero pensamos: Dios, tienes que esconder ese horror que muestras en la cara, hazlo por tus pacientes. Entramos y yo traté de sonreír y comenzar nuestro trabajo, pero era muy difícil.

Tenían los ojos tan hinchados que al principio creí que eran todos chinos. El calor de las llamas había hecho que los ojos se inclinaran hacia arriba. Las caras estaban tan hinchadas que no podían ver; tenían muy poco pelo y habían desaparecido las cejas y las pestañas. Las manos estaban dentro de bolsas curativas especiales. Les habían aplicado la crema que usamos para las quemaduras muy graves y era imposible distinguir dónde empezaban o terminaban las uñas. Ocurría lo mismo con los dedos. Era muy inquietante para todos los médicos y enfermeras ver y oír a los pacientes que lloraban de dolor. Algunos de ellos tenían horribles pesadillas sobre el momento en que se habían sentido atrapados. Otros habían visto quemarse gravemente a sus compañeros y tratado de socorrerlos, o no lo habían logrado. Surgía su frustración, y lo único que podíamos hacer nosotras era sentarnos y escuchar. Queríamos volver a nuestros camarotes y llorar hasta que se nos salieran los ojos, porque sentíamos una pena desesperante por esa gente.

Tuvimos que quitarles la crema que les habían aplicado y empezar todo el procedimiento de nuevo. Llevaba mucho tiempo. No nos podíamos apresurar porque la piel estaba en carne viva. Teníamos que ser muy suaves y pasar hasta media hora con un paciente para quitarle lo que tenía y volver a aplicarle la crema. A medida que pasaban los días y las semanas se podía ver una leve mejoría. En algunos de ellos el pelo comenzaba a crecer de nuevo y nosotras empezábamos a identificarlos individualmente. Eso era muy valioso para nosotras y para los pacientes. Cuando alguno de ellos empezaba a pedir un espejo, teníamos que tomar la decisión. Los médicos decían que podía no ser una buena idea que ellos se vieran. Algunos de los pacientes se preguntaban cómo reaccionarían sus esposas o sus novias cuando volvieran a sus hogares: ¿Irá a amarme realmente? ¿Cómo van a reaccionar mis hijos cuando me vean con este aspecto? Todo lo que pasaba por sus cerebros era comprensible. Pero nunca se quejaban. Eran hombres muy valientes... eran maravillosos.

Los muchachitos trataban de mantener alta su moral. Podía ser que algún chico de dieciocho o diecinueve años hubiera perdido sus piernas o sufrido otras heridas graves; entonces los otros trataban de hacerlo olvidar y alegrarlo. Hacían lo imposible para mantener una sonrisa en la cara porque no querían dejar que sus colegas se deprimieran. Si veían caído a uno de los otros, pensaban: Yo no debo dejarme vencer, tengo que salir al frente en esta vida. Lo que realmente querían era sentarse y hablar sobre lo que había ocurrido. Teníamos a bordo un psiquiatra y un par de enfermeras mentales especializadas. Estoy segura de que eso ayudó muchísimo, particularmente durante las etapas iniciales en que debían aceptar sus heridas o mutilaciones, tratando de alentarlos al destacar el hecho de que estaban vivos.

Al principio, todas actuamos poniendo lo mejor de nuestras capacidades, pero cuanto más tiempo pasaba más cansancio sentíamos, física y mentalmente. Sólo queríamos volver a casa. No era que quisiésemos dar la espalda a todo aquello, pero había momentos en que todo parecía una espantosa pesadilla, y queríamos despertar y encontrarnos en casa con nuestras familias o nuestro esposo. Afortunadamente, todas nos llevábamos muy bien juntas. Nos convertimos en una verdadera gran familia. Pero no podíamos abarcar todo. Nos reuníamos al atardecer y hablábamos sobre lo que había pasado en la sala a las otras enfermeras que trabajaban en diferentes sectores del buque. Nos sentíamos mejor hablando con otra persona, pero aun así, había momentos en que volvíamos a nuestro camarote y llorábamos nuestra frustración, porque nos sentíamos tan poco útiles para los pacientes que estábamos cuidando.

Yo sufría una especie de claustrofobia, porque no podíamos bajar del buque e ir a cualquier parte. Pasamos cuatro meses con la misma gente, nunca veíamos alguna cara distinta. No era como un ejercicio de entrenamiento. Como enfermeras nosotras no tenemos ese tipo de entrenamiento. No nos embarcan habitualmente en buques de guerra. Realizamos la instrucción de enfermería, y eso es todo. Nadie nos enseña cómo actuar en un buque a catorce mil kilómetros de nuestros hogares, sin poder escapar ni ponernos en contacto con nuestra familia.

Durante la mayor parte del tiempo, mientras estuvimos allá abajo, no supimos dónde estábamos. Sabíamos que estábamos en una pequeña caja roja (una zona neutral, al norte de las Islas Falkland) pero eso no tenía mayor significado para nosotras. Colocaban una crucecita en el mapa, pero podría haber sido en cualquier parte. A través de nuestras mentes empezaban a pasar ciertas cosas: ¿Y si perdemos? ¿Qué sucederá? Nunca se habló del tema, pero de todas maneras lo pensábamos. Queríamos ver a nuestras familias, porque allí abajo no nos sentíamos seguras.

Había a bordo un pequeño local donde acostumbrábamos comprar objetos personales, pero se les estaban acabando los desodorantes y las cosas que necesita toda mujer, cosas que en casa nunca podrían faltar, que podían comprarse en la tienda de la esquina. Las muchachas empezaron a sentir un poquito de pánico. Pero eso no podía ser allá abajo. Empezó a escasear el equipo médico, especialmente las vendas. No sé cuánto tiempo más nos habrían durado las existencias que teníamos.

Había a bordo pacientes argentinos. Un buque hospital argentino (*Bahía Paraíso*) se colocó al costado de nuestra nave y recogió a sus pacientes. Corrieron rumores de que ellos hasta nos habían ofrecido provisiones. Yo no creo que hayan sido aceptadas, pero aparentemente la oferta fue hecha.

Al principio tratamos de mantener apartados a los británicos y los argentinos, pero a medida que fue pasando el tiempo tuvimos que mezclarlos por la escasez de espacio. Era algo que nosotros no queríamos hacer particularmente, por obvias razones. La mayoría de las enfermeras pensaban que estaban simplemente allí para hacer un trabajo, y trataban de permanecer imparciales. Pero cuando veíamos a esos chicos argentinos, algunos de ellos de dieciocho años, no podíamos impedir un sentimiento de lástima y pena por ellos. En nuestros muchachos había muy poca amargura, porque todos sentían que estaban allí por una razón, y se hallaban todos heridos en una u otra forma. Si un argentino no podía alimentarse solo, los pacientes británicos lo ayudaban. Se ayudaban para lavarse y para las funciones de sus cuerpos. Trataban de comunicarse unos con otros. Teníamos un padre que hablaba español.

Debimos permanecer en el Atlántico Sur un poco más que los otros buques. Habían dejado muchas bombas y minas terrestres y desgraciadamente tuvimos que atender a unos cuantos muchachos que habían perdido sus pies. Cuando todos se habían vuelto a casa excepto nosotros nos sentimos un poco fastidiados. Finalmente llegó la comunicación. Hubo sentimientos mezclados. Decididamente, todos queríamos volver a casa, pero muchos de nosotros pensábamos que no podíamos ir a casa y hablar a nuestras familias de todo aquello. No creíamos que fueran capaces de entenderlo. No creo que alguien pueda realmente haber esperado que comprendieran lo que habíamos pasado, lo que habíamos visto, lo que habíamos resistido y las veces que creímos no poder resistir.

Cuando llegamos a casa, aquello fue un anticlímax. Habíamos pasado cuatro meses a bordo de un buque, viviendo en estrecha unión con personas que llegaron a ser buenos amigos. Y ahora había que separarse. Nos sentíamos contentas de estar nuevamente en casa, pero al mismo tiempo tristes porque no podíamos hablar a nuestras familias sobre lo que habíamos vivido. Existe todavía esa relación y amistad entre todos los que estuvimos allá. Podemos hablar con ellos, y sabemos que comprenderán.

PILOTOS

IAN MORTIMER

El teniente primero (ahora capitán) Ian Mortimer, de la Real
Fuerza Aérea, era miembro del Escuadrón 801, a bordo del
portaaviones *Invincible*. Voló un avión Harrier durante la
campaña. En una de sus salidas fue derribado y tuvo que
eyectarse y caer al mar.

Nos dijeron que íbamos a las Falklands a eso de las cuatro, en la primera mañana de mi licencia de Semana Santa. Había tenido la esperanza de pasar unos días en mi casa. Acabábamos de regresar de Noruega, después de haber estado en el mar durante bastante tiempo.
  Empezamos a concurrir diariamente a nuestro trabajo, esperando saber cuándo partiríamos. Todos los días nos quedábamos un rato
hasta que nos decían que volviésemos otra vez a casa. Nunca creí que
sucedería.
  Volar es algo maravilloso, pero no me gusta la vida en el mar. Los
buques son muy buenos, pero simplemente no se puede salir de ellos.
Son las veinticuatro horas del día. No se puede ir a casa, no se ven campos verdes ni árboles. Mi trabajo comprende mucha planificación
táctica. Nos entrenamos bastante, planificamos ataques a diversos
blancos, buques y aeródromos. Lanzamos unas cuantas bombas y cumplimos muchas operaciones de intercepción. Pasábamos las horas libres como siempre se lo hace en un buque: en el bar.
  La noche anterior a nuestra entrada en acción, 1° de mayo, el comandante nos reunió a todos y nos dijo que estábamos a punto de experimentar algo completamente nuevo. Yo todavía no creía que fuera
a suceder, no hasta que nos lanzaron y nos condujeron desde el buque
para formar escuadrillas. Escuché por la radio una pelea de perros
(combate individual) mientras se desarrollaba, y ésa fue la primera vez

que comprendí realmente que íbamos a tratar de matar gente, y no me gustó ni por un minuto.

La experiencia del miedo no había sido nunca parte de mi entrenamiento táctico. Estamos muy bien entrenados, pero el elemento que falta es justamente el miedo. Cambia nuestra forma de pensar la táctica. Me concentré en cumplir mi tarea, porque, por primera vez había una probabilidad de que, si yo no hacía las cosas bien, podía no volver.

En nuestras operaciones de ataque a superficies tratamos de llegar siempre al blanco, de modo que si se nos presentan aviones de combate enemigos hacemos lo posible por escapar. Ahora pienso que ése es un procedimiento completamente equivocado. Creo que debemos quedarnos y combatir, porque necesitamos que ellos también sientan un miedo de todos los diablos. Tienen que saber que pueden morir, y eso es una parte muy importante del pensamiento táctico. Si ellos creen que pueden venir y atacar a un tipo que no les va a devolver los disparos, es como tirar contra un pato en un barril. Eso es un poco lo que nos ocurrió con los argentinos después del 1° de mayo. Ese día yo no estaba cumpliendo operaciones de ataque a superficie, debía actuar en defensa aérea; lo único que cambia es la necesidad de ser agresivo, la necesidad de hacer saber a ese tipo que si no es muy bueno, será él quien muera y no yo.

Ese día nos encontramos con un gran número de aviones enemigos. La mayor parte de ellos viraban y se volvían. Nosotros hicimos volver a tres de cada cuatro ataques. Yo no vi a los que pasaron pero algunos de mis compañeros sí. Creímos que nos habían disparado siete misiles, después descubrimos que algunos de ellos no eran misiles sino tanques de combustible lanzados. Uno o dos tipos volvieron diciendo que algunos misiles le habían pasado a menos de doscientos metros de su cabina.

Al final de ese primer día creo que estábamos todos asustados. Nos reunimos y hablamos del tema, y decidimos que si todo seguía igual, tarde o temprano uno de esos misiles nos iba a destruir. Los pilotos argentinos no volvieron en esas operaciones de ataque. No fue hasta el 3 de mayo que nos dimos cuenta de que habíamos hecho lo suficiente en materia de defensa aérea, y que ya habíamos ganado. Habíamos liquidado el asunto en un día, y creo que los argentinos pensaron realmente que no podían enfrentarnos. Si lo hacían iban a perder y perder mucho, entonces cambiaron sus tácticas y decidieron no volver otra vez a niveles medios de vuelo. Desde entonces volaban directamente contra los buques. No creo que haya habido un solo combate, era sólo cuestión de interceptarlos.

Cuando nos dimos cuenta de que habían cambiado sus tácticas nuestros miedos desaparecieron. Pasó a ser un caso de "Vamos a matar patos en un barril". Yo puedo comprender su forma de pensar aunque no es como yo habría reaccionado. Esos hombres no tenían nada de cobardes. Eran increíblemente valientes. Recibieron una enorme cantidad de impactos que averiaron sus aviones, tuvieron un elevado número de pérdidas. Realmente les causamos daños tremendos, y ellos seguían viniendo. Si alguien vuelve a su base y su mejor amigo no regresa, no puede menos que pensar que la próxima vez será él. Eran muy valientes al seguir volviendo como lo hicieron. Sus pilotos de Hércules fueron fantásticos. En ningún momento pudimos evitar que llegaran a Port Stanley (Puerto Argentino).

El día que bombardearon el HMS *Sheffield* yo estaba en alerta sobre cubierta, lo que significa que estamos virtualmente encadenados a la cubierta, sentados en la cabina y listos para despegar... cinco minutos para estar en el aire. Me ordenaron salir y me dieron un rumbo totalmente opuesto a todo lo que habíamos hecho hasta entonces. Era claro que no nos llevaba a las islas. Volamos unos ochenta kilómetros hacia el sur y nos dieron el indicativo de llamada de un buque. Hasta ese momento yo no sabía que se trataba del *Sheffield*. Nos dijeron que lo habían torpedeado. En cuanto salí del portaaviones y puse vuelo nivelado, desde ochenta kilómetros de distancia pude ver el humo.

Cuando llegamos allí vimos con toda claridad el agujero muy grande, sumamente grande, que tenía el buque en el costado, sobre la línea de flotación; era evidente que no lo habían torpedeado. El buque estaba allí, inmóvil en el agua, despidiendo humo como loco. Algunos de los tipos ya se habían metido en los botes salvavidas, pero muchos de ellos se hallaban fuera, sobre cubierta, y nos observaban. Durante la hora siguiente cacé de todo, desde contactos de superficie, hasta submarinos y aviones. Todo el mundo gritaba "Contacto" por todas partes. El elemento miedo, otra vez. La gente ve cosas que no están allí. Cada fugaz aparición de un *blip* en la pantalla del radar se transforma de repente en una amenaza.

Ver buques en el momento en que se hunden fue una profunda impresión. Me hizo pensar que, volver a casa, al *Invincible*, y meterme en una cómoda cama no era el fin de la guerra. Estaba en todas partes alrededor, en todo momento. Me preocupaba la gente que estaba debajo de la cubierta superior. Si un buque está en peligro se cierran y aseguran las escotillas. La Armada va abajo, los Cangrejos (RAF) van arriba... van a buscar el aire fresco. No importaba lo que ocurriese a mi alrededor, si yo estuviera en cubierta pensaría: Por lo menos puedo arrojarme por la borda, o cualquier otra cosa. ¿Pero debajo de la cubierta? Yo no puedo aguantar allí abajo, me resulta extremadamente claustrofóbico. Puedo imaginarme a los que permanecían debajo de la cuabierta: tienen que haber estado muy asustados.

Yo había tenido la sensación de que éramos invencibles. Nos habían entrenado con todas esas megatácticas, contra un megaenemigo (la Unión Soviética). Creo que nos sentimos demasiado satisfechos de nosotros mismos. No creímos nunca que el enemigo fuera tan bueno como realmente fue.

El 1° de junio, yo estaba en un PAC (Patrulla Aérea de Combate) al sur de Stanley, tratando de ver si algún Hércules intentaba entrar. Estaba recorriendo arriba y abajo el camino que llega desde la zona de Darwin y Goose Green (Pradera del Ganso). Los paras (paracaidistas) acababan de tomar Goose Green, y una de las cosas que nos preocupaban era que los Pucará argentinos pudieran estar tratando de despegar para atacar al ejército cuando avanzara por el camino. El plan consistía en buscar aviones Pucará y ver si podíamos eliminar algunos de ellos.

Yo había recorrido dos veces la ruta arriba y abajo, una cierta distancia hacia el sur y una buena altura. En la tercera ocasión, cuando pasé cerca del aeródromo de Port Stanley, me pareció ver algo que estaba carreteando. Justo en ese momento se interpuso una nube, de modo que piqué mi avión para descender a unos diez mil pies (tres mil metros), y me acerqué un poco, convencido de que me encontraba fuera del alcance de sus misiles Roland (las defensas antiaéreas argentinas con base en el aeródromo de Stanley). Debo de haber estado equivocado. Lo primero que vi fue un tremendo destello. Fue como si alguien hubiera hecho brillar un espejo, un enorme espejo, hacia mis ojos. Durante un par de segundos no hubo nada, pero luego alcancé a ver el misil. Estaba en una perfecta trayectoria de intercepción en 90°: yo volaba en una dirección y el misil se acercaba desde los 90°. Yo miraba la estela de humo que dejaba atrás, y seguía completamente convencido de que me encontraba fuera de su alcance. Hasta ese momento estaba volando a velocidad de crucero. En vez de tratar de vencer al misil aumentando mi velocidad, viré para alejarme de él e intenté trepar para aumentar la distancia. A unos tres mil metros el misil empezó a nivelar su vuelo, y yo pensé: ya está, no hay problema. No me sentía preocupado en lo más mínimo. Miraba hacia afuera, por el lado derecho de mi cabina, lo vi desaparecer debajo de mí, entonces giré la cabeza para mirar hacia el lado izquierdo, esperando ver el misil mientras caía hacia el agua.

Hubo una imponente explosión, el avión se agachó y quedó cabeza abajo. Soy lo suficientemente listo como para adivinar lo que había pasado. Fue un estallido fenomenalmente violento que me sorprendió por completo y arrancó las superficies de cola de mi avión. Aunque no estaba volando a mucha velocidad —digamos a aproximadamente quinientos cincuenta o seiscientos kilómetros por hora— esa vuelta hacia adelante a esa velocidad es increíblemente intensa. Me sacudió dentro de la cabina y no pude ver nada. Sospecho que cerré los ojos y mantuve bien abajo la cabeza. Me eyecté de inmediato, tan rápido como pude. La violencia de la eyección fue exactamente igual a la de la vuelta provocada por la explosión.

Hubo un horrible segundo durante el cual pensé que el asiento eyectable no había funcionado y yo estaba todavía allí. Mi recuerdo siguiente fue el de estar colgando de la seda. No necesito decir cómo fluía la adrenalina. El paracaídas giraba describiendo pequeños círculos encantadores. Descendía en espirales desde unos tres mil novecientos metros, a siete u ocho metros por segundo, un tiempo bastante largo en un paracaídas. Parece ridículo, pero tenía conciencia de estar disfrutando en ese descenso; era sumamente apacible.

Derivé una distancia considerable, lo que me beneficiaba porque muy poco después de caer al agua y trepar a la pequeña balsa de goma, los argentinos aparecieron buscándome. Tenían un Chinook, que exploraba en los alrededores del sitio donde me habían derribado. El viento soplaba con una intensidad de veinte a veinticinco nudos y yo me había desplazado a bastante distancia en esos ocho minutos. El helicóptero buscaba en un lugar equivocado. Después de una media hora me encontraron. Otro helicóptero voló exactamente arriba, después hizo un brusco viraje y se alejó. Después, un Chinook apuntó directamente hacia mí, se acercó a menos de doscientos metros y de repente viró y ambos volaron velozmente hacia Stanley. Yo calculé que habrían tenido un contacto de radar en la pantalla y quisieron hacer volver a Stanley a su gente, que es lo que me dijeron después los isleños. Había un par de Sea Harriers en vuelo. No iban a venir hacia donde yo me encontraba, pero los argentinos no lo sabían; se fueron y, afortunadamente, ya no volvieron a encontrarme.

Hay un montón de cosas que hacer en la pequeña balsa salvavidas. Estábamos todos entrenados para extraerla, inflarla y preparar todas las ayudas de supervivencia para usarlas. Eso no lleva mucho tiempo, y yo estuve en la balsa en el mar durante unas nueve horas, tres con

123

luz de día y seis de noche. Hacía un frío como para congelarse y no podía dormir más que unos pocos minutos por vez, de manera que no me preocupaba por eso.

Se piensan muchas cosas durante nueve horas en una balsa. Mi política fue quedarme completamente quieto, completamente silencioso, sin luces ni nada, algo que es totalmente opuesto a nuestra instrucción y entrenamiento. Normalmente, tratamos de que nos encuentren y recojan. Hasta que oscureció, no hice absolutamente nada. Después encendí mi baliza SARBE (búsqueda y rescate). Eso significa que un avión puede sintonizar y dirigirse al lugar de emisión (la balsa) durante dos minutos. Se puede hablar por intermedio de ese transmisor, de modo que llamé para ver si obtenía alguna respuesta. Si no recibía nada, lo apagaba durante media hora. Repetí el procedimiento a lo largo de las seis horas de oscuridad. Estaba cerca de las islas, a unos tres kilómetros de distancia. Me sentía preocupado ante la posibilidad de que pudieran venir a buscarme en alguna lancha en caso de que hubieran escuchado mi transmisión y se orientaran por ella, o que hubiesen visto alguna luz que yo pudiera estar mostrando. Pero había entrado agua en el contacto de la antena y mi señal no estaba saliendo al aire.

Los helicópteros del escuadrón 820 me buscaban desde el momento en que oscureció. Ellos también estaban en el *Invincible*, de manera que éramos todos buenos amigos. De tanto en tanto me parecía oír algo. El mar estaba bastante encrespado y el agua me envolvía por todas partes. Era difícil decirlo.

Todavía tenía puesto mi casco, y cada vez que me parecía oír algo tenía que abrir el techo de la balsa y después quitarme el casco para poder oír. La última vez que me pareció oír algo, era realmente un helicóptero. Ellos me habían visto, antes de que yo los viera a ellos. Habían pasado, vieron una forma en el agua y estaban volviendo para otra pasada cuando yo encendí mi baliza. Esta vez funcionó, y obtuve una respuesta. Yo no sé qué diablos dijeron, no me importaba mucho a esa altura. Encendieron una luz estroboscópica y se acercaron a mi posición. Fueron unos dos minutos, hasta que bajó con el cable un sonriente irlandés llamado Mark Finucane. No sé cuál de los dos sonreía más, él o yo.

Por un momento se me había ocurrido que podía ser un helicóptero argentino. Yo estaba derivando hacia el este, en camino a Sudáfrica. Después de nueve horas de pasar un increíble frío y sin tener muchas probabilidades de rescate, ya no pensaba que podría salvarme. Pensaba sí en la posibilidad de ser prisionero de guerra, lo que sería mucho mejor que seguir en la balsa. Pero tenía una razonable confianza de que iban a ser mis compañeros antes que los argentinos. No creía que ellos se molestaran en buscarme en la oscuridad.

Volé de nuevo seis días después, y seguí volando hasta el 14 de junio (el día de la rendición argentina). El final de la guerra fue para nosotros un gran anticlímax, porque todavía no volveríamos a casa. Uno de los portaaviones tenía que quedarse. Creo que muy pronto calculamos que iba a ser el *Invincible*. Navegamos hacia el norte y estuvimos unos días en clima más cálido, luego volvimos hacia el sur y allí permanecimos durante unos meses. No llegamos de vuelta a casa hasta el 19 de septiembre.

Demoré unos treinta segundos en adaptarme cuando llegué a casa. Se aprenden muchas cosas sobre uno mismo en la guerra, de qué se es capaz, qué puede uno hacer. También se aprende muchísimo sobre las otras personas. Si la gente me pregunta sobre la guerra, hablo de ella. Si no me preguntan, no hablo nada de ella. Es casi como si nunca hubiera sucedido. Es como un sueño.

JEFF GLOVER

El teniente primero Jeff Glover volaba un Harrier en el Escuadrón N° 1. Fue el único miembro de la Fuerza de Tareas que cayó prisionero. Lo transportaron en vuelo a la Argentina donde permaneció hasta que cesaron las hostilidades, cuando regresó a Gran Bretaña y a su escuadrón. Fue promovido a capitán, y actualmente vuela en el equipo acrobático de la RAF, las Flechas Rojas.

Cuando se produjo la crisis del Atlántico Sur, yo estaba en Alemania, en un curso de vuelo. Recibí repentinamente un llamado para que regresara al escuadrón con mi Harrier. Cuando aterricé, me recibió mi jefe de escuadrilla. Él me informó que lo que estaba ocurriendo en las Falklands podía motivar la participación del Escuadrón N° 1, y que ya se estaba preparando para la guerra. En cierta forma me tomó de sorpresa; ¡aquellas islas estaban tan lejos! No había pensado que nosotros pudiésemos volar hacia allá. Estábamos entrenados para responder a agresiones del Pacto de Varsovia. Ése es el teatro de operaciones para el cuál nos habíamos preparado, de manera que, algo como las Falklands nos tomó —a mí y al resto de los muchachos— completamente por sorpresa. Si he de ser honesto, yo nunca había pensado realmente que tenía probabilidades de participar en una guerra.

Volé mi Harrier desde St. Mawgan, en Cornwall, hasta la Isla Ascensión. Me llevó unas nueve horas, y reabastecí de combustible en vuelo, acoplándome a aviones-tanque Victor. Desde Ascensión me embarqué en el *Norland,** que nos transportó a las Islas Falkland, en

*El *Norland* es un ferry de pasajeros y automóviles que opera desde Hull a través del Mar del Norte hasta Holanda.

ruta al portaaviones *Hermes*. Navegábamos junto con el *Atlantic Conveyor*, en el que habían embarcado los Harrier de la RAF. El viaje hasta allá duró una quincena; era realmente lento.

El 2 de paracaidistas estaba también a bordo del *Norland*. Nosotros asistíamos a sus reuniones explicativas, y hacíamos algunas propias del escuadrón. Verlos entrenarse en el buque bastó para conocerlos y valorarlos. Estaban fuera del terreno, completamente aislados de su teatro de operaciones normal, y corrían arriba y abajo de las cubiertas con las mochilas a sus espaldas, preparándose con todo rigor. En una de las reuniones hice un convenio con un pelotón, y les prometí que no los iba a bombardear si ellos me prometían no derribarme con sus armas antiaéreas. Aparentemente, pensaron que era un acuerdo justo. De no ser todo esto, lo único que hacíamos era jugar a los naipes y beber un poco. No estaba nervioso, porque aún nos hallábamos muy lejos de la acción. Sólo cuando estuvimos a dos o tres días de las Falklands empecé a ponerme un poco aprensivo, aunque sabía que formaba parte de un buen equipo y tenía bastante confianza.

Para mi primera salida recibí las instrucciones especiales después del desayuno de mi jefe Pete Squire. Era la segunda salida del día de mi escuadrón. Debía realizar apoyo aéreo cercano a dos buques, para las fuerzas anfibias que estaban desembarcando ese día. Subimos a la cubierta y estuvimos esperando bastante antes de que nos lanzaran. Después que despegamos, el avión del jefe tuvo fallas y me ordenó continuar solo. Llamé por radio a nuestra gente a bordo del HMS *Antrim*, que estaban coordinando el apoyo aéreo. Inicialmente no tenían ningún blanco para mí en la zona de la operación anfibia, de manera que permanecí a seis mil metros de altura para ver si aparecía algo.

Eventualmente, me dieron algunos blancos en la zona de Port Howard. No estaba en mi mapa, pero yo sabía dónde se encontraba aproximadamente. Desde la altura en que volaba pude distinguir el asentamiento de Port Howard, porque era un día glorioso, con una visibilidad sorprendente y sin nubes. En vez de seguir una ruta en un mapa, pude verla completamente desde los seis mil metros. Empecé a descender a unos treinta kilómetros de distancia, navegué en la dirección prefijada y luego me precipité en picada sobre los blancos, pasando a baja altura y gran velocidad. Me habían informado la distancia y rumbo al blanco desde un pequeño embarcadero, pero cuando lo sobrevolé me di cuenta de que los blancos se encontraban demasiado cerca del borde de la población, y no pude diferenciarlos. Yo no iba a empezar a lanzar bombas cerca de la población, de manera que crucé todo el sector sin hacer ningún lanzamiento, volví a tomar altura y llamé por radio al *Antrim*.

Les sugerí que podía volver a pasar y utilizar la cámara de reconocimiento del Harrier para tomar fotografías de la zona del blanco, de manera que en la operación siguiente supieran qué era lo que buscaban cuando iniciaran el ataque. El *Antrim* no tenía otra misión para mí y al parecer pensaron que era una buena idea.

Unos quince minutos después de la primera pasada llegué de nuevo a la zona de Port Howard. Piqué para pasar a baja altura y a gran velocidad, después de elegir una diferente dirección de ataque. Justo cuando estaba por empezar a tomar fotografías se oyeron tres fuertes explosiones y el avión quedó fuera de control. Rotaba violentamente hacia la derecha, y alcanzó a girar casi 360°. Bajé la vista, vi mi mano derecha y tiré de la palanca del asiento eyectable. Oí el ruido de la explosión del techo de la cabina sobre mi cabeza, lo que es normal en el procedimiento de eyección. Primero vuela el techo y luego sale el asiento. En ese momento vi todo negro y quedé inconsciente. Posteriormente hablé con un muchacho de Port Howard que había visto todo. Me dijo que se había desprendido la mitad o las tres cuartas partes del ala. El avión tiene que haber rotado muy rápidamente, sin embargo, de alguna forma pareció hacerlo con cámara lenta. Yo recuerdo haber estado cabeza abajo, viendo el mar muy cerca y pensando: tienes que calcular muy bien, de lo contrario no saldrás verticalmente hacia arriba. Tiene que haber sido todo muy rápido, pero al mismo tiempo pude pensar esas cosas.

Recobré el conocimiento muy poco después. Estaba bajo el agua y casi ahogándome. Me di cuenta de que había luz en cierta dirección y hacia arriba, entonces nadé hacia la superficie y todo mejoró otra vez. Era un hermoso día, pero sentía cierto dolor. Por un ojo no podía ver del todo bien, y seguía estando algo aturdido.

Vi la costa y empecé a nadar hacia ella, lo que era totalmente estúpido, porque estaba arrastrando el paracaídas. También estaba arrastrando la balsa salvavidas que tenía debajo de mí, y naturalmente no podía avanzar con rapidez. Creo que todavía sufría los efectos de la conmoción. Entonces empecé a ordenar mis actos, solté el paracaídas y pensé en inflar la balsa. Oí voces, me di vuelta y vi un bote de remos lleno de soldados argentinos que venía hacia mí. Yo pensé: ¿Qué puedo hacer? Me estaban apuntando con sus fusiles. Después me subieron a bordo y remaron hacia la costa. Retiraron la mayor parte de mi equipo de supervivencia y me llevaron al centro médico, una instalación improvisada en el club social de Port Howard. Había unas pocas camas, ya ocupadas por algunos de sus tipos.

Mi mayor problema era el hombro izquierdo. Por haberme tenido que eyectar tan rápidamente, en vez de usar las dos manos todavía tenía la mano izquierda en el acelerador. Tiré de la palanca con una sola mano y sufrí lo que se llama una lesión por efecto de látigo. Yo había saltado a una libre corriente de aire que se desplazaba a novecientos sesenta kilómetros por hora, con el brazo izquierdo afuera. Chicoteó hacia atrás y estuvo a punto de romperse; también el omóplato, en dos lugares, y la clavícula.

Tenía la cara amoratada por el fuerte golpe de viento y posiblemente el impacto contra el agua a gran velocidad. No sé cuánto pasó desde que se abrió el paracaídas hasta que caí al agua porque estaba inconsciente. Me colocaron en una cama y vino un médico a revisarme. Le entregué mi tarjeta de identidad según la Convención de Ginebra y me quité el resto de mi traje de inmersión. Me hizo un examen superficial rápidamente, me puso el brazo en un improvisado cabestrillo, me dio una inyección y me hizo dormir unas ocho o diez horas, lo que para mí fue magnífico. Básicamente yo seguía en estado de conmoción. Me estaban llevando de la nariz; ni siquiera pensé en el hecho de que la gente que casi me había matado ahora se comportaba amablemente conmigo. Reflexionando posteriormente, fueron muy decentes y por cierto que les estoy agradecido por eso.

Cuando abandonaba Port Howard en helicóptero me presentaron al operador del pelotón Blowpipe (misil superficie-aire, que se lanza desde el hombro). Era evidente que le adjudicaban el crédito de haber sido él quien me había derribado. Le estreché la mano y le dije: "Muy bien hecho, compañero". Al mismo tiempo, yo no estaba del todo convencido de que hubiera sido un Blowpipe el que me derribó. Muy bien pudo haber sido un triple "A" que tenían en Port Howard, un cañón Oerlikon de 20 mm controlado por radar. Pero ellos parecían creer que había sido el Blowpipe, ¡como quisieran!

No me interrogaron en ningún momento. Cuando me llevaron al territorio continental argentino, después de un período de cuatro o cinco días vino junto a mi cama un mayor de la Fuerza Aérea y empezó a darme charla. Llevó la conversación a la guerra y a asuntos militares; en ese momento le dije: "No deseo continuar la conversación". Pero me sorprendió que no hubiera un interrogatorio táctico, un interrogatorio inmediato. Alguien que acaba de eyectarse y está aún conmocionado, tal vez herido, es probablemente un candidato ideal para ser interrogado, pero afortunadamente eso no sucedió. Si ellos lo hubieran intentado, yo habría tratado de mantenerme firme en los cuatro básicos: nombre, grado, número y fecha de nacimiento.

Pasé unas treinta horas en Port Howard. Después me llevaron en helicóptero a Pradera del Ganso, donde pasé una noche, no estoy del todo seguro por qué causa. A la tarde siguiente continuamos a Port Stanley, donde estuve un par de noches en un gran centro médico. Después me pusieron a bordo de un Hércules en una de las misiones nocturnas en que entraban y salían de las islas. Me llevaron en vuelo a Comodoro Rivadavia. Allí fui a un amplio hospital que era parte de la base aérea y pasé un par de noches encerrado con llave y con guardia, en el casino de oficiales. Finalmente me llevaron otra vez en vuelo durante unas cuatro horas a una gran distancia, y terminamos en un lugar situado a unos seiscientos kilómetros al noroeste de Buenos Aires, donde habría de pasar las cinco semanas siguientes. Estaba bien apartado de todas las rutas.

Desde el punto de vista médico hicieron un trabajo razonable conmigo. Los médicos de Port Howard y Stanley me habían arreglado un cabestrillo suelto para sostener el hombro. Y en Comodoro Rivadavia el médico pensó que sería una buena idea enyesarlo, tomándome el hombro, el brazo y el cuerpo, dejando solamente libre el brazo derecho. En ese momento no me pareció tan buena idea, porque realmente me inmovilizaba. Tuve la impresión de que tal vez era la inmovilidad lo que a ellos les gustaba. Me mantenían con una estrecha guardia durante todo el tiempo, pero la actitud de todos ellos hacia mí, y la comida, eran bastante razonables. No había ciertamente ninguna agresividad. Mientras estaba en el casino de oficiales me visitaron diez o doce pilotos argentinos, que entraban, me decían "Hola" y me preguntaban cómo me sentía. Uno de los muchachos me regaló una botella de vino. Otro me dijo que me estrecharía la mano porque era piloto, pero que no estaba de acuerdo con lo que yo hacía. Le contesté: "Me parece bien", y eso fue todo.

En esos momentos yo no sabía que era su único prisionero de guerra. Ellos decían tener varios, distribuidos alrededor de la base, algo que yo en cierta forma no creí, pero podía haber sido verdad. Sólo cuando llegué al Uruguay supe que yo había sido el único.

Estando prisionero me sentí muy deprimido por haber sido derribado. Pensaba que había abandonado al escuadrón, que había traicionado al jefe. Era mi primera salida, habíamos llevado con nosotros seis aviones solamente. Yo perdí uno de ellos casi de inmediato; estaba bastante fastidiado. La cantidad de veces que reviví esa salida... tratando de descubrir qué había hecho mal.

Me preocupaba por mi familia y si nadie habría sabido que yo estaba vivo. Cuando llegué a aquel lugar al noroeste de Buenos Aires recibí la visita de un hombre de la Cruz Roja Internacional, pero eso ocurrió diez días después de mi derribo. Dijo que informaría a mi familia que me había visto y que estaba muy bien.

Pasé cinco semanas virtualmente en confinamiento solitario. No había hecho el curso de escape-y-evasión ni el de supervivencia de combate, que la mayoría de los pilotos realizan en su momento, dentro del primer año de destino en un escuadrón operativo. Había asistido a reuniones explicativas, de manera que sabía en general lo que convenía hacer. Pero cuando uno está solo metido en una habitación durante cinco semanas, no estoy seguro de que exista entrenamiento alguno que pueda prepararlo. Hacia el final de las cinco semanas había puesto en marcha ciertas actividades de rutina, y creo que ésa era la clave: pasar el tiempo, tener alguna actividad por más aburrida y tediosa que fuera. El hombre de la Cruz Roja me había dejado cierta cantidad de libros, pero dijo que no volvería a verme por dos o tres semanas. Entonces, me permitía leer alrededor de tres cuartos de hora por día; no tenía reloj. Me había dejado también papel, sobres y una lapicera; día por medio escribía una carta a mi esposa, usando una sola hoja de papel. Al día siguiente se la daba a alguno de los tipos argentinos para que la pusiera en el correo. Fue un error porque el último día, cuando me liberaron, me entregaron diez de las cartas que yo creía que habían enviado.

Por las mañanas, poco antes del almuerzo, me permitían salir durante tres cuartos de hora a una hora a un pequeño patio, para caminar un poco. El resto del tiempo era sumamente aburrido, sin nada que hacer. No podía practicar ningún tipo de ejercicio, porque aún tenía colocado el yeso. Me acostaba o sentaba y contemplaba las paredes y el techo de la habitación, haciendo ejercicios mentales. Elegía un día, por ejemplo el 1° de mayo de 1961, y trataba de recordar qué había estado haciendo ese día. También trataba de descubrir si había sido un día de semana, en qué escuela estaba, quién era la maestra, y así sucesivamente.

En la última visita que me hizo el hombre de la Cruz Roja, más o menos una semana antes de que por fin me liberaran, dijo que no había indicios fundados de que fueran a liberarme, y que podía estar allí por algún tiempo. Ya me estaba acostumbrando a la idea. Logré ver unos trozos de páginas de alguna revista o periódico argentino, según el cual estaban aplastando a los británicos con impresionantes victorias. Recuerdo una brillante revista donde aparecía una comparación de las fuerzas argentinas y británicas. Casi la mitad de los buques británicos tenían cruces atravesadas, lo mismo que las tres cuartas partes de los Harrier. Yo pensé: No puede ser. Esto es una broma.

Por fin me llevaron en vuelo a Buenos Aires, donde pasé otros tres o cuatro días en el hospital, y me quitaron el yeso. Me dieron algunas comidas muy buenas y realmente me cuidaron. Después me trasladaron en avión a Montevideo, donde me recibió el agregado militar y algunos de los miembros de la embajada, y me llevaron a la residencia del embajador, donde tuvimos un espléndido almuerzo.

Cuando volaba de regreso a casa me sentía muy emocionado. Mirando retrospectivamente todo aquello, me consideraba engañado por no haber podido participar en la guerra, por no haberme quedado con el resto del escuadrón en el *Hermes*, continuando las operaciones y haber tenido que pasarlo sin hacer nada en la Argentina. Fue muy decepcionante.

NIGEL WARD

El capitán de corbeta Nigel "Sharkey" Ward, retirado ahora del componente aéreo de la Armada Real Británica, es director gerente de su propia consultora, Defense Analysts Ltd. En las Falklands voló en patrullas aéreas de combate (PAC), como jefe del Escuadrón 801, que se encontraba a bordo del HMS *Invincible*. Se le han acreditado tres derribos ("kills") confirmados.

Unas dos semanas antes (del desembarco argentino) nos advirtieron formalmente que algo estaba sucediendo en el Atlántico Sur. Como yo me hallaba al mando de mi escuadrón, mis superiores me previnieron seriamente que debíamos estar preparados y listos para entrar en acción. Aunque ya hacía un año que estábamos en el mar y nos debían las licencias, comunicaron a nuestros muchachos que tenían que estar en condiciones de volver a la base y alistarse para embarcar dentro de las veinticuatro horas a partir del momento en que yo los llamara. No habían pasado seis horas desde que me citaron para decirme: "Debe alistar a su escuadrón para partir", cuando ya teníamos el noventa por ciento de nuestros hombres en Yeovilton, y todos los aviones en la línea, listos para despegar y embarcar.

Cuando viajábamos hacia el Atlántico Sur había cierta afección en cuanto a nuestra confianza en nosotros mismos. Todos sabíamos que íbamos a pelear, o esperábamos que iríamos a pelear. Sabíamos que había considerable peligro en el combate verdadero: a veces no se regresa de él. Pero había que olvidar eso, así como en tiempo de paz hay que olvidar cuando alguien se mata volando, o en entrenamiento operativo. Cuando perdemos a alguien tenemos que sobreponernos tan rápido como sea posible y mantener en alto nuestra confianza. Si empezáramos a preocuparnos, nuestra capacidad en el aire se vería afectada. Cuando aquello ocurre, vamos al bar tan pronto como podemos, y bebemos toda la noche cargando la cuenta en el bar al número del infortunado. Además, hacemos una canción sobre él, o por lo menos, la letra de la canción. Es un hecho que angustia hasta el alma, pero lo último que debe hacer un piloto de combate, en paz o en guerra, es dejarse dominar y alterarse demasiado por la muerte. Ha estado con nosotros desde la Segunda Guerra Mundial. Perdimos más tripulaciones de Sea Vixen (en tiempo de paz en las décadas del 60 y del 70) que cualquier otra unidad de pilotos de combate. Y es sobre la sangre, sudor y lágrimas de esos hombres que se formó nuestra experiencia para las Falklands. Sólo pudo generarse a partir de mucho trabajo, intensa actividad de vuelo y, desgraciadamente, una gran cantidad de accidentes.

Dos de mis más queridos amigos, pertenecientes a mi escuadrón allá en las Falklands, se perdieron muy pronto después de iniciada la guerra. Fue terriblemente triste. Yo estaba en cubierta, en mi avión, cuando oí las noticias, y de inmediato empecé a inventar una canción, en mi anotador de rodilla, pensando que los muchachos, en la sala de pilotos, iban a estar muy emocionados. Volví y les dije: "Oigan, muchachos, yo sé que es triste, pero, ¿cómo suena esto?", y parado frente a ellos recité la breve canción. Y ellos me dijeron dónde podía irme: "Váyase al diablo, jefe". Bajé a mi camarote, pensé bastante sobre el tema y volví a subir dos horas después. Se los veía a todos felices, y me dijeron: "Bueno, jefe, la canción no era tan mala, es que hoy estamos un poquito nerviosos y aprensivos". El propósito del juego era lograr que volvieran a su mejor estado, darles algo contra lo cual pudieran enfurecerse, tal vez recobrarse de lo ocurrido y pasar el tiempo con el juego. Cuando se vuela en misiones de combate, no puede existir el más mínimo elemento de duda sobre sí mismo. Se necesita el máximo grado de concentración, valor y confianza si se quiere ganar.

Tratábamos de mantener despierto al enemigo todas las noches bombardeando Stanley, pero en cierta ocasión decidimos montar una operación para hacerle creer que estábamos invadiendo. El plan consistía en cruzar volando hasta Prado del Ganso y Bahía Fox — que estaban a trescientas millas náuticas (quinientos cincuenta y cinco kilómetros) del *Invincible* —, arrojar bengalas en cada sitio establecido y regresar al buque. Antes de salir para cumplir la misión, informé al estado mayor del almirante lo que iba a hacer, y le dije: "Por favor, comuniquen a todos los buques lo que estaré haciendo. Seré un avión aislado que se acerca en medio de la noche, y no quiero que me derriben". En la última guerra perdimos una gran cantidad de aviones víctimas de nuestro propio fuego antiaéreo.

Todo se fue desarrollando como había estado planeado, y yo lancé mis bengalas en los lugares correctos... creo que era el 11 de mayo. Las emisoras de radio argentinas trasmitieron que la invasión había comenzado, según pude enterarme posteriormente.* Regresé al buque, y me encontraba a unas noventa millas (ciento sesenta y seis kilómetros) del *Invincible*, cuando oí en mi pequeño detector electrónico, que alguien me había descubierto con su radar de adquisición. En cualquier momento podían hacerme fuego para derribarme.

Inmediatamente me desvié hacia el sur; eso significaba arriesgar bastante mi vida, porque tenía escaso combustible. Entonces comprendí lo que estaba pasando y comencé a interrogar a la gente que navegaba en la superficie con un lenguaje más bien agresivo, sobre qué les estaba ocurriendo. Una de nuestras propias fragatas me había iluminado con su radar y estaba a punto de abrir fuego. Era obvio que el comando no les había informado lo que yo haría. Fue necesario usar muchas malas palabras — a las que ellos respondieron con grandes carcajadas — para resolver la situación y hacer que mi regreso al portaaviones se realizara con seguridad. Pero ese no fue el final de la salida...

Imagínense que están en un diminuto avión de reacción, con todo negro en todas partes, un buque en algún lado, al frente pero sin ninguna luz encendida, con un mar muy agitado y nubes de tormenta de nieve muy cerca. Su buque es uno de treinta aproximadamente. Y es imperioso encontrarlo. Es como hallar una aguja en un pajar. Hay que hacer la aproximación hacia el buque y aterrizar en su cubierta. Yo descendí en la aproximación, pero solamente podía hacer una pasada, porque no tenía combustible suficiente como para dar una vuelta más. Si me hubiera equivocado de buque, estaría en un verdadero problema.

Por fin me hablaron por radio diciendo: "Sharkey, podemos verte ahora, estás a unos cinco metros en la aproximación". Eso ocurría exactamente cuando yo estaba a unos trescientos metros de distancia de la cubierta, volando en un régimen término medio entre el vuelo libre y el estacionario, lo que en sí mismo es muy difícil. Les contesté que había recibido su información y les dije: "No, no es así, estoy a trescientos metros, ahora a doscientos cincuenta. ¿Pueden encenderme alguna luz, por favor?" Todo seguía negro, muy negro literalmente, y hay

*En realidad, la misión de Ward era parte de un plan de diversión para cubrir la incursión del SAS en la Isla Pebble, el 14 de mayo.

137

que realizar todo el procedimiento desde una pequeña cabina, mirando la pantalla del radar, tratando de interpretar la actitud del avión. Es un viejo tema, sumamente peligroso. Y entonces se descubre que nadie sabe realmente dónde uno está, excepto uno mismo. Hay una tremenda carga emotiva en todo eso y uno se siente más que preocupado. Encendieron las luces y pude colocarme sobre la cubierta. Afortunadamente, era el buque que correspondía. Me quedaba muy poco combustible y, en el momento en que llegaba al extremo de la cubierta, el viento cambió bruscamente en cuarenta y cinco grados, con ráfagas de hasta cuarenta nudos.

En un Harrier, si el viento deja de soplar de frente y el avión se desplaza a más de treinta nudos, puede darse vuelta completamente, quedando con las ruedas hacia arriba. De manera que se agregaba eso a la anterior preocupación. Con una voz bastante afinada, grité: "¿Hay alguien en cubierta?" Porque pensaba que iba a destrozar el avión y el buque se agitaba arriba y abajo y de un lado a otro. En cuanto puse el avión sobre la cubierta lo hice descender rápidamente. Tan pronto como las ruedas tocaron la superficie, mi furia se disipó y pensé: "Bueno, estoy de vuelta. Gracias a Dios por eso". Fue mucha la gente que tuvo esa clase de experiencias.

En nuestra radio, a bordo del buque, escuchamos las trasmisiones de los noticiarios argentinos. En una de ellas dijeron que nos habían bautizado "La Muerte Negra"; debido a su pintura, nuestros aviones se veían muy negros. Al oír eso, pensé que podríamos aprovecharlo, e incitarlos un poco en el aire hablándolos y llamándonos a nosotros mismos la Muerte Negra. Sonaba realmente bien en español, entonces di instrucciones a todos mis muchachos para que despegaran y, cuando fueran a actuar en patrullas aéreas de combate, llamaran en la frecuencia de radio argentina y dijeran: "Ya viene la *Muerte Negra*." Era un poco como los dibujos animados, todo eso era parte integrante de la formación de la confianza en sí mismos, casi propaganda. Posteriormente, he oído decir que a ellos no les parecía mal la travesura. No pensaban que fuera deshonrosa, y para ellos el honor es todo. Estábamos en guerra y fue una buena jugarreta.

Mi impresión general de los pilotos de combate argentinos, tanto de la Marina como de la Fuerza Aérea, es muy alta. Eran pilotos valientes, que cumplían un trabajo para el cual no estaban preparados, con un entrenamiento muy pobre. Desde los primeros tiempos en que tuvieron aviones, ellos no habían combatido nunca en una guerra. Nosotros teníamos toda la experiencia de la Segunda Guerra Mundial, y acción desde entonces, de manera que estábamos en una posición muy afortunada. Ellos salían al mar desde una base en tierra, para pelear contra lo que habían oído que era un grupo de muy buenos pilotos de combate. Fueron muy valientes, y nunca dejaron de venir. Perdieron muchos aviones, y no podemos menos que tener el más elevado respeto por su valentía.

Todos los días tenían un avión de transporte Hércules que llevaba abastecimientos a las Falklands, especialmente de noche o poco antes del crepúsculo. Queríamos detenerlo y volábamos a menudo más allá de la Gran Malvina para tratar de derribar un Hércules o por lo menos interceptarlo. En el vuelo de regreso de una operación, con mi número dos, Steve Thomas, nos llamó el HMS *Minerva*, desde San Carlos: "Contacto al noroeste, cuarenta millas (setenta y cuatro kilómetros). ¿Quieren echar una ojeada?" Era como un trapo rojo para un toro de lidia. Ya estábamos apuntando al noroeste y en busca de ellos. Lo detectamos en el radar y le dimos caza. Él sabía que nos acercábamos; viró para volver a su base y aceleró todo lo que pudo, unos trescientos cincuenta nudos (seiscientos cuarenta kilómetros por hora) en descenso a través de las nubes, buscando volar a muy bajo nivel. Nosotros tuvimos que descontar la distancia que nos llevaba de ventaja, descender entre las nubes, identificarlo y hacer algo con él.

En principio, no queríamos realmente derribar un Hércules. Nos hubiera gustado darle una oportunidad, volar junto a la cabina y decirles: "Lo siento muchachos, se acabó todo. Tírense en paracaídas o aplasten el avión sobre tierra o en la playa, pero ya no van a ninguna parte". Hablamos mucho de esto en la sala de pilotos. Pero desgraciadamente teníamos muy poco combustible para volver al buque. Era una cantidad muy marginal. No había tiempo para andar dando vueltas con cortesías, de manera que, como yo era el jefe de la pareja, disparé dos misiles contra el avión y los cañones para derribarlo rápidamente. Era cuestión de elegir entre perder un Hércules o dos Harriers por falta de combustible. Fue muy triste tener que pensar que todos los ocupantes tenían que morir. Pero por otra parte no pensé mucho en el tema en esos momentos. Estábamos encantados de haber eliminado un Hércules, porque eran los que traían municiones y abastecimientos a sus muchachos y apoyaban así el esfuerzo de guerra. No es distinto de derribar a un piloto de combate, sólo cumple una tarea diferente. Minutos después, a la fría luz del día, nos sentimos tristes por no haber tenido tiempo para hacerles alguna advertencia, pero así son las cosas.

El 21 de mayo (cuando se produjeron los desembarcos británicos en San Carlos) fue el día en que se nos juntó todo a los pilotos de combate que operábamos con la flota, los muchachos que estaban allá abajo. El Estrecho San Carlos mostraba el más maravilloso tecnicolor que alguna vez se ha visto en una película. Había en el agua hermosos tonos de azules y verdes, se podían ver claramente las plantas acuáticas submarinas. El terreno se parecía a las zonas altas de Escocia, y debajo de nosotros había siete fragatas pequeñas y grises que formaban un anillo de acero alrededor de la Bahía San Carlos. Se hallaban allí para absorber el castigo que estaba a punto de llegar con la Fuerza Aérea Argentina y los pilotos navales. Era conmovedor. Pensaba en esos chicos allá abajo en los buques, prácticamente indefensos; en cierto sentido, eran corderos para el sacrificio, a fin de que los soldados del *Canberra* y los otros buques de desembarco pudieran llegar ilesos a la costa. Era un plan brillante, y dio excelente resultado.

Habríamos hecho hasta lo imposible para derribar Mirages y A4 para proteger a esos hombres de las fragatas. Era emocionante. Nunca antes en mi carrera habíamos estado tan juntos, y ellos abajo sentían exactamente lo mismo. Se lo adivinaba por los comentarios que nos hacían desde sus salas de operaciones. Derribamos un par de Mirages; llamé a la sala de operaciones y les pregunté: "¿Más tráfico?", lo que significaba "¿Algo más para nosotros?"

El que estaba en el micrófono dijo:

—Espere.

—¿Qué quiere decir que espere? —pregunté.

—Bueno... —aclaró, es que acaban de barrer a cañonazos nuestra sala de operaciones, con cañones de 30 mm. El hombre que está frente a mí en el escritorio ha perdido la parte de arriba de la cabeza, yo estoy herido en el brazo y apenas empiezo a recuperarme.

—Está bien... lo siento mucho —dije, sintiéndome pésimamente mal. Pero siete segundos después estaba de nuevo en la comunicación y me decía:

—Bien, creo que tenemos más tráfico para usted, en el norte.

—Con toda naturalidad. Fue asombroso.

En otra ocasión, el HMS *Minerva* nos llamó y dijo:

—Tenemos algunos blancos que se mueven algo lentos en la parte sur de la Isla Soledad, ¿pueden ir a echar una ojeada?

Lo haríamos encantados. Yo tenía dos numerales ese día, Steve Thomas y Alastair Craig. Descendimos velozmente con rumbo sur desde los cuatro mil quinientos metros, buscando lo que pensamos que serían helicópteros o Pucarás. Todo lo que vimos fue un solo Pucará

—como supimos después, lo piloteaba un mayor Tomba— a muy baja altura sobre el suelo. Entonces, mis numerales lo atacaron desde el costado, usando cañones. En la primera pasada los vi disparar; mataron un montón de ovejas y marcaron surcos en la turba, pero no hacían blanco en el Pucará. Pensé que, como yo estaba un poco más atrás que ellos mientras entraba, podría atacarlo desde la cola, en la posición convencional. En mi primera pasada le disparé, arrancándole la mitad de su alerón izquierdo y provocando fuego en el motor derecho. Significaba que estaba apuntando y haciendo blanco correctamente. Me alejé suponiendo que iba a caer. En absoluto. Volvieron mis numerales desde el otro lado, disparando de nuevo, matando muchas más ovejas, y dándome tiempo para que yo entrara otra vez desde atrás.

Esta vez me acerqué más lentamente (la primera pasada la había hecho a 350 ó 400 nudos —650 a 740 kilómetros por hora). Saqué los flaps para poder bajar más la nariz del avión y apuntar así más fácilmente. Volaba a una altura entre diez y quince metros regulada sobre la cubierta del buque en mi radioaltímetro, prestando mucha atención a la altura en mi pantalla del HUD.[1] Le disparé una larga ráfaga: el motor de babor se incendió, saltaron trozos de la parte posterior del fuselaje y el techo de la cabina se destrozó.

Cuando viré para tomar distancia nuevamente, pensé: Bueno, se acabó. Pero él seguía volando, efectuando maniobras evasivas, sin pensar en entregarse. Otravez volvieron mis numerales y mataron unas cuantas ovejas más. Hice una pasada final y vacié mis cañones contra ese particular personaje. Se parecía en parte a una película de la Segunda Guerra Mundial: explosiones, incendios y trozos que volaban por todas partes, siempre a muy baja altura. Cuando viré tomando altura alcancé a ver un asiento eyectable que salía del avión, un paracaídas que se abría y un hombre que pisaba el suelo.

Pensé: ¡qué personaje! Debió haberse eyectado después de la primera pasada. Pero se mantuvo en el avión hasta que ya no pudo seguir volando, se eyectó pocos segundos antes de que su aparato se precipitara a tierra, y aparentemente caminó para regresar a Pradera del Ganso. Posteriormente fue capturado, pero no puedo menos que sentir el más alto respeto por él. Eso fue realmente valor.

---

[1] HUD: Sistema electrónico que reproduce en el parabrisas el terreno y las principales indicaciones del instrumental, entre ellas la altura real. (*N. del T.*)

salir entonces para relajar el fuego de ametralladora y esta vez
que la máquina se enderezó violentamente. Esta vez se incendió un
...y los comandos respondían débilmente. En seguida perdí por
completo el control del avión y pronto parecía que se incendiaba
totalmente; entonces decidí eyectarme. El avión y yo caímos a tierra
prácticamente juntos. Yo no me resolví a eyectarme hasta que el avión
no quedó inutilizado por completo y absolutamente fuera de control

CARLOS TOMBA

El mayor Carlos Antonio Tomba prestaba servicios como piloto de ataque a superficie con aviones Pucará, en el Grupo 3 de Ataque, basado en Pradera del Ganso. Fue derribado por "Sharkey" Ward poco después de que las fuerzas británicas desembarcaran en las islas. Se eyectó y pudo volver caminando a su base, pero resultó capturado cuando los Paracaidistas tomaron la base pocos días después.

Ese día estábamos regresando a la base cuando nos atacaron. Vi pasar dos misiles antiaéreos, de manera que viramos para alejarnos y empezamos a practicar maniobras evasivas. Pensamos que habíamos escapado, y nuestro controlador nos asignó otra misión. Cuando volábamos sobre San Carlos, mi numeral dijo que había visto dos Harriers, pero yo no pude verlos. Empezamos a volar en círculos, y después de dos o tres circuitos sentí un impacto en mi avión. Miré los planos y vi un gran agujero, como una rosa con pétalos abiertos. Arriba alcancé a ver dos Harriers. Mi avión estaba todavía bajo control, aunque se estremecía violentamente. Los motores y comandos parecían funcionar normalmente, de modo que descendí hasta pegarme al suelo, tratando de eludir a mi perseguidor.

Recibí entonces otra ráfaga de fuego de ametralladora y una vez más la máquina se estremeció violentamente. Esta vez se incendió un motor, y los comandos respondían débilmente. En seguida perdí por completo el control del avión y pronto pareció que se incendiaba totalmente; entonces decidí eyectarme. El avión y yo caímos a tierra prácticamente juntos. Yo no me resolví a eyectarme hasta que el avión no quedó inutilizado por completo y absolutamente fuera de control, porque un piloto siempre se mantiene en su avión hasta último momento.

Después del primer impacto, me pareció que podía dominar el avión, y sólo cuando no tenía más posibilidades decidí eyectarme. No pensé que me estaba suicidando por quedarme hasta el último momento. Sabía lo que estaba haciendo, gracias a todo el entrenamiento que habíamos recibido. Uno reacciona instintivamente cuando no hay tiempo para pensar.

Cuando toqué tierra con mi paracaídas, lo primero que sentí fue un enojo tremendo, porque había perdido mi avión. Había perdido mi arma y mi forma de luchar sin haber alcanzado a ver ni siquiera fugazmente a mi enemigo. Pensé en mi familia, mi esposa y mis hijos. Agradecí a Dios por estar todavía con vida. Después pensé que tenía que recuperarme y continuar la lucha. Luego, tuve que caminar para volver a mi base. Me llevó seis o siete horas, pero era mi deber regresar junto a mis camaradas.

Nunca pensé que tendría que pelear contra un infante, pero a esa altura de los acontecimientos debíamos luchar con todo lo que teníamos. No podíamos usar los aviones debido al bombardeo naval, entonces usamos otras armas para pelear contra el enemigo en tierra. Teníamos que defender el aeródromo (en Pradera del Ganso cuando atacaron los Paracaidistas británicos). Usábamos los cañones y ametralladoras de los aviones, porque eso era todo lo que teníamos.

No sabemos si esas armas eran efectivas, porque estábamos demasiado lejos de las tropas británicas. Mi tristeza más grande en la guerra fue la rendición. Para un soldado, lo peor que puede ocurrirle en su vida es rendir su arma; nuestro deber es pelear hasta la muerte. Nuestro comandante nos reunió antes de la rendición de Pradera del Ganso y, con lágrimas en los ojos nos hizo cantar el Himno Nacional, como una forma de mostrar que, en el fondo de nuestros corazones no nos estábamos rindiendo. Habíamos sido derrotados materialmente; espiritualmente jamás nos rendiríamos.

Yo sé que mi casco de vuelo está en el Museo del Componente Aéreo de la Flota, en Yeovilton, Inglaterra. Me gustaría recuperarlo algún día. Me sentiría muy contento si pudiera volver a luchar en las Malvinas tantas veces como me necesitaran.

RICARDO LUCERO

El teniente Ricardo Lucero era piloto de combate de la Fuerza Aérea Argentina que volaba un A4 Skyhawk del Grupo 4 de Ataque, basado en Río Grande. Derribado el 25 de mayo de 1982 después de haber atacado a la Fuerza de Tareas británica en el Estrecho San Carlos, fue tratado por cirujanos británicos. Continúa en servicio activo como piloto en la Fuerza Aérea.

El ataque del 25 de mayo tenía un significado especial, porque es la fecha patria de la Argentina. No nos habían dado ninguna orden especial, pero todos sabíamos que era importante para la moral producir algo extraordinario. Desde mi cabina alcancé a ver, cuando llegué sobre la bahía, que había allí siete buques. Entramos volando desde el sur. Nuestra escuadrilla estaba formada por cuatro aviones, y teníamos que elegir individualmente nuestros blancos. En el medio de la bahía vi un buque que reconocí como el HMS *Fearless*. Comenzó a desplazarse a babor y yo estaba a punto de soltar las bombas cuando sentí una gran explosión y mi avión dio un salto hacia adelante. No sé exactamente qué fue lo que hizo impacto en mi avión, pero vi explosiones alrededor y entre nuestros cuatro aviones. Intenté comunicar a mi jefe de escuadrón que había sufrido un impacto, pero la radio no funcionaba y los comandos del avión ya no producían efecto alguno. El humo estaba llenando la cabina, entonces decidí eyectarme.

Sentí que había entrado en tirabuzón invertido, pero en ningún momento perdí el sentido. Pensé que iba a morir. Pensé en mis amigos y en mi familia, pero me sentí en paz porque sabía que había cumplido con mi deber. Entonces algo estalló debajo de mi cuerpo y de pronto me encontré flotando en el aire debajo de un paracaídas abierto. Caí en el agua e intenté realizar todos los procedimientos de emergencia, pero no podía liberarme del paracaídas.

Cuando salí a la superficie sentía un gran dolor en las piernas. Vi alrededor unos cuantos botes llenos de soldados que me apuntaban con sus fusiles, de manera que levanté las manos y ellos trataron de alzarme a uno de los botes, lo que resultaba difícil porque yo tenía puesto el traje de supervivencia. No podía ayudarlos mucho, mis manos estaban medio heladas. Entonces se acercó una lancha de desembarco y trató de levantarme en su rampa. Eso tampoco dio resultado y quedé debajo de la rampa. Finalmente, aspiré todo el aire que pude y pasé por debajo de la rampa al otro lado de la lancha, y ellos lograron levantarme a bordo.

Me quitaron el traje de supervivencia y me apuntaron con los fusiles, pero yo me sentía tremendamente aliviado porque estaba a salvo. Todavía tenía un fuerte dolor en las piernas y cuando miré hacia abajo noté que mi pierna izquierda estaba doblada en un ángulo extraño, entonces supe que me la había dislocado. Me llevaron a bordo de una fragata y allí me dieron primeros auxilios y morfina, y me pintaron una "M" en la cara para que los médicos que me trataran supieran que ya me habían inyectado morfina. La morfina me ayudó con el dolor, y luego un médico me dijo que me había roto los ligamentos de la pierna izquierda y sufrido una distensión en los ligamentos de la derecha. Me colocó la pierna en su lugar y luego la envolvió de manera que yo no pudiera moverla.

Después me interrogaron, pero sin presionarme para que contestara. Me llevaron a la cubierta, y yo pensé: Bueno, llegó el momento, ahora me van a arrojar por la borda. Supongo que cuando uno es prisionero, al principio tiene tendencia a mostrarse algo paranoico y los estados de ánimo pueden cambiar repentinamente. En un momento dado me sentí aliviado porque estaba a salvo y había caído en el mejor lugar, y al siguiente pensé que todo lo que ocurría era para lo peor. Después oí un helicóptero, me subieron a él y me llevaron al hospital de Bahía Ajax.

Cuando llegué, el capitán de corbeta médico Jolly me dijo: "Aquí usted sólo es uno más entre nuestros heridos". Y así fue como me sentí de allí en adelante. En realidad, nunca me sentí como un prisionero, porque me trataron muy bien y me dieron toda la ayuda posible. En la operación, él me fijó la pierna lo mejor que pudo, pero me dijo que en el futuro yo no podría doblarla perfectamente. Al principio me habían dicho que la guerra se había terminado para mí, que tenía una herida muy grave y que no creían que pudiera volver a volar. Pero cuando volví a la Argentina me hicieron varias operaciones y, después de un largo período de rehabilitación, de aproximadamente diez meses, pude volver a volar en los A4. Unos dos años más tarde recibí una carta del doctor Jolly, en la que me preguntaba cómo me estaba recuperando de la herida. No le he contestado, pero estoy totalmente recuperado.

GUILLERMO OWEN CRIPPA

El teniente de navío Guillermo Owen Crippa era piloto de un avión de ataque a superficie Aermacchi, del Primer Escuadrón de Ataque de la Aviación Naval Argentina, una pequeña unidad basada en Puerto Argentino. Fue el primer piloto que tomó contacto con la Fuerza de Tareas británica cuando desembarcó el 21 de mayo de 1982, y dio el primer informe completo sobre la invasión del enemigo.

Cuando fueron tomadas las Malvinas yo pensé que la guerra era inevitable. No podía imaginar que el gobierno británico se mantuviera impasible después de nuestra ocupación. De manera que teníamos que prepararnos para la guerra. Es verdad que Gran Bretaña era un enemigo inesperado para nosotros, pero eso no me preocupaba. Conocía la capacidad del Harrier para el combate aéreo y obviamente me daba cuenta de que era un buen avión, pero nosotros estábamos bien preparados para el combate. Habíamos estudiado la estrategia aérea británica: nada que pudieran hacer nos sorprendería. Nuestro problema consistía en que no teníamos posibilidad de mantener patrullas aéreas de combate sobre las islas para darnos protección. Como es obvio, esto fue un factor de gran importancia en la guerra.

Estaba tan entusiasmado por tomar parte en este conflicto que me presenté voluntariamente, aunque al principio no había sido elegido. Yo era piloto profesional de nuestra aviación naval y pensaba que si mi país había invertido tanto dinero en formarme, ahora era mi deber presentarme para actuar. Además, había una razón sentimental. Las Malvinas habían estado ocupadas por los británicos y, como argentino, eso me molestaba, porque consideraba que las islas eran territorio nuestro.

El primero y único prisionero de guerra que vi fue Jeff Glover, a quien llevaron a Puerto Argentino después de haberlo derribado. Yo no hablo inglés con fluidez, pero logramos comunicarnos. Él no comprendía las razones que justificaban la guerra y no creía que nuestra posición fuera la opuesta. Le dije que en mi caso las razones eran que yo estaba defendiendo mi propio territorio, porque desde que era niño me habían enseñado que las Malvinas son argentinas. Le dije que admiraba su valentía por luchar por algo que no comprendía, pero en mi caso era diferente.

Ésta es, por supuesto, la diferencia entre los argentinos y los británicos. Un piloto británico o un hombre de infantería pelearon en las Malvinas porque estaban cumpliendo órdenes, y habían sido preparados para esa clase de operaciones. Yo estaba peleando por otras razones.

Cuando un colega salía en una misión lo despedíamos diciéndole adiós y pensando que quizás era la última vez que lo veíamos, pero creo que no necesariamente el piloto estaría pensando así. A veces, hasta era gracioso ver las caras alrededor cuando salía para cumplir alguna misión. Me miraban como si me estuvieran dando un adiós final. Eso me molestaba, y sentía ganas de decirles: "Paren la mano... voy a volver dentro de un rato".

Cuando algún piloto compañero no regresaba, pensábamos al principio que podía haber sobrevivido, y que era parte del riesgo que aceptábamos. Normalmente, calculábamos sus posibilidades de supervivencia según la misión que le hubiesen ordenado, y sacábamos así nuestras conclusiones.

El único incidente que realmente me sorprendió y me conmocionó en la guerra fue el hundimiento del *Belgrano*. Inicialmente pensé, por la zona donde el buque se había hundido y las condiciones meteorológicas, que ninguno de ellos sobreviviría, y tuve una gran alegría cuando pude volver a encontrarme con algunos amigos entre los sobrevivientes.

En esas circunstancias uno se ve forzado a llegar a un acuerdo con la muerte de sus amigos. Ninguna muerte es más penosa que otra. Alguien está allí un día, y falta al día siguiente. Algunas lo impresionan a uno no porque las circunstancias sean más o menos trágicas, sino porque conocía bien a esa persona y ahora la echa de menos. Y también piensa: "¡Cristo, hace unos pocos minutos estaba charlando con él!" Pero aprende a aceptarlo.

El 21 de mayo se recibieron informes de que había buques británicos en los estrechos de San Carlos. Entramos en alerta esa mañana muy temprano, y salimos a reconocer la zona. Yo resolví salir con otro avión y comuniqué al resto que prepararan sus propios aviones. Se hizo la reunión explicativa y nos preparamos para despegar, pero el otro avión tuvo fallas técnicas y yo debí salir solo. No era muy seguro, pero necesitábamos controlar con toda urgencia lo que estaba ocurriendo. Seguí un rumbo hacia San Carlos, y alcancé a ver dos Harrier que derribaban a uno de nuestros helicópteros. Lo vi caer pesadamente a tierra y estallar y sus tripulantes salieron corriendo. Cuando llegué a San Carlos, toda la zona estaba cubierta de bruma, de modo que no podía ver casi nada. Entonces salí hacia el mar, pensando que los buques británicos estarían probablemente allí. Pero no vi ninguno, lo que me sorprendió. Cuando puse rumbo nuevamente hacia tierra vi el primero, después dos más. Y cuando llegué sobre San Carlos propiamente dicho, me encontré frente a frente con un helicóptero Sea Lynx. Estaba a punto de atacarlo cuando vi los buques a la distancia.

Decidí olvidar el helicóptero y dirigirme hacia los otros blancos. Incliné mi avión y me alejé cuando estaba a unos pocos metros del helicóptero, y en ese momento el piloto debe de haberme visto porque picó de inmediato. No pude menos que reír y pensar: Hoy es tu día de suerte. Obviamente, no hubiera podido errarle desde tan corta distancia.

Volé directamente hacia el primer buque, que se hallaba detenido, anclado, y se veían tropas que desembarcaban. No sé cuál de nosotros estuvo más sorprendido. Yo entré para atacar y ellos abrieron fuego contra mí. Quedé desconcertado por la cantidad de buques que había en la zona, y pensé: Si vuelvo y les digo que hay tantas naves nunca me creerán. Hice un viraje y regresé pegándome al suelo. Antes de llegar a Puerto Argentino dibujé un pequeño mapa en el anotador que llevaba en mi rodilla.

Era raro, porque el día estaba espléndido, con una calma total, y las islas se veían encantadoras. Era increíble pensar que se estaba desarrollando una guerra. Todo era tan bucólico que cualquier idea de agresión y violencia parecía fuera de toda posibilidad. Volaban las gaviotas, el mar estaba muy calmo, había una ligera brisa y un sol maravilloso. De ninguna manera la clase de tiempo que hay normalmente en las Malvinas. Al principio fue una conmoción y luego resultó emocionante encontrar todos esos buques. Puede parecer extraño, pero yo había salido muchas veces cumpliendo misiones, sin encontrar nada. De manera que esta vez pensé: Aquí están... puedo hacer algo. Quedé sorprendido al ver todos esos buques en tan pequeño espacio. Eso dificultaba el ataque de los aviones, pero también significaba restricciones para ellos.

Cuando uno vuela muy bajo se corren riesgos, pero estábamos muy bien entrenados y lo hacíamos por nuestra propia protección. Las cosas no ocurren como se ven en el cine, porque en las películas cada disparo es un impacto; es necesario hacer todo lo más dramático posible. En el combate real todos cometen muchos errores. Se erran disparos. Cuentan los porcentajes.

ALBERTO PHILIPPI

El capitán de corbeta Alberto Philippi, de la Aviación Naval Argentina, voló en misiones de A4 Skyhawk contra la Fuerza de Tareas británica, desde la base aérea de Río Grande. Fue uno de los pilotos que realizaron el ataque de bombardeo a bajo nivel que hundió a la fragata HMS *Ardent*. Trabaja actualmente con el Ejército Argentino en un proyecto para desarrollar la capacidad de apoyo aéreo a superficie.

Cuando supe que se habían ocupado las Malvinas el 2 de abril me sentí sumamente feliz, pero no creí que eso llevaría a un enfrentamiento armado con Gran Bretaña. Pensé que habría tensiones y luego se hallaría una solución diplomática. Hasta el mismo día que cumplí mi primera misión pensaba que la diplomacia iba a impedir la guerra. Desgraciadamente eso no ocurrió. No importaba que estuviésemos volando contra buques británicos, porque cuando uno se mete en la cabina de su avión se olvida de todo lo demás y se concentra en la misión que le han ordenado.

La misión era: "Atacar buques frente a las Malvinas". Después, tenía que llevar a mis hombres de vuelta a casa. Nosotros, los pilotos navales, nos entrenamos constantemente para atacar buques. La diferencia esta vez era que nuestras bombas eran reales. Lo que ocurre cuando uno entra en combate es que aumenta la velocidad de las pulsaciones, la adrenalina fluye mucho más rápido y lo mantiene a uno en un estado de tensión que no tenía en las maniobras de práctica. El cerebro trabaja dos o tres veces más rápido que lo normal. La primera misión de combate real es difícil, pero cuando uno vuela la segunda ya sabe más o menos lo que va a encontrar. Sin embargo, aquella primera vez uno no deja de preguntarse: ¿Cómo será el enemigo? Eso es lo que me ocurría el 21 de mayo.

Despegamos en dos secciones, un total de seis aviones, y pusimos rumbo a las islas, a ocho mil metros. Tan pronto como nos acercamos al radio de acción del radar enemigo nos zambullimos hasta nivel del mar y volamos hacia la entrada sudoeste de la Bahía San Carlos. Manteníamos una altura sumamente baja, y el mal tiempo comenzaba a abrirse. Esta situación se hizo crítica cuando llegamos a cabo Belgrano, porque teníamos que virar hacia la entrada del estrecho, donde la visibilidad se redujo tanto que mi numeral debió acercarse mucho a mi avión. Esto es algo que no se debe hacer nunca, porque facilita la detección del radar enemigo y en consecuencia uno presenta un mejor blanco. La visibilidad estaba reducida a mil quinientos metros, lo que también es peligroso porque una fragata en misión de piquete podría detectarnos a unos veinticinco kilómetros, lanzarnos sus misiles a una distancia de diez kilómetros aproximadamente, y nosotros aún no podríamos verla para atacarla.

De modo que ese día todo estaba contra nosotros, pero decidimos actuar. Cuando entramos desde el sur no había allí ningún buque para atacar, de manera que continuamos hacia el blanco alternativo designado, es decir, los buques que se hallaban en el propio puerto de San Carlos. Viramos y entramos a máxima velocidad y mínima altura y en ese momento vimos una fragata e inmediatamente desplegamos en formación de ataque. Normalmente no habríamos volado tan bajo porque es sumamente peligroso; se siente una especie de vértigo cuando uno está volando a quince metros. Yo había fijado mi altímetro a diez metros, y la alarma comenzó a sonar varias veces. Cuando uno está haciendo todo esto a ochocientos kilómetros por hora, siente que está en el límite.

Así era como iniciábamos el ataque a la fragata. La nave empezó a moverse a alta velocidad; entonces supimos que nos habían detectado. Eso significaba que ya no era posible un ataque directo, de modo que viramos describiendo un círculo a la derecha pegándonos al terreno lo máximo posible, para atacar el buque desde atrás. Atacamos diagonalmente, desde estribor.

Cada uno de nosotros llevaba cuatro bombas, y cuando iniciamos la corrida de entrada disparamos a la fragata con todo lo que teníamos, para reducir su fuego antiaéreo. Habíamos estudiado todas las siluetas de los buques británicos, de modo que nos resultaban familiares. Yo sabía exactamente qué clase de buque era ése; la diferencia consistía en que ése era en particular el que yo tenía que hundir. La fragata estaba reaccionando muy bien. Había aumentado la velocidad, lo que era perceptible por la estela. Estaba tratando de alcanzar aguas abiertas. Cuando llegué sobre ella viré bruscamente a la derecha en cuanto lancé mis bombas y comencé las maniobras evasivas. No hay duda de que el comandante que estaba allí abajo conocía bien su trabajo.

Mientras yo escapaba oí que mi numeral decía por la radio: "muy bueno, señor", lo que significaba que por lo menos una de mis bombas había estallado, entonces, podía olvidar todo lo demás y concentrarme en las maniobras evasivas. Pensé que podría tener un misil en la cola de mi avión. La fragata nos tiraba también con todo, y alcancé a ver pequeñas bolas de fuego que pasaban velozmente junto a mi cabina. Lo estaban haciendo difícil para nosotros. Oí que otro numeral decía: "Hicimos otro impacto", lo que significaba que habíamos dado en el buque con dos bombas por lo menos. Era un buen porcentaje. Di instrucciones al escuadrón para volver a casa por la misma ruta, porque no parecía que hubiese algún enemigo por ese camino. Sería también más fácil escapar a la máxima velocidad y en formación abierta.

Después de uno o dos minutos estaba empezando a relajarme, pensando que estábamos fuera de peligro, cuando oí que mi numeral tres gritaba: "Harriers, Harriers". Ordené a todos mis pilotos que arrojaran los tanques de combustible para el caso de que tuviéramos que combatir individualmente (pelea de perros). Iniciamos maniobras evasivas, para ver si podíamos ponernos cara a cara con ellos. Incliné mi avión a la derecha y, cuando viré de nuevo a la izquierda, sentí el impacto en la cola de mi avión. Lo sacudió una fuerte explosión y yo traté de empujar la palanca hacia adelante con ambas manos, pero parecía soldada al piso. Obviamente, los timones no funcionaban. El avión estaba fuera de control. Miré hacia la derecha y vi que se acercaba otro Harrier, a unos ciento cincuenta metros, dispuesto a terminar conmigo. Informé a mis hombres que había sufrido un impacto pero que no estaba herido, y que me iba a eyectar. Tiré de la palanca de eyección y, después de eso, perdí el conocimiento.

Cuando volví en mí estaba colgando del paracaídas, cayendo sobre San Carlos. Me había eyectado a demasiada velocidad, y el impacto me había desmayado. Seguí los procedimientos de emergencia. Lo primero era controlar el chaleco salvavidas para ver si estaba completamente inflado; luego inflar la balsa. Algo andaba mal, la balsa se mantenía desinflada. Tuve que nadar hasta la costa, que estaba a unos doscientos metros de distancia. Cuando llegué, me sentía completamente exhausto. No pude ponerme de pie. Tuve que arrastrarme hasta la playa y quedarme quieto sobre la arena hasta recuperar el aliento. Los Harriers pasaron sobre mí un par de veces, supongo que buscaban mi escuadrón. Después, silencio total.

Pasé los siguientes cuatro días y tres noches caminando hacia el sur, porque el enemigo se hallaba en el norte y yo quería evitar que me tomaran prisionero. Quería llegar a las líneas argentinas. En el cuarto día, me encontraba descansando cuando oí ruidos de motores. Levanté la vista y vi un jeep y dos tractores en la costa. Supuse que eran fuerzas argentinas; les hice señas con mi espejo de emergencia y ellos se acercaron en seguida. Un hombre me sonrió y se presentó como Tony Blake, el gerente de la estancia local. Le dije que era un piloto argentino que trataba de llegar a sus líneas. Desde ese momento, el hombre se comportó noblemente y me dio toda la comida que tenía, algo maravilloso porque yo no había comido nada caliente en los últimos cuatro días. Me llevó a su casa, luego me permitió tomar un baño caliente y llamar a las fuerzas argentinas para decirles dónde me encontraba.*

Jamás olvidaré cómo se portó Tony Blake. Quería regalarle mi cuchillo de supervivencia, pero la guerra continuaba y yo no sabía si iba a volver a necesitarlo. Le dije que le regalaría el cuchillo cuando volviésemos a vernos.

Somos profesionales entrenados pero no queremos realmente ir a la guerra porque conocemos sus trágicas consecuencias. Desgraciadamente esta vez tuvimos que ir, y tratamos de cumplir con nuestro deber en la mejor forma que pudimos. Nos han descripto como "kamikazes suicidas" por lo que hicimos, pero nada podría estar más lejos de la verdad. Estamos motivados, tenemos un orgullo patriótico, pero amamos a nuestras familias, amamos a nuestros prójimos y, por sobre todo, queremos vivir. Las misiones que nos ordenaban eran peligrosas, pero teníamos que cumplirlas. Si algunas personas pensaron que estábamos actuando como suicidas, no es esa la impresión que teníamos de nosotros mismos. No nos habían ordenado que nos matáramos en el combate contra nuestros enemigos. La misión consistía en neutralizar los buques enemigos. Cuando lancé mis bombas, no quería matar a la dotación de la *Ardent*, sólo trataba de detener el buque. Hubiera preferido que toda la dotación escapara ilesa. Eso es lo que sentí durante la guerra y eso es lo que sintieron todos mis colegas. Quiero decir al capitán West (el comandante de la fragata HMS *Ardent*) que siento profundamente el daño que causé a su buque. Sobre todo, estoy realmente... realmente triste por los hombres que per-

---

*Este llamado fue interceptado por la Inteligencia británica de Comunicaciones. Se hizo un intento para lograr que un grupo del SAS capturara a Philippi, pero fue cancelado a último momento.

dieron la vida en ese ataque. Yo estaba cumpliendo con mi deber, así como él estaba cumpliendo con el suyo, y sólo espero que algún día nuestros dos países resuelvan este conflicto. Entonces podremos beber juntos un whisky, y hacerlo a la memoria de mi muy querido amigo ya fallecido, el capitán Márquez, y a todos los marinos de la *Ardent* que murieron en el ataque.

JOSÉ CÉSAR ARCA

El teniente de navío (ahora capitán de fragata) José César Arca volaba en los A4 Skyhawks del Tercer Escuadrón de Ataque, con base en Río Grande, y participó en el ataque a la fragata HMS *Ardent* en el Estrecho San Carlos. Su avión resultó muy dañado en un ataque aéreo individual con un Harrier británico. Se eyectó cerca de Puerto Argentino y fue rescatado, herido, por su propio bando, y llevado de regreso a la Argentina.

Después de lanzar mis bombas sobre la HMS *Ardent* estábamos siguiendo nuestra ruta de escape para volver al continente cuando fuimos interceptados por dos Sea Harriers británicos. Vi a uno de ellos a mi izquierda cuando disparaba un Sidewinder (misil aire-aire) al capitán Philippi, que estalló exactamente en la cola de su avión. Yo estaba haciendo maniobras evasivas, pero mis cañones se trabaron. No podía iniciar un combate aéreo. Uno de los Harriers (piloteado por el teniente Clive Morrell) estaba en mi cola, de modo que volé muy bajo sobre el agua para tratar de perderlo. Sentí unos diez impactos en mi avión, y la mayor parte de los sistemas quedó fuera de servicio. Tuve que volar manualmente tratando de sacármelo de encima. Morrell debe de haberse quedado sin municiones, porque dejó de hacer fuego contra mí. Yo sabía que no iba a poder llegar al continente, entonces traté de aterrizar en Puerto Argentino. Morrell había hecho impacto en uno de mis tanques de combustible y la pérdida era considerable. Sólo tenía mi tanque de reserva —unas dos mil libras— con lo que no podía llegar de vuelta a la base.

Me acerqué a Puerto Argentino a muy baja altura, pero no podía alertar a la torre de control porque eso habría atraído a un nuevo ataque británico en caso de que hubieran interceptado mi mensaje radial. Traté de bajar el tren de aterrizaje cuando pasé cerca de la torre, pero sólo salieron dos ruedas. Decidí volar sobre la torre para que ellos me dijeran si estaba o no en condiciones de aterrizar. Casualmente, el oficial a cargo de la torre de control era un amigo mío; le informé que iba a reducir la velocidad para hacer la aproximación final y aterrizar.

Me dijo: "¿Te das cuenta de las condiciones en que está tu avión? Está lleno de agujeros, tanto que puedo ver el cielo a través de ellos. No tienes ninguna de las ruedas en posición correcta... tendrás que eyectarte."

Lo hice a setecientos cincuenta metros y a una velocidad de trescientos treinta kilómetros por hora. Sólo pude tirar de la palanca de eyección con una mano, porque tenía rota la mano derecha, aunque no me había dado cuenta. Eyectarse es una extraña sensación porque se trata de algo que uno no puede controlar. Uno se siente lanzado fuera del avión y empieza a dar tumbos en el cielo hasta que se encuentra deslizándose hacia abajo, colgado de un paracaídas. Había dejado los comandos de mi avión en posición tal que continuaría volando en línea recta, pero se había inclinado ligeramente a la izquierda y comenzó a describir círculos. Por un momento vino directamente hacia mí, que seguía cayendo lentamente al mar. Cuando vi que el avión me apuntaba, pensé: Esto es increíble, acabo de quedar fuera de combate, he bombardeado una fragata, he estado en un combate aéreo individual, ¡y ahora mi propio avión va a chocarme y matarme!

Era aterrador —para decir lo menos— ver a ese impresionante artefacto metálico fuera de control y viniendo directamente hacia uno. Gracias a Dios, las baterías antiaéreas que había alrededor de Puerto Argentino lograron derribarlo. Caí al agua. No había en la zona helicópteros especiales para rescate, y un helicóptero de ataque, del ejército (sin el sistema de torno y cable) se acercó para rescatarme. Después de treinta minutos en el agua, con el helicóptero muy cerca pero sin poder levantarme, decidí quitarme el traje de supervivencia. Finalmente pude colgarme de uno de los patines de aterrizaje del helicóptero. Me sostuve con brazos y piernas mientras el mecánico me agarraba la cabeza. Así volamos unos quinientos metros para regresar a la costa. El helicóptero no podía aterrizar estando yo abajo, de modo que tuvo que dejarme caer sobre las piedras de la playa.

SOLDADOS

MANUEL BATISTA

El sargento Manuel Batista es un suboficial de carrera, e instructor de infantería de marina en la Base Naval de Puerto Belgrano, cerca de Bahía Blanca, a quinientos kilómetros de Buenos Aires. Formó parte del contingente de comandos que desembarcaron en Puerto Stanley el 2 de abril de 1982, y participó también de las etapas finales de la batalla contra los infantes de marina británicos en la Casa de Gobierno.

Nos comunicaron cuál era nuestro objetivo cuando nos hallábamos en el buque navegando hacia las islas, y nos dijeron cuáles serían nuestras tareas individuales. Yo tendría que estar en la primera lancha en el desembarco inicial. Esta fuerza de comandos argentinos iba delante de la fuerza principal para atacar y capturar la Casa de Gobierno. Nuestra misión era recuperar las Malvinas, y la operación debía realizarse causando el mínimo posible de bajas a los infantes de marina británicos. Teníamos dudas iniciales sobre esto, porque los comandos no están entrenados para este tipo de operación. Es más o menos como hacer cirugía sin cortar la carne. Pero teníamos mucha confianza y entusiasmo cuando planeamos la operación a bordo del buque. Como argentino y como soldado profesional yo estaba emocionado, porque ser uno de los protagonistas de la recuperación de las Malvinas, que durante tanto tiempo habían estado en manos de los británicos, era un gran motivo de orgullo. Era el clímax, el punto más alto de mi carrera. Me asignaron un importante papel en la operación. Me sentía muy confiado porque conocía a los otros soldados y oficiales y sabía que eran muy buenos. Somos un cuerpo pequeño.

Cuando avistamos las islas yo fui uno de los primeros sobre la cubierta. Vi luces de faros que se movían de un lado a otro como si nos hubieran estado esperando; parecían muy próximos a la playa a la que nos dirigíamos. Cuando nos acercamos vi la señal que se suponía debía guiarnos para entrar. Una pequeña unidad de comandos se había adelantado a la fuerza principal para señalarnos dónde desembarcar. Yo tuve que tomar una decisión, y resolví hacerlo en un lugar hacia la derecha. Al acercanos más, nuestro timón se enganchó en las plantas acuáticas, pero logramos alcanzar la playa con nuestros remos y el motor. Nos reagrupamos e iniciamos la marcha hacia nuestro objetivo. Al hacerlo, vi un nido de ametralladora sobre la playa que hubiéramos debido desembarcar. Deliberadamente no lo atacamos, porque nos habían ordenado no causar bajas; de modo que pasamos sin que nos vieran. Yo avanzaba a unos cien metros al frente de la unidad. Cuando nos acercábamos a la Casa de Gobierno, registré unas pocas casas y tomé prisioneros a varios miembros de la Fuerza de Defensa Civil. Continuamos, y tomé por sorpresa a dos infantes de marina. Otro infante de marina estaba tratando de llegar a la cerca frente a la Casa de Gobierno. Lo cubrí con mi arma y lo entregué a mi unidad.

Los infantes de marina británicos rodeaban el edificio por fuera. Les grité que levantaran las manos. Después de ciertas vacilaciones alguien habló en inglés y avanzaron hacia mí. Otros infantes de marina, también británicos, bajaron igualmente sus armas y se rindieron. Yo sabía que alguien estaba tomando fotografías pero no creí que fuera importante. Cuando entré en el patio de la Casa de Gobierno encontré al capitán Giachino y dos de nuestros otros comandos, que habían resultado heridos en el tiroteo con los soldados británicos. Cuando me enteré más tarde de que Giachino había muerto lo sentí terriblemente, porque era un valioso oficial. Fue una tremenda pérdida.

Al ver la bandera argentina flameando en Puerto Argentino por primera vez después de ciento cincuenta años sentí una gran emoción y felicidad, porque yo había prestado un servicio a la Patria. El hecho de que hubiéramos completado la misión me llenó de orgullo. Yo veo una diferencia fundamental entre nosotros y los infantes de marina británicos que estaban allá. Causadas por distintos tipos de motivaciones. Nosotros sentíamos que estábamos defendiendo nuestro territorio, mientras que los británicos, como soldados profesionales estaban defendiendo lo que les habían ordenado defender. Ellos son muy profesionales, pero también son fríos; les faltaba nuestra motivación.

Volví al continente el 3 de abril, y sentí pena ante el hecho de que no me enviaran de nuevo. Envidié a los hombres que fueron y me habría gustado quedarme allá para participar en la defensa de las islas cuando los británicos atacaron.

BARRY NORMAN

El sargento mayor Barry Norman es un paracaidista de carrera. En la guerra de las Malvinas actuó en el Segundo Batallón del Regimiento de Paracaidistas (2 Para). Era el guardaespaldas del comandante de la unidad, el teniente coronel "H" Jones, y se hallaba junto a él cuando resultó muerto por un disparo en el combate de Pradera del Ganso, el 28 de mayo de 1982.

En realidad, partí hacia las Falklands tres veces. Después del primer mensaje que llegó, volví a Aldershot, junté todo mi equipo, dije adiós a mi esposa e hijos y en seguida nos ordenaron volver a casa. No partiríamos ese día. Volví a trabajar al día siguiente y me dijeron: "Usted parte hacia Hull en una hora más o menos". Inmediatamente fui a casa, reuní otra vez el equipo, subí a un ómnibus y partimos hacia Hull donde cargamos el *Norland** con munición, raciones y todo lo que se necesita para la guerra. Cuando terminamos, nos sentamos a esperar que llegara el resto del batallón.

Entonces nos dijeron: "Ellos no vienen a Hull, nosotros vamos a Portsmouth a buscarlos y se embarcarán allá". Zarpamos hacia Portsmouth y nos comunicaron: "Pueden ir a casa esta noche si lo desean".

Fui a mi casa, llamé a la puerta y mi esposa me dijo: "¿Qué estás haciendo en casa? Creí que ya te habías ido". Le contesté: "No, me han dado un par de noches libres".

Fui a trabajar al día siguiente, después de inquietar nuevamente a los chicos al decirles adiós, y subí al ómnibus hacia Portsmouth. Mi esposa creía que volvería a casa esa noche. La llamé por teléfono des-

---

*Ferry para automóviles, en el Mar del Norte.

de Portsmouth y le dije que no iría a casa.

Cuando llegó el batallón y subió recibimos la orden de zarpar. En el muelle estaba nuestra banda, que tocó la marcha del regimiento y *Rule Britannia*. Pensé que la banda debería haber estado a bordo, tocando lo mismo y partiendo con nosotros. Yo no tenía a nadie a quien saludar en el muelle, pero de todas maneras me quedé mirando. Se me hizo un nudo en la garganta: es el efecto que siempre me causa la música militar. No pensábamos que íbamos a la guerra, y ni siquiera muy lejos, aunque esa era la intención y la preparación se había hecho. Muchos de nosotros pensábamos que los argentinos se iban a retirar antes de que llegáramos, y que la amenaza de guerra iba a ser suficiente. Por lo tanto, pensamos, estábamos saliendo a un pequeño crucero.

Yo soy instructor de blindados. En el viaje hacia allá, tenía que enseñar a todo el batallón, en diferentes intervalos durante todo el día, blindaje y reconocimiento de aviones. Yo mismo tenía que hacer mi propio entrenamiento —médico, físico y de armas—, de manera que no tenía tiempo durante el día para pensar en muchas otras cosas que no fueran el trabajo. A la noche, teníamos los normales servicios de comedor... una mesa de sargentos será siempre un lío de sargentos.[1]

Hasta que se produjo el ataque al *Sheffield*, nadie tenía la impresión de que estábamos realmente yendo a la guerra. Era todavía la atmósfera existente en los ejercicios. La noticia sobre el *Sheffield* fue una verdadera conmoción. Entonces comprendimos cabalmente que eso era una situación de guerra. Se habían perdido vidas, lo que nos hizo captar en toda su tragedia lo que eso significaba. Todo el mundo supo que realmente íbamos a desembarcar.

(*El* Norland *llegó a la Bahía San Carlos en la noche del 20 de mayo.*)

Pasamos de la bodega del buque a la lancha de desembarco. Nuestras mochilas y el equipo que contenían pesaban de cuarenta y cinco a cincuenta kilos, con carga completa de munición y dos granadas de mortero. Cruzar desde el buque a la lancha de desembarco fue muy difícil. Uno de los tipos cayó entre los dos y se hirió seriamente. Por desgracia, eso fue lo único que vio de la guerra. Apretados en la lancha de desembarco pusimos proa a la playa. Estaba frío y oscuro, y nos dijeron: "Van a ver un destello en la playa; lo harán los hombres del SAS o del SBS, para indicar que la costa está libre". Nos acercábamos a la playa y no se veía ningún destello. Nuestro guía estaba a la vuelta

---

[1] Juego de palabras en inglés con el término *mess*, que tiene dos significados: a) comedor militar, casino, mesa y b) lío, confusión, revoltijo. (*N. del T.*)

de la esquina muy ocupado haciendo destellos con su luz, pero nosotros no pudimos verla. Todos esperaban ver la luz. La adrenalina había aumentado en todos nosotros. Había unas cien personas a bordo de la lancha, y en algún momento fue como si quinientas o seiscientas hormigas se movieran entremezclándose. Los comandantes gritaban y chillaban a sus subalternos.

Estaba todavía oscuro cuando llegamos a la playa; en realidad nos equivocamos. El infante de marina timonel a cargo de la lancha de desembarco decidió que ya estaba suficientemente cerca, entonces bajamos a lo que creíamos era la playa. Nos hundimos hasta la cintura en el agua que, tratándose del Atlántico Sur, estaba terriblemente fría. No me hizo ninguna gracia. Todavía en esa etapa mucha gente pensó que era igual que un ejercicio: "Estamos mojados; y nos mojamos cuando estamos en un ejercicio".

Era hasta cierto punto absurdo. Pensábamos que íbamos a la guerra, pero no había oposición. Teníamos quinientos o seiscientos paracaidistas que chillaban al bajar de las lanchas de desembarco y entrar en la playa, y que nunca antes habían hecho nada parecido. Estábamos muy acostumbrados a ir a la guerra o a los ejercicios con paracaídas. Por unos momentos reinó el caos; las compañías tenían que reagruparse y partir a cumplir sus respectivas tareas individuales. Si hubiésemos tenido alguna oposición en el desembarco, creo que nos habríamos visto en aprietos en las fases iniciales.

Nos reagrupamos, levantamos nuestros equipos y sentimos que se nos doblaban las rodillas. El batallón empezó a subir serpenteando por el Monte Sussex, un ascenso largo y difícil, para el cual nos habíamos preparado, pero que encontramos bastante resbaloso. En un par de ocasiones caí bajo el peso agobiante de la carga. Quedé como una tortuga muerta, con el equipo en el suelo y mis dos pies en el aire. Tuve que hacer que dos tipos me dieran vuelta y me ayudaran a ponerme de pie, hasta que pude reanudar la subida a la montaña.

Vi ese pequeño punto luminoso de un avión que venía hacia nosotros. De repente, esa cosa —que después supe que era un misil— surgió de la tierra y lo hizo caer del cielo. Y pensé: "Eso sí que es realismo. Buen ejercicio, éste". El piloto descendió en paracaídas. Ésa fue nuestra primera experiencia de guerra. Hasta entonces sólo habíamos oído hablar de ella: el bombardeo naval, los infantes de marina que habían eliminado un puesto de observación argentino; parecían buenos efectos especiales.

El oficial comandante del batallón tenía su propio "puesto comando táctico" para que lo ayudara a dirigir la batalla. Estaba formado por personal clave: el comandante de la batería que controlaba los cañones, el comandante de morteros, comunicadores, y su grupo de protección. En el viaje de ida me eligió para estar a cargo de su grupo de protección durante la campaña.

Una vez que llegamos a la playa, dondequiera que fuese el comandante, mi pequeña banda de indios debía acompañarlo.

Poco antes de marchar sobre Pradera del Ganso, abandonamos una casa donde habíamos estado escondidos durante las horas de luz. Una vez más, eso no parecía la guerra. El batallón avanzó serpenteando por el terreno cubierto de manojos de pasto, muy parecido a Dartmoor: ondulado, muy resbaloso, oscuro, brumoso y mojado por momentos. Habíamos pasado un día horrible, helados, porque partimos con equipo personal reducido: el máximo de munición y muy poca ropa de abrigo. Nos acercamos a la línea de partida, que había sido marcada por las patrullas, tal como se practica en los ejercicios. Formamos dos compañías al frente, una compañía a retaguardia, con el comando táctico entre las dos compañías frontales. A la hora "H" debía haber comenzado el bombardeo naval, pero no fue así porque el cañón se trabó. Dependíamos de nuestra propia artillería para poner en movimiento la pelota. Estaba completamente oscuro y la única iluminación surgía de nuestros propios hombres y los morteros. Pero la sensación de guerra verdadera aún no estaba allí. Aunque se producía un intercambio de disparos, la oposición era mínima, con posiciones defensivas básicas en trincheras. Eso causó en nuestros hombres una falsa sensación de seguridad, porque se levantaban y corrían. En los momentos iniciales no hubo muchas bajas. Sufrimos varias motivadas por francotiradores argentinos. Y entonces nos entró por la fuerza la verdadera sensación "Esto es la guerra y no un ejercicio", cuando vimos a nuestros propios tipos caídos muertos o heridos.

Ya empezaba a aclarar y, en la primera fase de la batalla, "H" Jones llevó el comando táctico hasta la posición de la compañía "A", para hablar con el comandante. La compañía "A" había adelantado un pelotón hacia Darwin, uno de los asentamientos más pequeños. Dos pelotones avanzaron hasta terrenos más altos, pero cuando los alcanzaron, el infierno entero pareció desatarse. Era una posición perfecta para la matanza: las trincheras de las posiciones argentinas estaban en tierras más altas, mirando hacia abajo en dirección a una pequeña hondonada que tenía agua a la izquierda. Sin embargo, las primeras descargas de las trincheras pasaron por arriba. Se ha demostrado a través

de todos los tiempos que con las primeras y las últimas luces los soldados tienen tendencia a disparar alto. Yo me alegro mucho de que haya sido así, porque si hubieran esperado hasta tener más luz, habrían
acabado con nosotros. Todo fue un caos.

La cantidad de fuego que cayó sobre nosotros en esos primeros
pocos segundos eran de miles de disparos. Como las primeras descargas pasaron por arriba, tuvimos tiempo de echarnos cuerpo a tierra.
Cuando ellos se dieron cuenta de su error, ya nadie quedaba de pie.
De nuevo abrieron fuego. Nos habíamos cubierto detrás de pequeñas
montañitas de tierra y en una entrada de agua, de manera que nadie
resultó herido. Pero todavía teníamos que llegar a los terrenos más altos y el fuego seguía cayendo. No había otro lugar adonde ir. Hacia la
izquierda estaba la entrada de agua, con una orilla muy alta. No
sabíamos si estaría minada, pero mirando alrededor, era el único lugar adonde ir.

El comandante se puso de pie y dijo: "Bueno, no podemos quedarnos aquí todo el día", y avanzó hacia la entrada de agua; luego, con
una mezcla de arrastre, carrera y zambullida, todos salimos de esos terrenos vulnerables y llegamos a la entrada de agua y a la protección de
la orilla alta que, por suerte, no estaba minada. El ataque de la compañía "A" empezó a vacilar después de haber pasado la posición del
primer pelotón argentino. El comandante del batallón habló por la radio y les dijo que debían aferrar, apurarse y continuar el movimiento,
pero ellos no podían. Él les dijo entonces: "No puedo aceptar eso", y
decidió avanzar y unirse a la compañía "A". Decir que era un poco tes-
tarudo sería un eufemismo. Cuando él decidía que algo debía ser hecho, iba a ser hecho; entonces salió para recorrer todo el camino alrededor del borde de la entrada de agua, lo que nos dejó a unos
doscientos o trescientos metros todavía de las posiciones de la compañía "A". Había un banco de matas, que nos daba protección contra
la vista, pero ninguna contra el fuego. Debíamos avanzar desde el borde de la entrada de agua, cuya orilla alta nos había dado perfecta protección, hasta el banco de matas, y luego a la posición de la compañía
"A". Llegamos a las matas y zigzagueamos a través de ellas, pero aún
nos quedaban unos cien metros de terreno abierto que debíamos cruzar.

Otro sargento mayor y yo lanzamos bombas de humo para ocul-
tarnos y avanzamos a través del humo. Era bueno saber que ellos no
podían vernos. Llegamos a la compañía "A": había muertos y heridos
caídos por todas partes. El comandante del batallón se acercó al comandante de la compañía "A" (el mayor Charles Farrar-Hockley) y le

preguntó cómo estaba la situación y por qué se habían quedado atascados; ¿qué iba a hacer al respecto? Cuando se tomó la decisión, todo el mundo se colocó en línea recta, pedimos fuego de morteros con humo, volvimos a trepar hasta arriba y nos lanzamos contra las posiciones argentinas. Cuando habíamos avanzado la mitad del recorrido el humo desapareció. Había bastante viento y el humo no duró mucho; era como si estuviésemos en una mesa de billar, completamente plana y sin protección alguna. Sufrimos numerosas bajas, algunas de ellas fatales, en esa descarga inicial desde las posiciones argentinas.

Vi que algunos elementos de la compañía "A" pasaban las trincheras. Se estaba haciendo fuego intensivo de morteros y se lanzaba humo para ocultar el movimiento. Entonces atacaban las trincheras desde el costado; no se podía hacer un ataque frontal. Empezaban en un extremo y arrollaban cada una de las trincheras hasta la otra punta. Eran en realidad grandes refugios con cuatro o cinco hombres en cada uno de ellos, y miles y miles de proyectiles. Hizo falta mucho valor para tomarlos. Los comandantes de pelotón recibían sectores que debían despejar, y ellos ordenaban a los cabos: "Usted tomará aquella trinchera", y éste y su sección avanzaban y tomaban la trinchera.

Uno trata de llegar a la trinchera tan rápido como sea posible, disparando. Antes de entrar, se lanza una granada de mano para desorganizar a los hombres que están en ella y luego, tal como se ve en televisón, uno salta adentro, con la bayoneta colocada y haciendo fuego en forma automática, para matar a los tipos que esperan. Hay hombres que se adelantan abriendo fuego, y el propósito del movimiento es neutralizar las trincheras; o uno mata a todos los que están allí, o se rinden. Si alguno está sin armas y levanta los brazos, decimos que se está rindiendo. Si tiene un arma y no levanta las manos, suponemos que no tiene intenciones de rendirse, y entonces lo matamos. Dentro de una trinchera uno está en un sitio muy cerrado. La línea muy delgada que separa la vida de la muerte es la que decide, o yo lo mato, o él me mata a mí. Cuando se ha llegado a la lucha mano-a-mano, a menos que él se detenga y ponga las manos en alto, hay que pensar que está a punto de matarlo a uno, y se deberá proceder en consecuencia. Que en ese caso significa matarlo.

Si ellos se rinden, o están heridos, se los lleva a retaguardia, a través de la cadena hasta entregarlos al sargento del pelotón, quien los pasa entonces al sargento mayor y los hombres de sanidad. Los colocan en la jaula de la compañía, antes de pasarlos a la jaula del batallón, donde los supervisa el sargento mayor del regimiento.

En medio de todo esto, uno no tiene tiempo de pensar. Yo soy un soldado, y si el comandante dice que uno tiene que hacer algo, uno lo hace. Se podría pensar: "Maldito imbécil", antes o después, pero uno va y lo hace. El comandante del batallón dijo: "Vamos a reunirnos con la compañía 'A' y pasaremos por arriba". Entonces nos reunimos con la compañía "A" y fuimos por arriba. Cuando el humo se despejó recibimos más fuego; el ayudante y el segundo comandante de la compañía "A" resultaron muertos. Nos mantuvimos cuerpo a tierra y, de nuevo, no había otro lugar adonde ir. Podríamos haber retrocedido pero nos habrían disparado a la espalda. No podíamos avanzar porque la distancia era demasiado grande. El comandante dijo: "Bueno, síganme". Se puso de pie y corrió hacia la derecha, saliendo del terreno alto, aunque exponiéndonos al enemigo mientras lo hacíamos. Corríamos diagonalmente, frente mismo a ellos, en dirección a la derecha. Cuando llegamos allí ya estábamos en una posición ligeramente mejor. Pero el comandante no se detuvo. Yo iba detrás, y él siguió corriendo. Lo seguí manteniendo la distancia. Dimos una vuelta y entramos en un valle sin salida, entre dos posiciones argentinas, una que habíamos despejado y otra que habíamos intentado despejar. De pronto, alguien que estaba detrás de mí gritó: "¡Cuidado, hay una trinchera a la izquierda!" Al oír eso, el instinto se hizo cargo y, en vez de correr, me arrojé cuerpo a tierra tan rápido como pude, justo cuando ellos abrían fuego sobre nosotros. El comandante había sobrepasado la siguiente trinchera quedando oculto para el enemigo debido a los niveles del terreno. Todo el fuego venía en mi dirección. Yo también disparé, y vacié el cargador en seguida, veinte disparos rápidamente hacia la posición enemiga para mantenerlos con la cabeza baja mientras yo saltaba hacia una posición mejor. Encontré una cubierta, aunque no era muy buena. Cambié de cargador, lo que no era fácil, porque estaba completamente tendido y los cargadores se habían atascado en la bolsa, pero pude hacerlo. Miré de reojo mientras volvía a disparar y vi que el comandante del batallón tomaba su pistola ametralladora y empezaba a avanzar subiendo la cuesta, hacia la trinchera a la cual yo estaba disparando. Pero también se había puesto a la vista de las trincheras argentinas que había detrás de nosotros. Siguió subiendo. Le grité que tuviera cuidado con su espalda, porque podía prever lo que iba a ocurrir. No me hizo caso, o no me oyó —yo pensaría que en realidad me ignoró— y cargó subiendo la cuesta para neutralizar la trinchera.

Llegó hasta dos o tres metros de esa trinchera y recibió fuego desde atrás. Podían verse los proyectiles que daban en el terreno e iban subiendo gradualmente hacia él, hasta que le dieron en la espalda. La fuerza de los impactos hizo que cayera sobre el borde de la trinchera que él iba a atacar. Quedó allí tendido y uno de los argentinos trató de incorporarse hacia afuera para terminar con él. No pudo hacerlo, porque yo todavía estaba disparando. Tuve que elegir entre quedarme allí y continuar haciendo fuego, o lanzar una granada de mano que tenía. Pensé: Si lanzo la granada voy a neutralizar al comandante al mismo tiempo. Seguí disparando por lo que me pareció una eternidad. De repente oí una gran explosión a mis espaldas. Era alguien de la compañía "A" con los lanzadores de cohetes de 66 mm, y las lanzadoras de granadas M-79, que habían hecho blanco en el refugio argentino neutralizándolo por completo. Una M-79 cayó en otro refugio y, en seguida aparecieron banderas blancas y manos en alto. En ese momento pensé: He sobrevivido a éste, y subí corriendo hacia el comandante del batallón.

En la trinchera había dos prisioneros, que fueron entregados. Llegué adonde estaba el comandante, que hasta ese momento tenía conciencia, aunque ya empezaba a perderla. Lo di vuelta para ponerlo de espaldas. Le abrí las ropas, encontré las heridas y le apliqué un vendaje improvisado. Lo que me impresionó fue que había muy poca sangre, y eso significaba muchas heridas internas. Empezó a mostrar indicios de conmoción. Para eso llevábamos un frasco con goteo que contenía una solución salina. Le apliqué el goteo tratando de impedir que aumentara la conmoción. Usamos todo el litro de solución mía, y luego le apliqué la de él. El sargento Hastings, uno de los sargentos del pelotón, dijo que teníamos que llevarlo hasta el sitio donde aterrizaría el helicóptero, en la zona de tierras altas. Lo mantuve caliente mientras Hastings y algunos de sus hombres construían una camilla con elementos improvisados de la trinchera. En nuestro primer intento la camilla cedió con el comandante ya puesto en ella. Fue una de esas tristes historias de guerra; no le hizo más daño que el que ya tenía con sus heridas internas, pero lamentablemente cayó al suelo. Reconstruimos la camilla y lo llevamos hasta el sitio de aterrizaje.

Estaba completamente inconsciente y el helicóptero no llegaba. Durante unos minutos me quedé allí, tratando de mantenerlo caliente con abrigos extra. Murió. Me sentí paralizado; se suponía que los comandantes no morían. Que un comandante pretendiera tomar por sí solo una posición enemiga por el frente parecía materia de historietas de aventuras, nadie piensa que puede ocurrir en la realidad. Mi opinión es que él no debió haber estado allí, pero tratándose de "H" Jones siempre iba a estar allí, porque era de esa clase de comandantes. Después que murió, yo pensé: Él está muerto, yo he sobrevivido, pero no tuve mucho tiempo para meditar sobre eso porque el mayor Keeble asumió entonces el comando del batallón; la compañía "B" estaba iniciando su ataque y el puesto de comando tenía que ir adonde estaba la lucha. Dejamos que la compañía "A" se hiciera cargo del comandante y partimos para unirnos nuevamente a la guerra.

Se tomó la decisión de suspender el combate por ese día. Teníamos que reagruparnos en la oscuridad. Debíamos aprovisionarnos, ver quiénes faltaban y organizar nuestras defensas. Los prisioneros argentinos estaban también allí, quejándose durante toda la noche, porque tenían algunos heridos. No fue hasta muy tarde esa noche y a primera luz de la mañana que pudimos iniciar la evacuación de los heridos. Yo organicé a mis hombres en una posición defensiva. No habíamos llevado con nosotros equipo de ropas abrigadas. Yo sólo tenía en mi mochila pantalones rompevientos y chaquetilla, y una prenda a prueba de agua. Organicé a mis hombres e hice lo que debe hacer un sargento por su gente. Después, tuve que empezar a ocuparme de mí, limpié el arma y comí.

Sentado, me puse a pensar: soy afortunado. Me adormecí en parte, y entonces, todo el significado de lo que había ocurrido en el día, la gente que había muerto y los heridos que había visto, empezaron a aparecer ante mí. Había un impresionante silencio y estaba oscuro como boca de lobo. Helaba. Ahora se reflejaba todo en mi mente, y sentí que las lágrimas caían resbalando por los lados de mi cara, al pensar en esos buenos muchachos muertos ese día, y el hecho de que muy probablemente mañana murieran más. Se me hizo un nudo en la garganta, y me quedé allí acostado por un buen par de horas, repasando los sucesos del día. Fueron las peores horas que pasé en mi vida. Durante la batalla uno no tiene tiempo de pensar en lo que está haciendo, simplemente, hace lo que le ordenan, o lo que se supone que debe hacer. No hay tiempo para emociones o cualquier pensamiento sobre la seguridad personal o cualquier otra cosa que esté pasando. Uno, como soldado, tiene una meta: llegar al enemigo. Sólo cuando el combate ha cesado y uno ha cumplido con sus tareas del día, puede ponerse a pensar en la gente que ha muerto y que sobrevive. En mi caso, los que sobrevivimos.

Los argentinos habían dejado Prado del Ganso convertido en un chiquero. Entramos en algunas de las viviendas y nos encontramos con que deliberadamente habían ensuciado en las bañeras, en vez de los inodoros. Una vez que se rindieron, cometimos un error al dejarlos volver a las casas para recoger sus pertenencias. Fue entonces cuando hicieron la mayor parte del daño, que no habían hecho previamente. Las casas hedían, y no puedo comprender cómo un ejército, especialmente uno que se supone que es bastante bueno, puede permitirse la degeneración de vivir en un chiquero. No puedo sentir menos por los oficiales, aunque lo intente: Eran de despreciar por haber permitido que sus hombres vivieran en la forma que lo hicieron. Ellos disponían de muchos alimentos y comodidades, mientras que sus soldados tenían muy poco de ambas cosas. Era un ejército de conscriptos y trataban a sus hombres de una forma muy poco profesional. Con respecto a éstos, después de un tiempo les tuve lástima, pero los oficiales eran de despreciar.

Pensamos que habían colocado trampas cazabobos en los asentamientos. Los corrales de ovejas eran ahora los lugares donde estaban agrupados los prisioneros de guerra, y junto a ellos había una pila de municiones que se debía retirar. Tuvimos la sospecha de que pudiera haber bombas cazabobos y preguntamos a los oficiales argentinos si ellos estarían dispuestos a retirar esas municiones, por su propia seguridad. Designaron algunos hombres para que ayudaran a mover la munición de mortero y las granadas de artillería. Había una trampa cazabobos que estalló en el acto. El soldado más próximo quedó envuelto en llamas y explosiones. No pudimos sacarlo. El hombre gritaba desesperado, y uno de los soldados presentes le disparó para poner fin a su sufrimiento. Era lo único que humanamente podíamos hecer por él.

No llamábamos a Stanley por su nombre, lo llamábamos "Endex". Era la jerga militar para cuando terminaba un ejercicio. Cuando terminó todo y llegamos a Stanley pensé: Preparemos las cosas y vamos a casa, porque era un ejercicio, una vez que todo ha concluido, lo sacan a uno de la zona lo más rápido que pueden y lo llevan de vuelta a la normalidad.

Cuando llegamos a Stanley sufrimos una tremenda impresión. Yo pensé: Por todos los diablos, ¿valía la pena esto? Considerando lo que son las Falklands y dónde está Stanley, las casas y el trazado actual configuran casi una violación al sistema. Fue difícil acostumbrarse. Mi idea de una ciudad o un pueblo es la de una localidad europea, especialmente si se trata de la capital de una colonia. Creí que encontraría verdaderas casas, pero no eran más que modestas viviendas. Debido a la ocupación estaba todo sucio, había mal olor, y no se ajustaba en nada a lo que yo había pensado que sería Stanley. Caminé dando vuelta a una esquina y pude apreciar en conjunto su absoluta falta de esplendor.

Nos detuvieron en nuestra entrada a la ciudad debido a que los infantes de marina debían aparecer e izar la bandera británica en la casa de gobierno; algo relativamente falso ya que nosotros habíamos llegado antes que ellos. Resultaba asombroso ver a los argentinos caminando por todas partes. Mi idea de un prisionero es que debe estar encerrado en un calabozo, y era muy inquietante y asombroso que los argentinos caminaran en libertad. Pasó algún tiempo antes de que los arriaran a todos y los llevaran al aeropuerto.

En nuestro regreso a casa aterrizamos en Brize Norton. A los primeros vuelos los habían esperado personajes de la realeza y todos creíamos que íbamos a tener una llegada tranquila, que nos deslizaríamos a los ómnibus y viajaríamos a Aldershot. Cuando bajamos del avión, miramos hacia el hall de recepción y lo vimos lleno de gente. Pensamos: Bueno, aquí pasa algo. Entré en la terminal y allí estaban mi esposa, mi hija y mi hijo, mamá y papá, mis hermanos y amigos de Guildford. Decir que me sentí conmovido sería un eufemismo. No sé quién lloró primero, yo o mi esposa, eran momentos muy emotivos. Y todavía no puedo comprender del todo por qué hacían tanto barullo. Yo no creía que llorar fuera cosa de hombres. Pero no sollozaba, sólo eran lágrimas. Dicen que eso está permitido, aunque los paracaidistas no lloran. Pero las emociones son emociones, y a veces se puede contenerlas y otras veces no se puede. Para mí, ésta fue una vez en que no pude. Se supone que uno ha de ser duro e inmune a ese tipo de cosas. Yo descubrí que era tan vulnerable como todos los demás.

CHRIS KEEBLE

El mayor (ahora teniente coronel retirado) Chris Keeble era segundo comandante del 2° Batallón del Regimiento de Paracaidistas. Condujo al 2 de Paracaidistas a la victoria en la batalla de Pradera del Ganso, después que resultó muerto su jefe de batallón "H" Jones. Le fue otorgada la Condecoración de la Orden del Servicio Distinguido (DSO). Dejó el Ejército Británico en 1987 y está ahora desarrollando un centro de liderazgo en Oxfordshire.

Habíamos estado preparándonos para partir hacia Belice, en América Central, cuando los argentinos ocuparon las Falklands. Contemplamos la salida de la Fuerza de Tareas mientras nosotros quedábamos en reserva y alistamiento para apoyar la operación de las Falklands si nos necesitaban. El Regimiento de Paracaidistas tiene un gran deseo de mantener sus capacidades y aquí había una oportunidad para demostrarlas, de modo que el batallón estaba ansioso por ir. Creo que teníamos una idea bastante acertada de que habría guerra. Ellos habían capturado las islas, y no parecía que estuvieran dispuestos a retirarse en forma pacífica; entonces, no había alternativa.

Cuando llegó el momento de embarcar en el *Norland*, no estábamos todavía equipados ni preparados para una operación ofensiva. La OTAN es una alianza defensiva y nos concentramos mucho en la defensa del terreno. La única forma de recuperar las Falklands era mediante el ataque, y tuvimos que realizar un enorme esfuerzo, en la semana anterior a la partida, para reunir ametralladoras adicionales, lanzadores de granadas M-79, y armas de defensa antiaérea, para mejorar nuestras capacidades para atacar al enemigo. Había un sentimiento generalizado de que allí teníamos una oportunidad para demostrar todo lo que nos habíamos entrenado en el Regimiento de Paracaidistas.

Había mil personas a bordo del buque. Reinaba una atmósfera de frenética actividad, de esforzarse para una rápida adaptación a esas extrañas condiciones de incomodidad, de aprender los conocimientos indispensables de marinería que se necesitan en caso de desastre en el mar, tal vez para la eventualidad de que fuésemos torpedeados. Teníamos que mantener nuestro estado físico, probar nuestras armas y ejercitar nuestros sistemas de control y comando. Había una cantidad enorme de cosas por hacer. Y además teníamos que cruzar el Ecuador, y eso es asunto serio. Fue uno de esos momentos espléndidos, en el que detuvimos todo el entrenamiento y organizamos juegos tontos y nos arrojamos baldes de agua unos a otros y pudimos relajarnos un poco. Por cierto, la moral estaba muy alta.

Pasó un largo tiempo entre el hundimiento del *Sheffield* y los desembarcos. Los soldados se sentían muy vulnerables a bordo del buque. Había una amenaza permanente por parte de los submarinos argentinos, y debíamos mantenernos en constante alistamiento para rechazar cualquier ataque. Teníamos desplegadas todas nuestras armas antiaéreas en la parte más alta del buque, y los puestos de ametralladoras estaban ubicados en todos los rincones. De noche se oscurecía todo el buque, como ocurría con Londres durante la guerra. Se eliminaban los ruidos. Navegábamos a través de la oscuridad para contrarrestar la amenaza.

Aunque estábamos instruidos y entrenados como paracaidistas, realmente se prepara a la gente para superar el miedo. Saltar de un avión es algo que da miedo. Es una forma muy útil de obtener un cuerpo de personas capacitadas individual y colectivamente para vencer la incertidumbre. Tienen que saber contenerse y tener las agallas y competencia para suprimir el deseo natural de correr, y realizar lo que se espera que hagan. Y ésa fue la actitud que se aplicó a las medidas antisubmarinas.

El día anterior a los desembarcos había una asombrosa bruma marina que cubría toda la zona y nos protegía de los aviones argentinos. Pero uno se sentía todavía como pez fuera del agua. Después de todo, éramos soldados y nos habíamos pasado la vida instruyéndonos para operar en tierra. Ése era nuestro elemento. De modo que viajar sentado en un ferry flotante en el Atlántico Sur no era habitual. Era diferente. Estábamos ansiosos por llegar a tierra, por trenzarnos con los argentinos.

Nos acercamos a las Falklands de noche. Habíamos convertido ese ferry en una plataforma anfibia. Toda la cosa había sido rediseñada de manera tal que se pudiera salir del buque en forma táctica y ordenada, de noche, y pasar a las lanchas de asalto de los infantes de marina. Eso se hizo con razonable eficiencia. Después de todo, habíamos cumplido nuestro curso de dos horas de infantería de marina en una de sus lanchas de desembarco anfibia, en la bahía de la Isla Ascensión, que es prácticamente todo lo que se necesita para llegar a ser un infante de marina. Nuestros cañones navales estaban bombardeando Fanning Head, frente a San Carlos, de modo que teníamos ese ruido de fondo. Se veían oscuras luces rojas, y las columnas de hombres en corrientes ininterrumpidas cruzaban todo el buque y caían lentamente en las lanchas de asalto. Formaron y empezaron a avanzar navegando en las oscurecidas aguas de la rada de San Carlos, y hasta la playa. Toda la operación estaba envuelta en una atmósfera de nerviosa energía.

Recuerdo que en mi lancha, cuando llegamos a la playa, bajaron la rampa y se oyó una orden naval, que es parte de la instrucción de ellos, supongo. La orden fue: "Tropas afuera". Y ni un alma se movió en la lancha, porque, naturalmente, cuando se quiere mover colectivamente a los paracaidistas no se grita "Tropas afuera", la orden es: "¡Vayan!". El infante de marina volvió a gritar: "Tropas afuera", y no pasó nada. Entonces, un sargento mayor, rápido e inteligente, gritó: "¡VAYAN!", y todo el mundo saltó de la lancha.

Nuestra misión consistía en capturar las Montañas Sussex. Parte del plan del brigadier Julian Thompson era tomar las tierras altas que rodeaban al puerto de San Carlos. Era un cordón montañoso que separaba San Carlos del cercano asentamiento de Pradera del Ganso. Debíamos trepar hasta la cumbre de esta montaña y ocuparla. Llevábamos más de cincuenta kilos a la espalda, parecíamos caracoles con su casa a cuestas. No habíamos podido dejar nuestros equipos a bordo porque podía ocurrir que hundieran la lancha, o bien que desapareciera en el horizonte para alejarse de las garras de los aviones argentinos, de manera que tuvimos que llevar todo con nosotros. Hicimos esa larga, lenta y penosa ascensión en la montaña de noche. Nos llevó horas de esfuerzo, especialmente porque no habíamos podido mantener nuestro estado físico a bordo del buque en el viaje hacia el sur. Aunque habíamos corrido por las cubiertas, el verdadero esfuerzo físico de llevar pesadas cargas por un terreno difícil y de noche era considerable. Y cuando llegué a la cumbre de la montaña Sussex estaba acabado.

Nuestra tarea principal, aparte de ocupar esa fracción de terreno para evitar que ellos la tomaran, era proteger los sistemas de misiles de defensa aérea Rapier, que se instalaron una vez que el desembarco estuvo asegurado. Y durante los seis siguientes contemplamos cómo los aviones argentinos martillaban sobre los buques de la Armada Real. En las Falklands, la luz era muy clara y el tiempo estaba muy bueno. Cuando uno miraba hacia abajo, en dirección al Estrecho — cientos de metros más abajo —, se podían ver todos los buques. Y entonces se oía ese rugir de los aviones jet que pasaban muy bajo sobre nosotros, salvando apenas la cumbre de la montaña y picando luego dentro de la rada. Entonces se veían las plumas de agua cuando caían las bombas. Yo estaba de pie junto a "H" Jones en una ocasión, y él dijo: "John Nott quería una armada reducida; por Dios... ahora va a tenerla". Vimos el efecto de las bombas contra los buques, pero estábamos muy lejos para verlos cuando se hundían excepto la *Antelope*, que estalló con una tremenda bola de fuego en medio de la noche y quedó luego sobresaliendo del agua, ardiendo, durante el resto del tiempo en que estuvimos allí.

Obviamente, nos alegrábamos mucho de que no fuésemos nosotros los castigados por los aviones, pero vivíamos una creciente frustración por el hecho de estar allí esperando en esa montaña, congelándonos hasta el alma. Allí arriba estaba muy frío y con mucho viento. Había nieve, y nosotros nos sentábamos en las trincheras medio llenas de agua. Nuestros soldados ya comenzaban a tener pie de trinchera, y lentamente nos desplazamos hacia abajo. Queríamos salir de esa montaña y terminar de una vez la guerra.

No pedimos ir a Pradera del Ganso. Llegó una orden del estado mayor del brigadier, según la cual debíamos efectuar una incursión. Luego abortaron la orden, pero veinticuatro horas después la impartieron de nuevo, y "H" Jones hizo un plan para llevar el batallón a Pradera del Ganso. Pero debía dejar cierto número de hombres en las montañas Sussex, por la necesidad de defender los misiles Rapier. De modo que partimos en una larga formación de alrededor de cuatrocientos hombres, que avanzaban serpenteando a través de los dieciséis kilómetros que nos separaban de Pradera del Ganso. "H" marchaba más o menos en la mitad. Hay una forma táctica de avanzar a través del campo; el comandante no va al frente con una bandera. "H" Jones era un guerrero, no era un soldado de tiempo de paz. Agresivo, decidido y líder carismático. Todo el mundo sabía que él estaba a cargo, y él sabía lo que quería hacer. Y por lo general tenía razón en lo que se proponía hacer. Y él hizo un plan para capturar el lugar.

Nos desplazamos hacia un sitio llamado Camilla Creek, un pequeño asentamiento de campo ubicado a unos cuatro o cinco kilómetros de nuestra línea de partida para el ataque. Nos instalamos allí e iniciamos la búsqueda de inteligencia necesaria para la operación.

Teníamos varias fuentes de inteligencia. El comando de la brigada nos había proporcionado todos los conocimientos que tenían ellos desde antes sobre el lugar, y ya en el buque habíamos estudiado la topografía y el despliegue de inteligencia de sus fuerzas. El día anterior al ataque capturamos un oficial argentino de inteligencia que había salido en un Land Rover para obtener información sobre el asentamiento, y le hicimos un interrogatorio táctico. Nos dio abundante información. Nosotros destacamos nuestras propias patrullas y tiradores ocultos en el terreno para que observaran, a fin de lograr una idea exacta de lo que estaba ocurriendo.

El campo de batalla de Pradera del Ganso era un corredor de unos ocho kilómetros de largo por algo menos de dos kilómetros de ancho, llano y desnudo. No había cubiertas naturales, y ésa era la diferencia más grave que tenía. A mitad de camino, corriendo en forma transversal a la dirección en que nosotros habríamos de aproximarnos, había una pequeña elevación, como una cresta, donde ellos habían construido una posición defensiva. No era un campo de batalla fácil para pelear en él, con muy pocas posibilidades de maniobra, y no se necesitaba ser von Clausewitz para descubrir que uno sólo tenía dos opciones: o venía desde el norte, o desde el sur.

"H" quería intentar la captura de los asentamientos de Darwin y Pradera del Ganso de noche, debido a las características de desnudez del campo de batalla. Trazó un plan para maniobrar con sus tres compañías, de unos ochenta hombres cada una, por ese corredor, apoyándose unas a otras con artillería y fuego naval de la fragata HMS *Arrow*, desde aguas afuera. Ellos iban a despejar la zona para nosotros, y manteniendo el ímpetu y la agresividad, nos apoderaríamos de esos dos asentamientos antes de que llegara la luz del día. Ése era el plan. Pero los planes no siempre resultan así, porque de un lado uno tiene cuatrocientas personas tratando de que funcione y, en este caso, teníamos del otro lado mil quinientas personas tratando de malograrlo. Inevitablemente, las cosas salieron mal. Hicimos un progreso bastante bueno durante la noche. Los argentinos pelearon muy duro. Habían tenido dos meses para preparar sus posiciones, y nosotros no conocíamos el terreno.

Ésa era nuestra primera batalla y todo resultaba confuso, estaba oscuro y había muchos ruidos. Llovía y nuestro progreso se hizo muy lento. Al amanecer sólo habíamos avanzado un tercio del terreno que necesitábamos cubrir para alcanzar nuestro objetivo. Yo siempre había pensado que, cuando uno libra una batalla, de alguna manera inicia un gráfico y lo va siguiendo hasta ganar. O comienza y va bajando y acompañando el gráfico hasta la derrota. No era nada parecido, en lo más mínimo. Por momentos ganábamos, las cosas iban realmente bien, y uno se sentía exultante; la moral estaba muy alta y todo parecía maravilloso. En otros momentos recibía información sobre bajas, nos encontrábamos bajo fuego de artillería, y no comprendíamos qué estaba pasando en el campo de batalla. Nos arrastrábamos cuerpo a tierra tratando de evitar el fuego de ametralladora de alguien — podría haber sido propio, o podría haber sido del enemigo. Uno estaba perdiendo control del propio miedo. Era todo muy confuso y fluctuaba desde el éxito hasta el fracaso aparente. Y así evolucionó todo el tiempo.

Hacia el amanecer el batallón había alcanzado las principales posiciones defensivas del enemigo a lo largo de la elevación, una línea de colinas bajas que dominaban todas las aproximaciones. Era imposible rodearlas porque había agua a ambos lados. Estaban combatiendo dos compañías: la compañía "A" lo hacía por la izquierda, alrededor de Darwin, y la compañía "B" por la derecha. Al amanecer, ambas se detuvieron haciendo chillar los frenos. El combate de la compañía "A" era una confusión de cabos y soldados que peleaban individualmente, tratando de avanzar metro a metro contra las trincheras enemigas. Habíamos confiado en tener apoyo de artillería, pero el viento soplaba a cincuenta o sesenta nudos a través del campo. Eso les imposibilitaba poner las granadas donde querían, en consecuencia no las disparaban. Los morteros se habían quedado sin munición, porque no era mucho lo que podíamos llevar con nosotros. No había helicópteros que proveyeran más munición de morteros. También habíamos confiado en que los Harrier nos dieran un buen empujón en nuestro avance, pero no habían podido despegar de los portaaviones debido a la niebla. Esa mañana el diablo había metido la cola...

Para lograr que el ataque continuara en el flanco izquierdo, "H" llevó su comando táctico hacia adelante. Tenía con él radiooperadores, guardaespaldas, y otro oficial que colaboraba con él en el comando y control: unas diez o quince personas en total. Las condujo hacia la compañía "A" para averiguar qué estaba pasando. Yo me hallaba unos ochocientos metros más atrás, esperando con mi comando táctico alternativo, que, según habíamos convenido debía hacerse cargo en caso de fuerza mayor, es decir, que "H", en la reanudación del ataque de la compañía "A" perdiera la vida.

Él y yo, y los hombres de comunicación de su comando, habíamos convenido una frase clave: "Rayo de sol ha caído", de manera que yo sabría cuando a él le sucediera. Ésa sería la clave para que yo ocupara su lugar.Y en esa confusión, se oyó por radio el grito: "Rayo de sol ha caído". Yo no podía creerlo y en el acto pedí verificación. El sargento Blackburn, su encargado de comunicaciones, gritó otra vez: "¡Rayo de sol ha caído, por amor de Dios!" Sentí entonces una oleada de aprensión y de miedo que me recorría el cuerpo: ¿Me desempeñaría lo suficientemente bien? ¿Qué hago ahora? ¿Cuál es la situación allá adelante?

Pasé veinte minutos tratando de obtener un cuadro claro sobre lo que estaba sucediendo ochocientos metros delante de mí. Me quedaba una compañía —la compañía "D", de Phil Neame— y el problema era si debía reforzar los restos de la compañía "A", o tratar de apoyar a Johnny Crosland con su compañía "B", que se hallaban inmovilizados en una loma más adelante por las ametralladoras de la posición defensiva argentina en Boca House (en el flanco derecho).

Todo eso pasó por mi mente y, por fin pude tener el cuadro más claro que podría llegar a obtener. Entonces marché hacia la compañía de Johnny Crosland. Llevamos con nosotros los misiles antitanque Milan* y munición adicional. Llevé también al oficial de enlace con la brigada, Hector Gullan, que tenía comunicación directa con el comandante de la brigada. Tan pronto como salimos y pasamos por sobre la montaña, entraron dos aviones Pucará y ametrallaron la posición que habíamos dejado atrás, pero tuvimos que ignorarlos. En el tiempo que me llevó llegar hasta la compañía "B", Phil Neame —el astuto Phil Neame, que comandaba la compañía "D"— se había dado cuenta de que podía sobrepasar por el flanco la posición de Boca House, haciendo deslizar a su compañía por abajo hacia la playa. Había una pequeña pared entre el borde de la pradera y la playa. Sus hombres se arrastraron ochocientos o novecientos metros a lo largo de esa pequeña cubierta hasta quedar adyacentes a la posición defensiva enemiga en Boca House. Brillante. Con una combinación de los misiles antitanque Milan, que tienen un alcance mayor de dos mil metros y una exactitud increíble, pudimos destruir las ametralladoras del enemigo que nos tenían inmovilizados. Con la aplicación de la artillería, el exitoso uso de la compañía "D", los habíamos sobrepasado por el flanco. La posi-

---

*Estos misiles guiados por cable se usaron en las Falklands para destruir refugios enemigos.

ción del enemigo se derrumbó y se rindieron. Significaba que había comenzado el principio del fin. Habíamos dejado las Montañas Sussex hacía cuarenta horas, de manera que estábamos en operaciones desde entonces, con muy poco sueño.

Ya estábamos próximos a las últimas luces del día. Nos sentíamos cansados. Se nos habían terminado las municiones, y no había forma realmente de que pudiésemos llegar al asentamiento. Teníamos muchas bajas. Había prisioneros de guerra por todas partes, que debían ser custodiados. Nos habíamos quedado sin fuerzas, de manera que me pareció lo mejor consolidarnos, afirmarnos donde estábamos. Podíamos redistribuir la munición, usar la que habíamos capturado a los argentinos, que era del mismo calibre, emplazar más artillería y refuerzos, y evacuar nuestras bajas y prisioneros de guerra. Todo eso hicimos durante la noche.

Pero aún no habíamos quebrado su voluntad, y no teníamos el poder de fuego necesario para lograr eso, no totalmente... ellos todavía peleaban desde el interior del asentamiento. Los pedidos que habíamos hecho por radio para contar con apoyo aéreo de los Harrier, finalmente fueron atendidos. Con el crepúsculo entraron dos Harrier desde el oeste y lanzaron bombas racimo en las defensas perimetrales, muy cerca del asentamiento de Pradera del Ganso. Un tercer Harrier ametralló el terreno en sucesivas pasadas. Después, cayó un profundo silencio sobre el asentamiento. Todos sus disparos cesaron, y por primera vez yo presentí: Hemos ganado, ellos están quebrados.

Tuve el presentimiento de que había una probabilidad de tomar ese asentamiento por la mañana, siempre que nosotros nos reforzáramos. Luego, cuando yo regresaba al sector donde estaba nuestro puesto de comando, en un barranco en la parte posterior del Monte Darwin, alguien se me acercó y dijo: "Hay ciento catorce civiles encerrados en el centro comunal, en el centro de Pradera del Ganso".

No había forma de que pudiésemos atacar el lugar, porque habríamos matado a la misma gente que habíamos ido a salvar. A esas horas yo ya me sentía muy cansado. Tenía confianza en que podríamos hallar alguna solución, pero no tenía idea de cómo podría ser. Me puse a rezar. No hay nada en los libros de textos que diga cómo puede uno resolver ese problema.

Me parecía que había dos opciones: ofrecerles la rendición, o bien reforzarnos masivamente y entrar rápidamente con toda la fuerza y destruir todo. Hablé con el brigadier y él accedió a enviar otra compañía, con más artillería y municiones, y más poder de fuego en la mañana con los Harriers.

Envié al asentamiento dos oficiales argentinos capturados con una nota en la que explicaba mis dos opciones: rendición o soportar las consecuencias militares. Ellos aceptaron la opción de rendirse y nos encontramos en una pequeña construcción en el aeródromo. Me reuní allí con los tres comandantes militares, que estuvieron de acuerdo con mis condiciones. Reunirían a sus hombres en el campo de deportes.

Por fin, unos ciento cincuenta hombres marcharon en columna de tres de frente y formaron un cuadro. Un oficial, vestido con uniforme de la Fuerza Aérea Argentina caminó hacia mí e hizo el saludo militar. Le pedí su pistola y la tomé. Cuando miramos más detenidamente vimos que esa gente no pertenecía al ejército. Eran conscriptos de la fuerza aérea. Calculamos que debían de haber sido unos ciento cincuenta en el asentamiento.

— ¿Dónde están los soldados del ejército? — pregunté.

— Allá vienen — dijo el oficial señalando el asentamiento.

Tres o cuatro de nosotros nos adelantamos — no éramos más de ocho en total, en el acto de rendición — para mirar hacia el asentamiento. Allí, ante nuestro asombro, deben de haber sido unos mil hombres los que marchaban en columna de a tres. Contuvimos el aliento.

Alguien susurró: "Espero que no cambien de idea".

Llegaron y formaron también un cuadro. Se quitaron los cascos y equipos y dejaron sus armas en tierra. El comandante militar me entregó su pistola, y eso fue todo.

Pienso que es una medida de los soldados que pelearon en esa campaña el hecho de que, a pesar de la fatiga, el mal tiempo, el miedo, a pesar de todos los bajones en que uno toca fondo y cree que está perdiendo, todavía tenían la voluntad de seguir adelante. Y el hombre cuya voluntad se mantiene por más tiempo es el ganador. Pero la realidad no es como un ensayo. Es oscura, es confusa, hay una monstruosa intensidad de ruido, existe esa noción de continuar adelante en una forma equilibrada y coherente. Si uno es soldado, está operando con otras tres personas en un grupo de cuatro con una ametralladora y hay otro grupo de cuatro hacia la derecha, formando una sección. Hay tres secciones y uno avanza en el terreno, tratando de mantener el equilibrio entre las dos ametralladoras. Nos están haciendo fuego, disparan fósforo blanco para proveer humo e iluminación, hay munición trazadora que viene hacia uno y se aleja. El miedo nos invade. Tenemos la bayoneta en la punta del fusil. Nos movemos en cortos saltos, breves impulsos desde una a otra cubierta, adelantándonos lentamente en los metros de terreno que faltan. Estamos tratando de cubrir los últimos trescientos metros, difíciles, cruciales, malditos, y el enemigo nos dispara desde sus trincheras. Tal vez tengamos que luchar cruzando un campo minado, no podemos permitir que eso nos detenga. Uno quizá llegue a ver que alguien cae a su lado, con una espantosa herida; tal vez se sienta tentado de detenerse y vendarlo, pero no puede. Uno tiene que continuar avanzando. Se acerca a las trincheras. Arroja granadas, dispara su arma, usa la bayoneta. Es una salvaje lucha criminal. No se parece a nada que uno haya podido experimentar antes en su vida. Es básicamente el hecho de matar.

Lo peor de todo es cuando hay que pasar esos últimos trescientos metros, cuando uno pone su cuerpo, su poder de fuego y su capacidad de moverse frente al enemigo. Uno se mueve con toda la rapidez y energía que tiene contra sus trincheras. No se puede andar con vueltas. La guerra consiste en la aplicación de la violencia.

La filosofía de nuestros soldados —tanto de nuestro regimiento como de cualquier otro— es que somos un cuerpo de hombres fuertemente unidos por nuestras tradiciones, por nuestro regimiento, por un sentimiento de pertenencia y unidad. Somos una familia de personas, y es necesario recordarlo. Nos conocemos todos, conocemos a todas nuestras familias. Es un cuerpo de personas que morirían unas por otras. Si uno huye, huye de todo eso. Es como retirar el amor a la madre, es esa clase de compromiso.

Tenemos que ganar, la misión es primordial. Es más importante que cualquier otra cosa. Es la muerte antes que el deshonor, los antiguos valores, si se lo prefiere.

Durante el viaje hacia el sur habíamos grabado continuamente en los hombres la importancia de ganar, de cumplir la misión. El problema en ese sentido es que somos todos humanos; si nos dedicamos a la misión, ¿qué ocurre si resultamos heridos, qué ocurre entonces a nuestra moral? Requiere un gran aplomo. ¿Qué sucede si uno ve que matan a su amigo?... hay una verdadera crisis. Tendría que haber entonces otra medida para mantener la moral, y una de las cosas principales que debieron ser proporcionadas fue un sistema muy eficiente y digno de consideración para atención de los heridos. Nuestro brillante médico, Steve Hughes, en el viaje de ida diseñó un sistema en el que podíamos llevar todo nuestro equipo con nosotros, de manera que, si un hombre resultaba herido, se podía darle una atención de primera clase, casi quirúrgica, en el campo de batalla y en el sitio en que había sido herido. Todos tenían morfina guardada en el interior del forro del casco. Tenían un envase de fluido intravenoso, mantenido a temperatura del cuerpo, dentro de la camisa, del que podía disponerse de inmediato. Tenían cuatro paquetes de vendas de campaña, y algunos antibióticos. Llevaban ese equipo de autocuración con ellos, y se sentían confiados para el caso de que fueran heridos, porque el personal de sanidad instruido que había entre los soldados cuidaría de ellos. De esa manera podíamos mantener el equilibrio entre misión y moral. Además, es necesario tener el deseo de mantener el impulso, el empuje, la agresividad, y estar dispuestos al autosacrificio para alcanzar el objetivo.

Yo no me adjudico el mérito por la destrucción de las defensas en Pradera del Ganso porque yo no la hice. Yo soy un comandante, aprieto los botones. La gente que ganó la batalla de Pradera del Ganso fueron los soldados y los jóvenes suboficiales, que convirtieron lo que yo llamo "los dibujos de gráficos chinos" en realidad. Ellos fueron los que realmente hicieron aquello de la sucia actividad criminal, ejerciendo violencia sobre el enemigo hasta quebrar su voluntad.

Ganamos porque fuimos capaces de mantener nuestra voluntad durante más tiempo que ellos; ellos se desintegraron antes, aunque a menudo había un equilibrio absoluto. Sería muy interesante comparar los bajones que tuvimos con lo que veían ellos en esos momentos. Si hubieran contraatacado al amanecer, nos habrían barrido del campo de batalla, porque estábamos desorganizados y completamente superados en potencia de fuego. Pero quizás ellos no percibieron lo que realmente estaba ocurriendo; tal vez nuestro empuje nos llevaba tan rápido que no les dimos tiempo para reaccionar ante lo que hacíamos.

Cuando liberamos Pradera del Ganso propiamente dicho, yo esperaba la bienvenida de un héroe: collares de flores, abrazos y besos. Pero ésta es una gente muy austera. Han soportado muchas desgracias en sus vidas, con el clima y otros desastres. Obviamente, estaban contentos, en principio. Lloraban, porque habían estado encerrados durante veintinueve días en ese pequeño centro comunal. Cuando fueron liberados y salieron a la luz del día, sus emociones se soltaron. Los niños corrían por todos lados. Pero eso pasó pronto. Sin embargo, fue suficiente comprender que habíamos hecho lo que dijimos que haríamos. Habíamos llegado y liberado a esas personas, a quienes los argentinos habían privado de su libertad mediante la ocupación, y eso fue lo que me hizo ver que todo aquello había valido la pena. Después de Prado del Ganso, insistí para que enterráramos a nuestros muertos y diésemos a los soldados tiempo para llorarlos. Eso es importante. Una topadora cavó una fosa en la ladera de una colina y nosotros cargamos literalmente a cada uno de nuestros amigos y los acostamos lado a lado; dijimos nuestras oraciones y lloramos. Fue un momento bastante malo. Después nos fuimos para seguir con la guerra.

Cuando llegamos a Stanley tuvimos una mezcla de alivio por seguir con vida y tristeza porque no estaban todos con nosotros, sumados a algunos pensamientos sobre la futilidad de la guerra y qué importante es impedirla para que no se produzca nunca más. No creo que haya habido mejores momentos. Todo el asunto es una tremenda tragedia. La guerra es algo sucio, espantoso. No tendríamos que permitirnos ir a una guerra nunca más en el futuro.

ERNESTO ORLANDO PELUFO

El subteniente Ernesto Orlando Pelufo era cadete en el Colegio Militar Argentino cuando lo enviaron a las Malvinas. Las autoridades aprobaron la graduación adelantada de algunos de los cadetes para que pudieran ir a las islas.

Algunos de los miembros de mi familia son británicos y, conociendo el carácter británico, no me sorprendí cuando decidieron enviar una Fuerza de Tareas al Atlántico Sur. Me parecía que, si uno le pisa la cola al león, éste a veces se da vuelta y muerde.

Espero que algún día haya una solución diplomática. Yo no estaba realmente seguro de que se llegaría a la guerra. Nuestra ocupación de las islas fue una manera de marcar nuestra soberanía. Sin embargo, más tarde comprendí que el combate era inevitable. Yo era cadete de cuarto año del Colegio Militar y debía levantarme temprano para despertar a los otros cadetes. Lo primero que hacía todas las mañanas era encender la radio para escuchar las noticias. Esa mañana la encendí y me enteré de que habíamos recuperado las Malvinas; en seguida informé la novedad a mis cadetes. Después, el oficial de turno en la compañía nos saludó en la formación diciendo: "En el día de la recuperación de las Malvinas, Primera Compañía, ¡Buenos días!" Y así fue como comenzó todo para mí.

Me enviaron a Pradera del Ganso, y con el tiempo me encontré en la primera línea. La otra compañía había estado combatiendo toda la noche. Hubo un breve respiro, y supe que los paracaidistas británicos estaban avanzando hacia nosotros. En la mitad de ese intervalo de calma en la batalla, el teniente Estévez quería iniciar un contraataque. Yo le informé cuál era la situación. Tenía unos cuarenta hombres bajo mi mando. Nuestros flancos no estaban adecuadamente protegidos

189

y nos hallábamos en una situación difícil. Yo mantenía la calma a pesar de todo. Mi misión consistía en sostener la posición. No pensaba que iba a morir. Esperaba. La situación estaba muy confusa cuando vimos tropas que se aproximaban. Al principio no sabíamos si se trataba del enemigo o de parte de nuestro Regimiento 12, que se retiraba hacia nuestra línea. Pensamos que podían ser nuestras tropas. Ellos sabían qué camino tomar en los campos minados. En realidad, eran tropas británicas, y posteriormente supimos que cruzaron los campos minados guiados por isleños que habían escapado de Pradera del Ganso.

En ese momento se inició el combate. Alrededor de nosotros empezaron a estallar granadas de morteros; saltamos adentro de nuestras cuevas de zorro y abrimos fuego con armas automáticas. Había disparos por todas partes, un fuego intenso llovía sobre ambos bandos. Las granadas de mortero y sus misiles guiados por cable estallaron muy cerca de nuestras posiciones, de modo que tuvimos que aguardar una pausa en el bombardeo para poder salir y disparar contra ellos. Así seguimos durante unas tres horas. Murieron varios de nuestros soldados y oficiales. Uno de ellos fue el teniente Estévez, que resultó muerto mientras trasmitía las posiciones del enemigo a nuestra artillería.

Yo no tenía mucho tiempo para pensar en los muertos o en mi propia seguridad. No pensaba en mi familia o en lo que había dejado atrás. Ya lo había hecho antes de la batalla. Ahora, mi deber era conducir y motivar a mis hombres con gritos de batalla, especialmente el canto de guerra de la Provincia de Corrientes, que nos hacía hervir la sangre. Estábamos todos dispuestos a morir. Los Paras se acercaban más y más. Estaban tratando de desbordarnos por el flanco. Evitaban un asalto frontal, porque les estábamos presentando una dura resistencia. Sin embargo, el fuego de ellos era muy preciso. Recuerdo haber visto un cabo que recibía un impacto directo de un misil guiado por cable. Un soldado de mi trinchera cayó herido y yo tomé su fusil automático y abrí fuego, pero el enemigo todavía continuaba en su intento de desbordarnos por el flanco. Un soldado que estaba haciendo un uso muy efectivo de un lanzador de misiles antipersonales también fue herido y el lanzador quedó destruido.

A un hombre que se hallaba junto a mí le arrancaron el fusil de un tiro. Dijo: "Señor, están muy, muy cerca". Alcanzábamos a oír a los soldados británicos que nos gritaban que nos rindiéramos, en inglés y en español. Había explosiones en todas partes alrededor de nosotros. En ese momento recibí un impacto en la cabeza y caí al fondo de mi trinchera. Gracias a Dios, la bala no atravesó el cráneo. El soldado que estaba a mi lado me prestó los primeros auxilios. Al principio pensé: Me estoy muriendo, pero cuando caí al fondo de la trinchera me di cuenta de que estaba vivo y todavía tenía esperanzas de poder continuar el combate. Pero ni siquiera podía ponerme de pie. El soldado que me trató, al ver la herida me dijo: "No se preocupe, señor, es sólo superficial". Yo traté de ponerme de pie y empuñar un fusil, pero no pude hacerlo. Me sentía muy mareado. Ordené al soldado que continuara disparando y que indicara a las otras posiciones que se prepararan para resistir el asalto del enemigo con bayonetas si era necesario. Ellos continuaban gritándonos que nos rindiéramos, pero yo no podía soportar la idea de ser derrotado, de rendirnos tan rápido, de entregar algo que era realmente mío: el territorio de las Malvinas.

El combate se había convertido en luchas individuales de una cueva de zorro a otra, cada hombre contra su propio enemigo, tratando de sobrevivir matándolo. Ahora ya no eran sólo granadas de mortero sino toda clase de proyectiles alrededor. Finalmente comprendí que era inútil continuar sacrificando vidas, que estaba todo perdido y que no tenía sentido seguir la lucha. Ordené a un soldado que atara una servilleta a su fusil y que la agitara. Dispararon contra él e hicieron impacto en su fusil. Regresó a la trinchera muy asustado. Le ordené que se levantara y la agitara de nuevo, entonces salió de la posición y en seguida vimos que los británicos aparecían en terreno abierto. Nos iban a tomar prisioneros. Nuestros propios soldados también empezaron a salir de las trincheras.

Yo estaba todavía en el fondo de la mía. No me podía mover porque no sólo tenía una herida en la cabeza, también había una esquirla en mi pierna derecha. Traté de levantarme y ayudar a los otros heridos que estaban en la trinchera. Llegó un soldado británico y me preguntó en inglés si yo estaba bien. Al principio no lo entendí. Lo vi allí de pie, apuntándome con una pistola ametralladora, y pensé para mis adentros: Bueno... llegó el momento. No quieren tomar prisioneros, sólo les harían la vida más difícil. Entonces volvió a preguntarme: "¿Estás bien?", y comprendí que no me iba a matar. Me dijo que la guerra había terminado para mí, y que me iría a mi casa. Yo sentí una mezcla de frustración por la derrota y alivio porque todo había terminado. Posteriormente analicé cada etapa del combate y pensé en lo que podía haber hecho, pero me di cuenta de que había hecho todo lo que pude para sostener mi posición.

Recuerdo a todos los soldados que cayeron en el combate. Recuerdo su valentía y convicción. Nunca olvidaré cuando nos tomaron prisioneros y vimos al enemigo que levantaba a nuestros muertos en medio del humo y de la bruma. Pero estábamos en paz con nosotros mismos, porque seguíamos convencidos de que nuestra causa era justa. Ahora pensamos en aquellos que quedaron allá atrás como centinelas nuestros, con las cruces sobre sus tumbas que marcan nuestra soberanía en las islas.

EWAN SOUTHBY-TAILYOUR

El mayor Ewan Southby-Tailyour regresó a las Falklands con la Fuerza de Tareas Británica varios años después de haber estado al mando del destacamento de infantes de marina en las islas. Como experto en guerra anfibia, su detallado conocimiento de las Falklands fue crucial cuando se trató de trazar los planes para la invasión.

Desde 1978 hasta 1979 estuve al mando del destacamento de infantería de marina formado por cuarenta hombres. Un año es mucho tiempo para pasar en las Falklands, y se alentaba a todos para que practicaran algún tipo de hobby. Como aficionado a la navegación en yate, decidí volver a examinar las viejas cartas de las líneas de costa alrededor de las islas. La mayor parte de las bahías y fondeaderos que podía utilizar un *yachtsman* no estaban debidamente reconocidas. A quienes navegan les gusta meter allí sus barcos escapando al mal tiempo que se encuentra en el Atlántico Sur, de modo que ésa fue la tarea que me impuse para cumplir durante el año. Había aproximadamente veintiocho mil kilómetros de costas, y yo alcancé a inspeccionar unos once mil de ellos. Mi trabajo en infantería de marina es el de oficial de lanchas de desembarco, y era difícil mirar una playa como *yachtsman* sin verla también desde el punto de vista de los desembarcos anfibios. Reconocimos un par de playas para el caso de que los argentinos pudieran invadir en alguna fecha futura, pero hicimos el resto por mi propio placer y por una posible ayuda a los navegantes que llegaran a visitar las islas.

Cuando llegó la invasión, ninguna de las personas que estaban a cargo de planificar las operaciones para retomar las islas tenía la menor idea de posibles playas y puntos de desembarco. La tarde en que movilizaron la Brigada 3 de Comandos para ir a las Falklands, yo alcancé a garabatear con un marcador sobre un mapa todo lo que pude, porque todo el mundo estaba apurado por ver algo. Nadie tenía en realidad mucha idea de qué se trataba. Yo recorrí las opciones de las zonas de Stanley, San Carlos y Port Sussex. Posteriormente, en el HMS *Fearless* usamos mapas y cartas mucho más detalladas. Los hombres pedían mirarlas y comprenderlas en términos sencillos, porque yo les había escrito cuántas millas por mar y cuántas por tierra, en cada punto de desembarco posible. También pude indicar dónde era imposible desembarcar y, a partir de esta información las patrullas de Fuerzas Especiales de las SBS y SAS pudieron ir a controlar e inspeccionar las playas. Era importante que ellos no perdieran tiempo en cientos de playas y zonas de desembarco que yo sabía que eran inútiles. Nadie más conocía esa información, y todo lo que yo hice fue ahorrarles tiempo y llevarlos hacia las opciones probables.

Solamente me llamaban para las discusiones específicas que normalmente tenían lugar en el camarote del brigadier, un lugar agradable para los debates a la noche, después de cenar. Iban allí varias personas. Con frecuencia, el brigadier Julian Thompson se encontraba vestido con su bata, en el sillón frente a su escritorio, señalando con el dedo gordo del pie los mapas extendidos en el suelo. El comandante del Real Regimiento de Artillería y yo pasábamos horas sobre pies y manos en la alfombra durante esas noches. El dedo grande de Julian apuntaba de repente algún sitio y él decía: "¿Qué pasa allí?" Probablemente yo conozca su dedo gordo del pie mejor que ninguna otra persona. Ellos elegían una opción particular y entonces yo me iba, buscaba entre mis propias diapositivas, fotografías y notas originales, y luego los ilustraba con lujo de detalles.

Se reconoce que el desembarco anfibio está en un elevado nivel técnico entre las operaciones militares. Los requerimientos militares y navales son totalmente distintos. Los militares no querían desembarcar tan lejos de Stanley que les significara una larga marcha. Por otra parte, un desembarco cerca de Stanley requeriría fondeaderos navales sumamente expuestos, tanto al mal tiempo del este como a los ataques con Exocet, de aviones y submarinos. A la Armada le gustaba la idea de entrar en las aguas abrigadas del Estrecho; a nosotros no nos gustaba la idea de tener que cruzar caminando todas las Falklands. Queríamos tener la capacidad de tomar tantas playas como fuera posible, de manera que llegáramos a tierra rápidamente y organizáramos posiciones defensivas para resistir cualquier ataque de los argentinos.

Finalmente elegimos San Carlos por varias razones. Militarmente podíamos ocupar el fondeadero, dominar el sector hacia afuera y rechazar efectivamente un contraataque argentino. La Armada podía realizar los desembarcos iniciales en el Estrecho San Carlos y, una vez que hubiésemos tomado las aguas interiores de San Carlos, los buques ya podrían entrar. Cuando supimos que eso había sido visitado solamente por grupos pequeños de argentinos no podíamos creer realmente en nuestra suerte. Conociendo la zona yo me sentí muy sorprendido ante el hecho de que los argentinos no hubieran usado Bahía Ajax como cuarteles. Por supuesto, los argentinos están influenciados por los norteamericanos y creían que nosotros también lo estábamos. En consecuencia, pensaron que si hubieran sido ellos quienes lo hacían, habrían desembarcado en Stanley, y supusieron que nosotros haríamos lo mismo porque también teníamos influencia norteamericana. Nosotros no lo hacemos así. Aparte de otros efectos, habría causado bajas terribles y absolutamente imperdonables a los civiles, y ésa no es la forma británica de hacer las cosas. Preferimos una aproximación menos violenta y más ingeniosa en estos casos.

(Dos semanas después de los desembarcos en San Carlos, los Guardias Galeses fueron trasladados por buque. Su destino: Bluff Cove.)

Había serios problemas tácticos y de tiempo. Teníamos tropas muy adelantadas en el flanco sur que necesitaban refuerzos tan rápidamente como fuera posible. Había que transportar sin pérdida de tiempo a los Guardias y no teníamos helicópteros. Caminando —marchando— les habría llevado un tiempo excesivamente largo, inaceptable. Y para ser honestos, ellos probablemente no se hallaban en condiciones de hacerlo: por cierto que no estaban en forma física comparable a la de los infantes de marina o los paracaidistas, por obvias razones; no creo que deban ser culpados por eso.

Durante el día 7 de junio habíamos estado descargando el buque de desembarco *Sir Tristram* en Fitzroy (próximo a Bluff Cove) tan rápido como pudimos, porque queríamos que el buque volviera durante la noche a la relativa seguridad —en comparación— de San Carlos. El comandante del buque me invitó a cenar; un encantador y sofisticado refugio en medio de ese espantoso asunto. Después de cenar, nos sentamos con un vaso de oporto en su camarote, y tratamos con total claridad su preocupación y la mía por la circunstancia de que su buque debiera permanecer allí otro día, expuesto a un posible ataque aéreo en Fitzroy. Esa noche, cuando me fui a la cama, escribí en mi diario: "Este buque se halla en grave peligro de ser atacado mañana a la mañana". No habíamos terminado de desembarcar toda la munición, y yo sabía que iba a tener que quedarse allí durante el día siguiente.

Mis últimos comentarios de esa noche en mi diario me convencían en forma absoluta de que no quería encontrarme a bordo durante el día. No había la menor duda en mi mente, o en la del comandante, de que la nave se hallaba en grave peligro. Había estado allí un día completo. No iba a poder salirse con la suya un segundo día.

A la mañana siguiente, el comandante entró apresuradamente en mi camarote y dijo: "Yo no sé si me vas a creer esto, Ewan. Hay otro buque logístico en el fondeadero, y creo que tiene a bordo un montón de hombres". Ambos subimos corriendo al puente y allí, frente a nosotros, hacia la costa y probablemente a unos doscientos metros de ésta, vimos el *Sir Galahad*. Mediante los binoculares vimos claramente docenas de hombres en el portalón de popa, esperando que los trasportaran a tierra. Era muy claro, especialmente en vista de nuestra conversación de la noche anterior, que no sólo estaban en peligro los buques sino cualquier persona y particularmente esa cantidad de hombres a bordo. Cuando hay tantos hombres a bordo de buques, como en ese caso, aun en los ejercicios se los lleva en primer lugar a tierra. Se quita a los hombres del camino. Aun olvidando los ataques aéreos argentinos, queríamos sacarlos de ese buque y llevarlos a tierra, a doscientos metros de distancia.

Por sobre todo lo demás, estaba en mi mente, y en las mentes de muchos otros, la amenaza de los ataques aéreos argentinos. Hacia el norte con respecto a nuestra posición, teníamos Wickham Heights, y estábamos convencidos de que allí había puestos de observación enemigos. Habían permitido que estuviera allí un buque durante un día completo, y ahora había dos buques. Los trescientos cincuenta hombres del *Sir Galahad* debían desembarcar. La playa estaba a veinte minutos de navegación en la lancha de desembarco. Era mucho mejor que yo los sacara.

Lo propuse al oficial más antiguo que pude encontrar en la popa del *Galahad*, diciéndole que mi opinión profesional como oficial de lanchas de desembarco y por haber estado relacionado con la guerra anfibia durante casi toda mi carrera, era que debían salir primero del buque y luego esperar. Él se mostró inexorable, expresando que su destino era Bluff Cove y no Fitzroy. Yo también fui muy firme y respondí que no lo iba a llevar a Bluff Cove a la luz del día. Pocas horas después se pudo ver que yo tenía razón, cuando hundieron una de mis lanchas de desembarco. Desgraciadamente, no estaban preparados para ir a tierra y esperar. Si he de ser justo, los habían zarandeado bastante allá en San Carlos, marchando y regresando, partiendo de nuevo y volviendo otra vez atrás. Pero se hallaban en grave peligro por la acción enemiga y, claro está, por accidentes ordinarios a bordo; no había duda en mi mente sobre eso.

La lancha de desembarco y la balsa motorizada que yo tenía para descargar el *Sir Tristram* llevaban una carga de municiones a bordo. Me señalaron que hombres y municiones no deben viajar en el mismo vehículo. El oficial dijo que él no pondría a sus hombres en una carga mixta con munición. Yo le expliqué que eso era la guerra, que no operábamos con las restricciones de tiempo de paz durante la guerra, y que sus hombres se hallaban en grave peligro. Creo que fue la afirmación más seria y más repetida que pude hacerle. Es así como se actúa en la guerra. Se hacen a un lado esas restricciones menores de tiempos de paz. Yo podría haber sacado a esos hombres en veinte minutos, eso es indiscutible. Desgraciadamente, la conversación se hizo cada vez menos militar y surgió entre nosotros una serie de cosas. Yo lo acusé de no aceptar el consejo de alguien que había estado haciendo eso toda su vida, y que había presenciado los ataques aéreos argentinos una semana antes en San Carlos.

Por razones que sólo ellos conocen, los oficiales decidieron no prestar atención a la palabra de un mayor de infantería de marina, y manifestaron que sólo recibirían órdenes de alguien más antiguo. La conversación se redujo a esa ridiculez, comparando las jerarquías de un mayor de infantería de marina y un mayor del ejército. Yo no creo que hubiera diferencia alguna. Yo era el hombre que actuaba en el lugar por orden del comodoro (Mike Clapp), tratando de descargar esos buques. Cualquiera, con un poco de juicio profesional habría escuchado el consejo de un experto, independientemente del grado. Desafortunadamente, yo no tenía el grado de teniente coronel, que, por lo que pude entender, era el único a quien estarían dispuestos a escuchar. No había tantos tenientes de infantería de marina ese día y en esos lugares. Y así continuamos la discusión.

Por todas esas razones, no permitieron que los hombres desembarcaran. Si yo los hubiera llevado a tierra, ellos podrían haber esperado hasta la noche, en que yo habría sido muy feliz conduciéndolos a Bluff Cove por una ruta que ya habíamos probado, o podrían haber caminado durante las horas del día hacia su objetivo frente a Bluff Cove.

Yo estaba cada vez más y más enojado y molesto por el hecho de que alguien que no sabía nada de guerra anfibia, o de estar en guerra, no aceptara el consejo de, permítanme decirlo, un experto. De modo que, sin contener mi furia —fue la única vez que tuve ese sentimiento durante toda la guerra— me dirigí a tierra en mi lancha de desembarco. No quería permanecer por más tiempo a bordo de ese buque, como tampoco quería que permanecieran los hombres. Yo personalmente no quería sufrir otro ataque aéreo argentino sobre un blanco más que probable. Le dije a ese oficial que se estaba comportando en una forma extremadamente irresponsable y que no quisiera ser yo culpable de lo que pasara a sus hombres. Por supuesto, trágicamente, tres o cuatro horas más tarde, quedó demostrado que yo tenía razón.

Es así como terminó mi participación en ese funesto episodio, en un ataque de cólera y disgusto por esa gente que no quiso escucharme. Subí a la montaña, bebí café con algunos isleños, y pocas horas después presencié el bombardeo de esos dos buques.

En realidad, al principio no vi nada. Uno oye el ruido inconfundible de los veloces aviones de reacción, y los que nos encontrábamos en la cocina de aquella casa en lo alto de las montañas nos precipitamos a las ventanas. Era muy claro que no se trataba de aviones nuestros y los vimos atacar al *Tristram y al Galahad*. Instantáneamente se vio humo — primero del *Tristram*. Era un humo negro y espeso. No vi signos visibles del drama a bordo del *Galahad* en ese momento, pero creo que hubo luego un segundo ataque, que yo no vi, porque había vuelto a la cocina, donde unas niñas estallaron en lágrimas. Yo era lo primero que ellas habían visto de la guerra, de la guerra verdadera, y ahora la estaban contemplando por la ventana. Supe que mis miedos, mis peores miedos, se justificaban.

Bajé corriendo a la playa que estaba a unos ochocientos metros. Ya empezaban a llegar algunos hombres a tierra en el más espantoso estado, y yo no podía hacer nada. En uno de esos extraños arranques humanos, me quité la chaquetilla y el suéter, levanté una camilla y estuve llevando camillas durante las dos horas siguientes, sintiendo en el subconsciente — supongo — que al haber estado envuelto en las discusiones que permitieron que eso ocurriera, debía ahora expiar por mi incapacidad para evitar que esos hombres fueran bombardeados. Esas dos horas actuando como camillero fueron ciertamente la tarea emocionalmente más agotadora en que alguna vez haya participado.

Creo que, en toda mi carrera, aquella fue la vez en que más cólera haya sentido. Fue por cierto la única vez en que me avergonzaba por haber intervenido en algo que había salido mal. Aunque me culpo a mí mismo, en parte, por no haber insistido más vigorosamente en que los hombres debían ser llevados a tierra, siento que en realidad no se me puede culpar por su muerte. Y aun hoy pienso a veces en aquella circunstancia.

CHRIS WHITE

Chris White prestó servicios en el 1er Escuadrón de Incursión de la Real Infantería de Marina. Se hallaba a bordo del buque auxiliar de la Armada Real *Sir Galahad* cuando fue bombardeado por aviones enemigos y murieron cuarenta y ocho soldados y miembros de la dotación, incluyendo treinta y ocho Guardias Galeses.

El entrenamiento fue intenso en el viaje hacia el sur. Además de nuestra instrucción normal, aprendimos toda clase de procedimientos militares. Hasta tuvimos lecciones de español. Hubo reuniones explicativas de inteligencia, y a cada sección se le presentaron mapas actualizados de las zonas donde se esparaba que iríamos a actuar. Por mi condición de mediocre artista aficionado, me pidieron que dibujara juntos algunos de esos mapas en detalle, de manera que, en distintas reuniones informativas los hombres pudieran ver lo que estarían viendo en la realidad cuando estuvieran allá abajo.

La moral se mantenía alta, porque nos encontrábamos en los trópicos. Teníamos conciencia del hecho de que todo el mundo nos estaba mirando, especialmente los rusos. Continuamente se acercaban y se alejaban navegando de la Fuerza de Tareas. Todos aprendimos a dominar el código Morse con luces y nos enviábamos mensajes unos a otros con linternas, ante la irritación del almirante. En cierta oportunidad trasmitió un mensaje por destellador ordenando que termináramos con esas prácticas, pero obtuvo como respuesta un grueso insulto.

La noche anterior a los desembarcos bebimos hasta quedar completamente borrachos. No estaba planeado. Los que no bebían dejaron a un lado sus cervezas. El resto empezó a beber y cantar y divertirse. A eso de las cuatro de la mañana, el comandante ya estaba enviando mensajes abajo pidiéndonos que no hiciéramos tanto ruido. Nos hallábamos a la vista de tierra, de las Falklands, en esos momentos.

Seguimos de fiesta hasta las cuatro y treinta, y dormimos donde caímos. El toque de diana sonó a las siete, y la gente se levantaba, se rascaba la cabeza y se frotaba los ojos pensando: Hoy va a ocurrir algo... Ah, sí, vamos a la guerra. Estábamos de buen ánimo, y aunque nos hallábamos todos bien preparados, nos parecía todavía imposible que fuera a producirse realmente.

Yo empecé a asumirlo personalmente después del primer ataque aéreo. Nos encontrábamos en San Carlos con las primeras luces, preparándonos para descargar. Nuestras balsas de incursión, de fibra de vidrio, estaban alistadas para el desembarco en la costa. Alrededor de las nueve o diez de la mañana todo estaba muy tranquilo, una calma absoluta. Entonces comenzó: "Aviones a cien kilómetros al oeste, acercándose". "¡Santo Dios!" "¡Abran fuego!" Y los cañones comenzaron a disparar. Nos quedamos pasmados viendo los aviones que venían hacia nosotros. Los contemplábamos como si hubiera sido la Exhibición Aérea de Farnborough; "¡Oh, mira, allá viene uno!" Empezamos a comprender en todo su significado el hecho de que estaban arrojando bombas. De pronto nos dimos cuenta: "Sí, llegó el momento, estamos aquí y está sucediendo". Ninguna clase de entrenamiento intensivo puede prepararlo a uno para eso.

Después de un día de transporte de equipos, enviaron al escuadrón a la base de operaciones de vanguardia. Fuimos a la costa en formación, cruzamos frente a San Carlos, pasamos la fragata HMS *Antelope*, que había sido atacada y, consecuentemente, abandonada, porque había a bordo bombas sin estallar. Vimos en el costado del buque un tremendo agujero, por donde había entrado una bomba. Los equipos encargados de desarmarla se hallaban a bordo tratando de desactivarla.

Más tarde nos requirieron que dos de nuestras balsas de incursión se adelantaran a Teal Inlet. Debíamos hacer enlace con las Fuerzas Especiales y nos trasladaban en el *Sir Galahad*. Partimos de San Carlos en calma total, y primero teníamos que entrar en Bluff Cove/Fitzroy para permitir que desembarcaran los Guardias Galeses. Hubo algún problema con el buque; algo relativo a una falla de sistemas hidráulicos en la popa. En vez de entrar y salir con las primeras luces, estábamos todavía allí a mediodía, sin haber desembarcado. Un cabo y yo caminábamos por el buque controlando las balsas, luego miramos televisión, hicimos lo que quisimos y descansamos.

A la tarde, estábamos viendo una película en la sala de recreación. Y entonces se oyó por el sistema de intercomunicación: "¡Alarma roja de ataque aéreo!", seguido por: "¡A sus puestos de combate! ¡Puestos de combate!" Los hombres que se hallaban en el fondo de la sala empezaron a correr hacia adelante. Tenían puestos sus trajes antiflama, y corrían hacia los cañones Bofors en la proa del buque. Nosotros nos disponíamos a ponernos de pie cuando hizo impacto en el buque una bomba que penetró hacia abajo hasta la bodega, cayendo sobre un contenedor de bombas de mortero que algunos guardias galeses estaban empujando y preparando para subirlo. Estalló de inmediato.

Dos cohetes entraron por el costado del buque, cruzaron la sala donde estábamos sentados y estallaron en la cocina contigua. Todo sucedió muy rápidamente. En un momento nos hallábamos levantándonos de los sillones y en el siguiente todo volaba y caía hacia la izquierda. Las luces se apagaron y todo quedó desdibujado en la oscuridad. Se oyeron gritos y chillidos en la sala, y luego se hizo un silencio total. Yo estaba tendido en el suelo y empecé a revisar mi cuerpo. Sangraba de la cabeza, pero no tenía nada demasiado grave y sabía dónde estaba la puerta. Empecé a pensar en que debía salir de allí, y traté de ponerme de rodillas, pero el humo increíblemente espeso me impedía respirar. De modo que tuve que volver a tenderme en el suelo. Desgraciadamente, en ese momento me apoyé sobre los restos de alguien. Lo sentía, pero no lo podía ver. Empecé a moverme hacia la salida. Desde el fondo de la sala, muy poco visible por la oscuridad y el humo, uno de los muchachos empezó a gritar que había perdido una pierna.

Ese fue el momento de decisión más importante de mi vida, si iba a ayudarlo, o a salir simplemente de la sala. Nadie lo habría sabido nunca, porque sólo quedábamos él y yo con vida en el lugar. Decidí que quería ser un héroe. Entonces fui hacia atrás para buscarlo, mientras ambos nos llamábamos en la oscuridad. Yo trataba desesperadamente de convencerme de que debía volverme y caminar hacia la puerta para salir.

Encontré a Kevin Woodford por accidente. Debo de haberle pisado el muñón de la pierna, porque lo primero que supe fue que voló un puño en la oscuridad y me dio un fuerte golpe. Obviamente, Kevin estaba histérico. No pude encontrar mi morfina, ni la de él. La llevábamos alrededor del cuello, y se llamaba "Omnipon". Todo era muy confuso. El hombre era grande y pesado, y lo único que pude hacer fue pasar mis brazos por debajo de los suyos y empezar a arrastrarlo por el piso en dirección al sitio donde yo sabía que estaba la puerta. Todos los sillones y las sillas se habían revuelto formando barricadas. Yo no podía respirar debido al humo. Muy pronto perdí todas mis fuerzas. Y estaba perdiendo también por completo el control.

Lo había arrastrado unas tres cuartas partes del camino a través de la sala cuando le susurré que tenía que dejarlo y que iba a salir para pedir ayuda. Él quedó tendido en silencio. Estaba lejos de las llamas, de cualquier manera, y yo empecé a tantear el camino junto a la pared y el mamparo, en dirección a donde recordaba que estaba la puerta. Me encontré con otra pared que iba en otra dirección y no se comunicaba. Yo sabía que debía haber una puerta allí. Lo que no podía ver era donde uno de los cohetes había atravesado y estallado en la cocina. La pared original de la sala se había plegado hacia atrás formando otra pequeña pared. Me sentí un poco inquieto cuando oí una trasmisión final a bordo del buque: "¡Todos los hombres a sus puestos en los botes salvavidas!" Estando allí en la oscuridad con los muertos, las llamas y el humo sin saber cómo salir; sabiendo que tenía que haber allí una puerta y sin encontrarla...empecé a correr dando vueltas como un pollo sin cabeza.

De alguna manera me encontré afuera en la cubierta superior; allí había hombres con aparatos de respiración. Cuando terminé de vomitar, el único factor que me salva es que les dije que había un hombre allá adentro, abajo, que había perdido una pierna. Les informé básicamente dónde estaba. Y eso fue todo. Me evacuaron del buque. Me las arreglé para llegar a la proa y pasar la bodega, donde había explosiones. De allí salían hombres en tremenda confusión. Todos esperaban en la proa, gente quemada, gente que había perdido brazos o piernas; se hallaban sentados, muy callados completamente calmados con morfina. Esperamos nuestro turno en silencio hasta que nos levantó un helicóptero.

No recuerdo mucho después de eso, aparte del corto viaje en helicóptero, que me asustó más que lo ocurrido en el *Sir Galahad*. Habían quitado todos los cristales de las ventanillas para el caso de accidente, y metía un ruido de todos los diablos. Llevaron a los heridos a un buque. Yo me hallaba emocionalmente destrozado, porque, según mi propio criterio, había matado a un hombre. No importaba qué razonamientos iba a hacerme yo mismo, lo había dejado, tendido en el suelo y sin su pierna, en un compartimiento que se estaba incendiando. Eso empezó a provocarme extraños efectos. Debió aconsejarme el personal de sanidad, en la enfermería. Yo seguía hablando constantemente de la muerte.

Durante la noche, en algún momento debo de haber caminado hasta la cocina, donde había una pila de armas argentinas, tomadas evidentemente a los prisioneros de guerra en San Carlos. Estaban usando ese sitio como depósito. Entonces tomé una pistola de 9mm, con la intención de terminar con ese sentimiento de culpa aplastante. Alguien me había visto y me quitaron la pistola casi inmediatamente. Yo había estado sentado en la enfermería, sacando el arma que tenía debajo del suéter. Estaba calzada en el cinturón de mis pantalones. El médico, que se encontraba allí en el momento en que yo la sacaba, me puso una mano sobre el brazo y me quitó la pistola.

Yo sólo tenía la intención de acabar conmigo. No había explicación razonable que pudiera aceptar por haber abandonado a Kevin en ese compartimiento incendiado, aparte del miedo. Yo sabía que había fallado ante la posibilidad de hacer verdaderamente algo; no de ser un héroe, sino de hacer realmente algo por alguien, por alguien que lo necesitaba. Él necesitaba verdaderamente mi ayuda, y yo no se la di. Así me sentía yo y no quería saber más nada. Ya no tenía interés en absoluto por mí mismo.

Más tarde nos evacuaron al hospital de campaña de Ajax Bay, y de allí, por helicóptero, al buque hospital SS *Uganda*. Yo tenía una tarjeta colocada alrededor del cuello, y me llevaron con otros cinco hombres a una sala blanca y silenciosa, lejos de todos los demás. Y allí me dejaron. Noté que no me habían quitado mi ampolla de morfina, que estaba sujeta a mi tarjeta alrededor del cuello, de modo que me administré yo mismo la morfina, en el pecho, apuntando al corazón.

La morfina era como un pequeño tubo de dentífrico con una aguja en un extremo. Sólo tuve que abrirme la camisa hacia un lado y pinchar la aguja. Obviamente, la aguja no alcanzó suficiente profundidad y quedé inconsciente durante un buen rato. Llamaron al médico, y éste indicó al personal que controlaran los armarios con productos medicinales y todo lo demás. Recuerdo que pasó un largo rato hablándome. Me llamaba por mi primer nombre, lo que no era nada frecuente: "Christopher, ¿qué has tomado?", y yo finalmente le dije que me había inyectado morfina. Él dijo: "Sí, bueno, eso está dos grados más abajo de la heroína pura, de manera que tendrás una buena borrachera".

Poco después llegó el padre. Había oído hablar de esa persona tan particular que trataba de hacer tonterías. Había estado hablando también con un muchacho que se hallaba en terapia intensiva por haber perdido una pierna en acción en el *Galahad*. Sumó dos más dos, bajó, y me llevó junto a Kevin Woodford. No pude reconocerlo, porque la primera vez que lo vi había sido en plena oscuridad. Nos miramos uno a otro y estallamos en lágrimas, y eso fue todo. Fue la sensación más increíble. Y eso básicamente me detuvo e impidió que siguiera haciendo tonterías. No me quitó el sentimiento de culpa por lo que había hecho; aún persistía como algo abrumador. Aunque él estaba salvado, gracias a mis actos, yo todavía seguía convencido para mis adentros, de que había abandonado a un hombre cuando tal vez podría haberlo sacado. El equipo de rescate lo encontró donde yo les había dicho que estaba y lograron sacarlo. Se hallaba en pésimo estado, pero me conoció de inmediato.

Una vez más sentí la culpa sobre mis espaldas, y me estrujaba el cerebro para ver cómo podía hacer para superarlo. Me encontraba en el sector psiquiátrico del buque. No me trataban en forma especial, simplemente todo el mundo estaba en silencio. Había un padre en el buque cuando me transfirieron al *Hydra*, que era el servicio de taxi entre las Falklands y Montevideo, en Uruguay. Este capellán me aconsejó, y yo le pedí lo que los católicos llaman una "absolución".

El me dio la absolución y después me preguntó: "¿Te sientes un poco mejor?"

Le contesté: "No, nada."

Entonces él me dijo: "Me alegra que hayas dicho eso, porque se trata de algo con lo cual tienes que acostumbrarte a vivir, es algo que debes resolver tú mismo".

Me transportaron en vuelo junto con los otros, de Montevideo a Ascensión y luego de regreso al hospital militar Wroughton de la RAF, en Inglaterra. Me segregaron otra vez de todos los demás y me internaron en el departamento psiquiátrico. Me dejaron solo para estar en silencio. Yo me escabullí de la habitación, llegué a un teléfono y llamé a Gill (su esposa). Ella quedó muy sorprendida al saber que yo había llegado al país. Conseguí tener la presencia de ánimo suficiente para poder decirle dónde estaba. Mi padre y ella salieron de Weston-super-Mare inmediatamente para venir a verme.

No recuerdo mucho de ello, simplemente porque me encontraba demasiado feliz y me comporté como un estúpido. Ellos me hablaban de toda clase de cosas, de todo menos de las Falklands. Y yo pensé: Es extraño, ¿por qué no hablan nada de las Falklands? Yo tampoco me molesté en hablar de ellas. Mi padre nos dejó solos por unos minutos y se fue a ver a los otros muchachos que habían perdido brazos y piernas y estaban horriblemente quemados. Volvió pocos minutos después, y ambos se marcharon.

Entonces me transfirieron rápidamente desde Wroughton a Plymouth... a la sala de psiquiatría del hospital naval. Llevaba allí aproximadamente una semana cuando me hicieron un tratamiento completo para dormir. Había pasado casi catorce días sin dormir, y estaba completamente despejado. Ellos intentaban provocarme el sueño con inyecciones, con drogas, y yo resistía todo.

Me puse muy nervioso cuando vi en el noticiario el informe sobre el hundimiento del *Galahad* en televisión. Estaba temblando. La hermana me sostenía el sillón. Me había tomado de los hombros con fuerza, mientras yo permanecía sentado observando. Ver de nuevo ese buque estallando frente a mí, sabiendo que yo estaba allí dentro, y Kevin con su pierna arrancada, me resultaba totalmente increíble. Me hizo sentir muy extraño. No sabía qué era lo que me pasaba. Sentía que estaba cansado, pero sabía también que habían cruzado demasiadas cosas por mi mente como para que pudiera dormir. Estaba demasiado excitado emocionalmente y, por alguna razón, esa gente estaba empeñada en hacerme dormir.Y cuando no lo hacían, me trataban con sesiones de terapia. Me pedían que relatara y les dijera todo, y yo no podía ver exactamente qué estaba haciendo.

A veces me ponía tremendamente furioso con ellos y les decía: "Miren, yo no sé qué les pasa a ustedes, pero sé que mi situación es completamente distinta. Si estoy aquí por una razón psiquiátrica, entonces me resulta imposible relacionar con lavado de tazas y de quién es el turno para secarlas". Era sobre eso que estaban hablando los otros miembros de ese grupo de terapia y a mí me resultaba extraordinariamente frustratorio.

Mi diagnóstico no era el de un paciente psiquiátrico; en realidad, yo estaba sufriendo de algo llamado RAB —Reacción Aguda de Batalla— que es otra denominación para lo que se llama la "conmoción de las granadas". Finalmente me autorizaron a irme a casa en una breve licencia, y allí dormí por primera vez, en la seguridad de mi propio hogar.

Poco antes de abandonar el hospital, empecé a preocuparme por mi futuro. Todavía me faltaban cumplir ocho meses en el servicio. Pregunté al médico si el hecho de haber estado allí podría afectarme para mi futuro empleo. Me dijo: "Voy a darle un certificado de salud completamente positivo, en un ciento por ciento".

Posteriormente fui a South Armagh por seis meses. Me presenté allí en forma voluntaria inmediatamente después de haber terminado mi licencia por enfermedad, con la única intención de demostrar a cualquier futuro empleador en potencia, especialmente la fuerza de policía, que no había problema conmigo, ni física ni mentalmente.

(*Chris White trabajó para una compañía de seguros por un corto tiempo, pero quedó sin empleo tres meses después de dejar la infantería de marina. Su esposa tuvo que renunciar a su empleo por consejo médico. A pesar de que pasó las pruebas y un examen médico, su solicitud para ingresar en la policía resultó rechazada después de cierta demora. Un antiguo oficial de policía le dijo que era por sus antecedentes de salud. Aunque un médico de la Marina lo declaró completamente sano, la policía no quiso cambiar su decisión.*)

Mis relaciones con Gill entraron en una espiral hacia abajo después de eso. Yo me puse sumamente irrazonable como padre y como esposo. Me siento muy avergonzado al tener que admitirlo. Trataba a mi familia casi con desprecio. Mi mal genio era algo inaguantable, especialmente cuando conducía un automóvil. Y estaba desocupado. Empecé a beber cerveza, whisky y gin, hasta que llegué a un estado alcohólico en que bebía pero no me embriagaba, y me despertaba en medio de la noche buscando la botella. Gill me pidió que nos separásemos en juicio, y eso me asustó, realmente me conmovió. Yo sabía que no quería terminar con mi familia y que me había comportado como un cerdo, aunque no era mi culpa. Era tiempo de que empezara a poner las cosas en su lugar. Tres semanas después obtuve un empleo como conductor de ómnibus, y siete meses más tarde logré otra posición en una compañía, con un salario muy satisfactorio, y ahora somos muy felices.

DAVID GRIMSHAW

David Grimshaw se encontraba a bordo del *Sir Galahad* cuando éste fue bombardeado. Prestaba servicios en el Batallón de Guardias Galeses durante el desarrollo de la Operación Corporate. Los Guardias Galeses eran parte de la 5ª Brigada de Infantería, que llegó a las Falklands nueve días después de la 3ª Brigada de Comandos, la principal fuerza de desembarco que ocupó las costas de San Carlos.

Los Guardias Galeses hacemos dos cosas: Cumplimos deberes de ceremonial, pero somos también soldados de infantería. Teníamos un poquito de aprensión, y creo que era porque habíamos pensado que íbamos a las Falklands para establecernos como guarnición después que la lucha hubiese terminado. Eso era lo que todos habían pensado. Pero cuando llegamos allá, sufrimos una cierta conmoción. Aunque, siendo soldados, sabíamos que algún día tendríamos que hacerlo.

Resolvieron que, desde San Carlos, debíamos trasladarnos a Bluff Cove en el *Intrepid*. Habíamos estado viviendo en trincheras. El viaje en buque nos iba a dar la oportunidad de lavarnos. Esperábamos con ansias el momento de higienizarnos un poco y limpiar nuestro equipo. Luego decidieron hacer volver a San Carlos al *Intrepid* y nos transfirieron al *Sir Galahad* que nos haría entrar de día. No sabíamos lo que nos iba a ocurrir... simplemente nos alegrábamos de estar a bordo del buque, de que éste nos llevara a alguna parte y de empezar a hacer algo.

Cuando llegamos a Fitzroy yo estaba abajo en la bodega. Allí habían depositado todos los abastecimientos, además de los Land Rover y la munición. Abrieron la cubierta superior y se disponían a bajar un guinche para subir nuestras bolsas y mochilas. Después, se suponía que empezaríamos a desfilar para salir por el costado del buque. No podíamos hacerlo por la rampa porque el sistema hidráulico no funcionaba, y las barcazas de desembarco no podían llegar hasta nosotros. En ese momento cayó la bomba sobre el buque.

Los tripulantes del *Galahad* eran en su mayor parte chinos. Cuando abrieron la cubierta superior, había dos chinitos con unos trajes color naranja. Estábamos mirándolos allá arriba en ese momento... y empezaron a gritar y chillar mientras caían al suelo. Cuando nos dimos vuelta, el sargento mayor de nuestra compañía gritó: "¡Cuerpo a tierra!" Volví a darme vuelta y me arrojé al suelo. Hubo una pausa —cinco o seis segundos— y después una tremenda explosión. Quedé inconsciente durante un par de segundos. Había fuego y humo por todas partes. Traté de ponerme de pie, y entonces me di cuenta de que había perdido la pierna y, naturalmente, caí otra vez al suelo. Cuando me desperté, seguía tendido en el suelo. Lo único que sentía era una impresión de quemadura en la parte baja de mi pierna izquierda. No pensé nada sobre eso. Recuerdo que me miré la mano izquierda, porque eso era lo que más me preocupaba. Estaba quemada, como derretida. Entonces pensé que debía salir del buque. Como yo era responsable de una ametralladora GPMG, llevaba conmigo la munición de 7,62 mm, un par de miles de balas en ese momento.

Lo primero que hice fue quitarme todo el correaje. Tenía municiones en el interior de mi chaqueta de combate. Me la quité también y empecé a arrastrarme para salir. Había dos Land Rovers a bordo del buque. Cuando yo salía ya de la bodega arrastrándome los Land Rovers estallaron. Se oyeron muchos gritos y chillidos. Recuerdo que miré hacia atrás y vi una persona que corría en mi dirección completamente envuelta en llamas. Nunca volví a verla, y no sé quién era. Recuerdo que se oían muchos gritos por todas partes, y gente que pedía: "¡Ayúdenme!". Había también mucho humo y polvo. Yo quise asegurarme de que podría salir. Llegué a una escotilla en el costado del buque y grité. Alguien me llamó: "Vamos, salga". Le contesté: "Bueno, alguien tendrá que venir y sacarme, porque he perdido una pierna. No puedo salir".

Recordé a Jill, su familia, mi familia; eso debe de haberme dado fuerzas para salir del buque. Me trepé por la escotilla, y llegó alguien abajo y me subió por la escalera.

En la cubierta superior todos gritaban y corrían. Alguien del equipo médico de campaña que se hallaba en el buque con nosotros me aplicó un torniquete en la pierna y me inyectó morfina. Era muy hábil. Creo que si él no hubiera estado allí yo podría haber empeorado mucho. Actuó tan rápidamente que detuvo la hemorragia y me tranquilizó.

Me llevaron a la playa en helicóptero. Cuando aterrizó me pusieron sobre una camilla y yo debía sostener mi pierna en el aire. Había un montón de pequeñas cosas que colgaban de ella, de manera que, supongo, debía de tener un aspecto horrible. Miré alrededor y vi un grupo de gente que filmaba. Prácticamente saltaron hacia mí. Eso me molestó un poco. No sé si no los insulté... o por lo menos les dije que se fueran. Me estaban filmando porque habían visto el estado de mi pierna.

En el hospital de campaña de Ajax Bay había mucha confusión al principio. Estábamos en una sala muy grande. Había camillas por todas partes. Gente dolorida, muchos gemían y se quejaban, hombres y mujeres que salían y entraban corriendo; heridos a los que llevaban a las salas de operaciones. La confusión era general. Pero todo lo que queríamos saber era dónde estaban ciertas personas. Mi mejor amigo se hallaba en una camilla en el otro extremo de la sala. Muchos gritaban: "¿Han visto a fulano?", y se oía una respuesta: "Sí, aquí estoy". Y entonces sentíamos un verdadero alivio.

No sabíamos quién había salido del buque. Sólo más tarde, cuando nos encontramos en el *Uganda*, supimos exactamente qué había sucedido, quiénes habían muerto y qué heridas tenían algunos. Yo estaba contento de haber salvado la vida, eso era lo principal, aunque había perdido la pierna y tenía quemaduras. Pero aún seguía preocupado por mis amigos que habían estado conmigo en el ejército desde hacía mucho tiempo. Fue un alivio saber que algunos estaban todavía allí.

En el *Uganda* nos hallábamos en una verdadera enfermería. Funcionaba exactamente igual que un hospital. Lo peor era que, la sala donde yo estaba tenía directamente arriba la pista de aterrizaje del helicóptero. De manera que, cada vez que el helicóptero aterrizaba o despegaba, se sentían terribles vibraciones a través del buque. Eso realmente me afectaba, por mi pierna. Tenía un dolor muy fuerte y me aterrorizaba sentir que el helicóptero llegaba o partía.

Trajeron al buque a los argentinos heridos.* Estaban muy sucios y empapados. Sufrían de pequeñas cosas, tales como pie de trinchera y congelamiento; no parecían tener heridas físicas. Lo que me molestó, y a muchos otros, fue que estaban ocupando camas y espacio que podrían haber sido ocupados por gente nuestra que tenía heridas graves. Poco antes de llevar a los argentinos a bordo entró un paracaidista muy joven que había perdido la pierna y el brazo del lado izquierdo. No había comida suficiente —un soldado siempre quiere más

---

*Helicópteros argentinos, con equipo médico a bordo, transferían después a sus heridos al buque hospital *Bahía Paraíso*.

comida— pero las enfermeras eran muy buenas. Nos cuidaban satisfactoriamente.

Dejamos el *Uganda* en un pequeño buque hospital y nos llevaron a Montevideo. Desde allí nos transfirieron en una ambulancia a un avión sanitario VC10, que nos llevó a Gran Bretaña, a Brize Norton. Cuando íbamos a despegar, en plena carrera por la pista, uno de los motores estalló. Hubo mucho pánico. Yo estaba atado a una camilla, y empezaron a pasar cosas por mi cerebro: ¿Irá a ocurrir ahora todo de nuevo? ¿Qué va a suceder? Los tripulantes corrían por todo el avión calmándonos. Nos explicaron que el motor había tragado un pájaro y por ese motivo había estallado.

El avión se detuvo. Si eso hubiera ocurrido un par de segundos más tarde, la aeronave habría tenido que despegar, dar una vuelta de pista y luego consumir combustible antes de aterrizar. Pero lograron clavar los frenos y pudieron detener el avión. Nos llevaron otra vez al buque y permanecimos allí hasta el día siguiente, en que nos transfirieron a otro VC10 que nos llevaría a Brize Norton. Cuando estaba en el avión, por segunda vez, cerré los ojos y me quedé inmóvil, rezando para que pudiésemos despegar. Dicen que las cosas suceden cuando ya es la tercera vez, ¿no es así? Ya había ocurrido dos veces, no quería que pasara de nuevo.

Al llegar a casa, al principio estaba un poco nervioso. Cruzaban muchas cosas por mi mente. Nos habíamos casado muy poco tiempo antes de irme, y yo acostumbraba practicar tiro, correr y cosas como esas. Mi vida había cambiado ahora totalmente; ya no podría correr. Estaba muy dolorido. ¿Qué pensaría Jill? Cuando la vi, pareció que no le importaba mi pierna. ¡Estaba tan alegre de verme allí y de que estuviera con vida! No parecía que algo hubiera cambiado. Seguíamos siendo los mismos, y como Jill estaba embarazada, también teníamos algo en qué pensar para más adelante, de manera que seguimos como siempre. No tenía sentido sentarse y quejarse por lo que me había pasado, o que Jill me demostrara lástima.

La situación referida a un empleo parecía estar en cero. Me habían prometido tanto y me dieron muy poco. Cuando estuve en el Hospital Woolwich hubo un oficial que quería enviarme a hacer todos esos cursos. Pero llegado el momento, no fui a hacer los cursos porque en la zona donde yo vivo hay muy poco que hacer. Uno puede iniciar aquí un negocio, y no saca nada de él; pero hay algunas grandes compañías y buenos puestos. Yo tengo muy buenos antecedentes militares.

En la época de las Falklands la gente lo buscaba a uno, le estrechaba la mano y le decía: "Este hombre es un héroe". Pero hoy la gente olvida muy rápido. Y yo he quedado así por el resto de mi vida. Mi pierna no volverá a crecer.

WAYNE TRIGG

Wayne Trigg tenía diecinueve años de edad y prestaba servicios en el 1er Batallón de los Guardias Galeses cuando lo enviaron a las Islas Falkland en el buque de pasajeros QE2[1] Se encontraba a bordo del *Sir Galahad*, en Fitzroy, el 8 de junio de 1982, cuando fue bombardeado éste por aviones argentinos.

Todos estábamos deseando llegar allá abajo. El tiempo se mantenía bueno después de pasar la Isla Ascensión. Nos habíamos entrenado en combates simulados y ejercicios de campo. Hacía cuatro años que yo estaba con los Guardias. En esos días nos hallábamos cumpliendo tareas ceremoniales, en el Palacio Buckingham, St. James's, el Castillo de Windsor y la Torre de Londres. También habíamos estado en el exterior. Yo fui con los Guardias Granaderos a Berlín, mientras todos los Guardias Galeses se hallaban en Irlanda. Tenía diecisiete años entonces; demasiado joven para ir. Estuvimos también en Kenya durante seis semanas para realizar entrenamiento en la selva. Cuando salimos hacia las Falklands yo tenía diecinueve años.

Desembarcamos en las Falklands frente a San Carlos donde nos hicimos fuertes. Permanecimos allí dos o tres días, y luego nos dijeron que debíamos ponernos en marcha para alcanzar al resto del ejército. El camión que teníamos no pudo avanzar en el terreno, los pantanos hacían que las ruedas se atascaran, entonces volvimos a San Carlos para pasar otra noche. Después nos transfirieron a un buque para viajar hasta Bluff Cove. Más tarde nos cambiaron del *Fearless* al *Sir Galahad*. En la mañana del 8 de junio habíamos llegado a la altura de Fitz-

[1] Queen Elizabeth 2. (*N. del T.*)

213

roy, y estábamos transportando munición. Todos se hallaban de buen ánimo; queríamos alcanzar pronto al resto de los Guardias Galeses. Habrían sido las primeras acciones reales que pudiéramos ver, excepto los eventuales ataques aéreos cuando estábamos en San Carlos. Habíamos terminado de colocar la munición en el centro del buque, y nos ordenaron que metiéramos nuestras mochilas en las redes para que las levantaran y llevaran a la costa en los helicópteros. Terminamos también esta tarea, subimos, buscamos y nos colocamos los correajes, tomamos nuestros fusiles y nos pusimos ropa de abrigo. Empezó a abrirse el techo de la bodega del *Sir Galahad*. Mientras se abría oímos el chillido. Vimos un tipo, allá arriba, cerca de la escotilla, que se arrojaba al suelo. Oímos que había un ataque aéreo. Los aviones pasaban por arriba. En realidad no pudimos verlos y no estábamos seguros en cuanto a que las bombas vinieran o no hacia nosotros. Entonces se oyó una terrible explosión. Hubo muertos y se oyeron gritos y gemidos. El buque era una enorme bola de fuego.

Yo me cubrí ante todo la cara, mientras la onda explosiva llegaba desde el centro del buque hacia la popa. Como los extremos anterior y posterior de la nave estaban cerrados, las llamas no tenían forma de escapar. Era como si hubieran rebotado volviendo hacia atrás. Me tomaron la mayor parte de la espalda y las piernas. Sentí que el fuego realmente me envolvía. Mientras trataba de salir de las llamas caí al suelo, y así fue como me quemé las manos. El piso estaba al rojo vivo, como si el metal hubiera salido de la fragua de una herrería. Cuando mis manos tocaron el suelo, la piel simplemente se desprendió. Fue como si yo estuviese viendo doble: una mano y su reflejo. La piel de ambas manos estaba realmente separada. Era como un guante puesto encima. Se movía floja y colgaba de ambas manos.

Me incorporé y oí gritos y chillidos. Miré hacia atrás, pero no era mucho lo que se podía ver ya que todo el buque estaba en llamas. Había humo negro por todas partes. Lancé un grito para mí mismo diciéndome que estaba vivo. "Estoy vivo. Por amor de Dios, tengo que salir pronto de aquí". Corrí hacia el sitio donde sabía que se hallaba la puerta más próxima.

Fuimos dos los que tratamos de salir. Chocamos y nos empujamos uno al otro. Me ayudaron a pasar a la cubierta. Arrojaron por la borda el arma que yo tenía. Apagaron las llamas que aún ardían en mi espalda. Los hombres que no estaban heridos ayudaban a los que sí lo estaban. Todos aguardaban los helicópteros que vendrían a sacarnos de allí. Muchos me gritaban que mantuviera los ojos abiertos. Tenía quemada la mayor parte de la cara y me mojaban constantemente con

214

agua para enfriarla y evitar que se me cerraran los ojos. Nos gritaban que volviéramos. La mayoría de los que estábamos quemados corríamos de un lado a otro intentando mantener frías las quemaduras. Mucha gente gritaba. Mientras miraba alrededor pude ver a otros heridos, mis compañeros. Pero era imposible reconocerlos porque tenían la cara completamente negra. Los cabellos habían desaparecido, quemados. El equipo médico se movía rápidamente llevando gente en las camillas. Vi a dos o tres de ellos tendidos en sus camillas; uno era aparentemente amigo mío —me lo dijo después— pero yo no pude reconocerlo. No dejaba de gritar diversos nombres, pero nadie podía reconocer a ninguno de nosotros. La piel de las caras estaba completamente negra y empezaba a ampollarse y llenarse de costras. El olor era espantoso. Las municiones que habían quedado debajo de la cubierta todavía seguían volando por todas partes. Se oían las explosiones. Se hizo una cola para las balsas salvavidas. Tres o cuatro de nosotros corrimos hacia un lado del buque. Sabiendo que no podía usar las manos decidí treparme por el costado mediante los brazos y codos, y así pude entrar en la balsa.

Fui a parar al fondo, pero no podía sentarme porque tenía quemado el trasero. Caminé por la balsa. Otros tres o cuatro heridos lograron entrar. Los que estaban ayudando intentaron ponernos sobre chapas, trataron de sentarnos e hicieron todo lo posible por calmarnos. Pero yo seguía gritando y chillando, era terriblemente doloroso. Finalmente me ayudaron un poco mojando una chaqueta en agua salada para aliviar algo el dolor. Pero yo seguía saltando, no podía sentarme por más de treinta segundos. Finalmente lograron que me sentara y empezamos a remar para alejarnos del buque. Cincuenta o sesenta metros más adelante saltaron los remos. La balsa empezó a volver hacia atrás, arrastrada en dirección al *Sir Galahad*. Algunos hombres empezaron a usar las manos intentando remar hacia la costa. Llegó un helicóptero sobre nosotros y levantó a los heridos de la balsa. Algunos me ayudaron para ponerme el lazo del cable alrededor del cuerpo. Me levantaron y cuando estaba por llegar, el hombre del torno me gritó que no mirara hacia arriba para no golpear con la cabeza contra el fondo del helicóptero. Me ayudaron a entrar y el auxiliar del torno me indicó que debía sentarme en el extremo posterior de la cabina, pero yo seguía gritando y chillando. Corría en el helicóptero hacia delante y atrás tratando de olvidar el dolor. Levantaron con el torno a otros dos tipos desde la balsa y luego nos llevaron a la costa. Sólo demoramos dos o tres minutos.

Ubicaron a tres de nosotros en un Land Rover. Había una colina antes de llegar al puesto de campaña de primeros auxilios. El Land Rover cubrió cierta distancia y no pudo continuar avanzando porque las ruedas daban vueltas en el barro. Debió retroceder. Esto ocurrió tres o cuatro veces. Los tres que estábamos heridos decidimos bajarnos de un salto y correr hasta el puesto de primeros auxilios. Se me caían los pantalones y uno de los tipos tuvo que sostenérmelos. Mientras esperábamos en el puesto de primeros auxilios llegaron y aterrizaron algunos helicópteros. La mayoría de los heridos tenían quemaduras. Corrimos hacia el lugar. Las quemaduras estaban tan calientes que queríamos enfriarlas con el viento de los rotores que giraban.

Mientras esperábamos oímos los silbatos —señal de que había otro ataque aéreo—. Todos nos cubrimos en el sitio más próximo: una casa. Nos quedamos detrás de la puerta. Entonces pude verme reflejado en el vidrio de la ventana, que estaba cubierto con una tela negra. Fue así cómo me di cuenta por primera vez de que tenía la cara quemada y llena de costras. No sentía nada. Solamente pensé que estaba horrible. No me reconocía a mí mismo, porque había perdido todo el pelo. Realmente me asusté. No había pensado que fuera tan malo, ni siquiera que estuviese tan quemado en la cara. Estaba casi negra y toda cubierta de costras.

En mi sección del pelotón de morteros había diez hombres que fuimos a las Falklands. Tres volvimos heridos. Siete murieron en el *Sir Galahad*.

(*A los heridos los trasladaron en vuelo al buque hospital* Uganda)

Estábamos todos en una sala muy grande en el *Uganda*. Oíamos a un tipo que se quejaba todo el tiempo. Yo lo miré, y lo único que me permitió reconocer al encargado de la compañía fue el tatuaje que tenía en el brazo. Era amigo mío, pero no pude reconocerlo de ninguna otra manera. Se me habían cerrado los ojos. La piel de la cara estaba tensa. Para eso nos ponían crema en la cara y nos metían las manos en bolsas. Dos veces por día, a la mañana y a la tarde, las enfermeras mojaban algodón en agua para aplicarlo sobre los ojos, de manera que pudiera humedecer las costras. Después ellas volvían y las retiraban. Poder ver de nuevo fue gracioso al principio. Entonces me di cuenta de que había más heridos en el buque. Muchos de ellos tenían quemaduras similares a las mías y recibían el mismo tratamiento. Pude reconocer a cinco, por las diversas marcas que tenían. Eran amigos. Pero ninguno de nosotros podía hablar con los demás porque estábamos amarrados a las camas.

Sabíamos cuántos Guardias Galeses habían muerto en el *Sir Galahad*, pero no conocíamos los nombres. Los descubrí cuando volví a Gran Bretaña, en el hospital de la RAF, en Wroughton. Uno de los oficiales llevó un ejemplar de la revista *Soldier*. Aparecía allí una lista de todos los Guardias Galeses que habían muerto, y fue entonces cuando me enteré de que la mayoría de ellos eran amigos míos. Uno de esos muchachos había ido a la escuela conmigo en Holyhead cuando yo tenía once o doce años. Estábamos en el mismo grado. Todavía sigo viendo a sus padres ahora, y voy con la familia el 8 de junio a llevarle flores al monumento conmemorativo. Los llamo por teléfono para averiguar a qué hora van a ir. Los espero y más tarde vamos todos a la casa y conversamos y volvemos a mirar viejas fotografías. Una o dos veces me he emocionado mucho junto a ellos, pero gradualmente lo he ido superando.

Yo querría que un hijo mío ingresara en los Guardias Galeses, porque se vive muy bien con ellos. Me habría gustado quedarme. Había firmado por nueve años, y esperaba terminarlos y volver a firmar para quedarme otros dos. Pero debido a mis heridas decidieron darme de baja por razones médicas.

Cuando uno ingresa en el ejército tiene que recordar lo que hacen en Irlanda. Uno no sabe a quién está combatiendo en Irlanda, y si a uno lo van a matar. Pero cuando ha firmado en la línea de puntos, uno debe pensar: "Vamos a Irlanda". Debe pensar en ir a la guerra... es por eso que yo firmé sobre la línea de puntos... ocurre a veces.

En aquel momento yo realmente pensé que valía la pena ir a las Falklands. Todos los Guardias Galeses estaban ansiosos por entrar en acción por primera vez. Pero a lo largo de estos dos últimos años, realmente aquello no ha valido la pena... pensando retrospectivamente.

Nos habían hecho subir a una celda que dominaba la pequeña

KEVIN MORAN

El cabo Kevin Moran es un especialista en sanidad del Regimiento de Paracaidistas. Actuó en el 2º Batallón del Regimiento cuando lo enviaron a la guerra de las Falklands. El 8 de junio de 1982, contempló desde una colina sobre Fitzroy cómo los aviones argentinos bombardeaban al *Sir Galahad*, que se hallaba abajo en la bahía.

En el viaje de ida hacia las Falklands, el oficial médico, capitán Steve Hughes, inició algo llamado el "médico de combate" que realizamos en el 2 Para (2º Batallón del Regimiento de Paracaidistas). Reunió a bordo tanta gente como pudo para enseñarles conocimientos avanzados de primeros auxilios, de manera que todos ellos pudieran tratar a sus camaradas cuando desembarcaran y comenzara el combate.

Lo que él hizo, básicamente, fue tomar el entrenamiento de primeros auxilios que ya todos teníamos y completarlo con ciertos procedimientos básicos de resucitación: cómo tratar algunos tipos específicos de lesiones y heridas con que podíamos encontrarnos cuando actuáramos en las Falklands. Estableció un procedimiento para tratar todas y cada una de las bajas tan pronto como las tuviésemos a la vista. Hubo que aprender y practicar. Las quemaduras eran uno de los temas del curso.

(Después de la batalla de Pradera del Ganso, hicieron avanzar el 2 Para en dirección a Port Stanley para el ataque final. El cabo Moran estaba agregado a la Compañía "C", cerca de Fitzroy, en la mañana del 8 de junio de 1982.)

Nos habían hecho subir a una colina que dominaba la pequeña

bahía de Fitzroy para hacer una comprobación de fuego con nuestras armas. Se hace eso cuando se tiene la oportunidad, para asegurarse de que los aparatos de puntería están bien regulados para dar en el blanco. Vimos que venían tres o cuatro aviones argentinos volando muy bajo. Íbamos a dejar que se ocuparan de ellos los misiles antiaéreos Rapier que teníamos en lo alto de la montaña. Todos observamos cómo entraban... y no pasó absolutamente nada. Los misiles Rapier en ningún momento actuaron contra los blancos. Los aviones hicieron su entrada sin la menor oposición y lanzaron sus bombas. Los seguíamos viendo después que pasaron y dejaron caer su carga. Uno de ellos dio en el *Sir Galahad*. Hubo una tremenda explosión. Cuando una bomba cae de un avión, se desprende lentamente de debajo de las alas. No sale disparada al frente, simplemente cae y parece planear. Eso fue lo que vimos. Los aviones volvieron para efectuar una segunda pasada. La primera vez nos limitamos a sentarnos y observarlos, pero ahora teníamos nuestras armas y todas las habíamos cargado. Los tipos que tenían ametralladoras las apoyaron sobre los hombros de otros soldados y abrieron fuego sobre los aviones en la segunda pasada. Pero los aviones no sufrieron daños.

Los hombres de los buques más cercano ya empezaban a trasladar a los sobrevivientes a la costa. Corría mucha gente en la cubierta de un lado a otro, tratando de llegar hasta la proa del buque, porque en la popa estaba ardiendo. Lanzaron balsas salvavidas de emergencia, de color rojo, y los hombres se descolgaban hacia ellas desde los costados de la proa. Había mucho viento y el humo era denso; la popa de la nave ya no se veía. Los helicópteros trabajaban en pares levantando heridos. Uno trataba de llegar a los sobrevivientes, el otro se colocaba en posición tal que soplaba el humo con su rotor para que el primer helicóptero pudiera entrar por debajo y rescatar a los heridos. Sin que uno de ellos limpiara el humo del lugar, la operación habría sido muy peligrosa para el otro. No habría podido ver dónde estaba volando.

Los tipos de las balsas rojas salvavidas usaban las manos y unas tablas para remar en el mar. Los helicópteros descendían detrás de ellas para crear una corriente de aire que las impulsaba hacia la costa. El viento causado por las palas de los rotores soplaba y empujaba a las balsas en el agua. Era un día claro y el mar estaba calmo, de manera que no había peligro de que las olas alcanzaran el helicóptero, pero ellos volaban muy cerca del agua.

Otros helicópteros llegaban sobre la cubierta del buque y allí se mantenían en vuelo estacionario. Descendía un hombre en un cable, enganchaba una camilla o a un hombre directamente y lo levantaban. No llevaban un solo herido y desaparecían sino que esperaban hasta cargar completamente el helicóptero y sólo entonces volaban hacia la costa. Algunos de los heridos eran llevados al puesto de primeros auxilios del regimiento, que tenía el 2 Para en el centro comunitario del asentamiento Fitzroy. Los casos más graves iban directamente al hospital de campaña de Ajax Bay.

Cuando las balsas empezaron a llegar a la costa nosotros bajamos para ayudar a los heridos a descender de ellas. Mi reacción inmediata fue: "Vamos a estar muy ocupados aquí". Aquellos que, como yo, habían realizado el curso avanzado de asistencia médica ayudaban a los médicos del regimiento. Bajaban directamente a la playa para dar los primeros auxilios de emergencia. Yo ayudé a llevar heridos hasta donde se hallaba el médico. Trabajamos con ellos tan rápido como pudimos, para que fueran atendidos sin pérdida de tiempo.

Algunos de los sobrevivientes se encontraban en conmoción grave por la experiencia traumática de hallarse en el buque cuando cayó la bomba. Otros tenían heridas muy serias, habían perdido miembros o recibido impactos de esquirlas y tenían abundantes hemorragias. Vendamos esas heridas y tratamos de asegurarnos de que podíamos mantenerlos con vida el tiempo suficiente para que los atendiera un médico. Había un montón de gente que sufría por una u otra causa. Sus rostros mostraban expresiones de asombro absoluto, como si no hubiesen sabido qué estaba pasando. Entre ellos formaban una comunidad separada: eran camaradas y se preocupaban unos por otros. Si había alguno que lo necesitaba mucho, otro empezaba a gritar llamando un médico. Era caótico. Uno trataba de ayudar a todos, pero sólo podía elegir alguno y decir: "Bueno, voy a socorrer a éste". Y se ponía a trabajar con él.

Uno de los paramédicos, llamado Hank, estaba tratando de inyectar a alguien en el brazo. Cuando uno tiene a una persona en estado de *shock* se hace extremadamente difícil, porque las venas se cierran. Alguien que está en *shock* y sangrando está perdiendo fluido corporal, entonces le llevábamos fluido para reposición. En realidad, uno trata de engañar al corazón que, al poner un poco más de fluido, cree que el problema no es tan grave.

Allá abajo, en la playa, la escena era impresionante. La instrucción recibida es la que salva la situación, y es así como uno vive esa experiencia. Sabe lo que le han enseñado, sabe cómo actuar en determinados casos, y hace lo mejor que puede. Se puede tratar a un paciente en distintas formas. Yo trato de verlos como si fueran un trozo de carne. Uno comienza con todo aquello de: "Bueno, bueno, muchacho", y "Te vas a poner bien, no hay problema". Después, se olvida de eso. Es de desear que haya alguien cerca para que pueda seguir hablándole al paciente mientras uno se ocupa de la herida.

Un tipo había perdido la parte superior de su antebrazo. Yo lo consideraba como una herida más que debía tratar. Hay procedimientos establecidos. Uno sabe que si no hace nada, ese hombre se va a desangrar hasta morir. Tenía a otra persona a mi lado, que seguía hablando al paciente mientras yo conseguía un trozo de camisa y le hacía un torniquete bien apretado en el brazo para detener la hemorragia.

El peor momento de todo aquello fue estar allí de pie en la colina contemplando cómo venían los aviones en perfecta formación y lanzaban las bombas sin que nosotros hiciéramos nada. Eso fue lo peor para mí, sentir que nos habíamos quedado allí de pie inmovilizados sin hacer nada hasta que ellos realizaron la segunda pasada. A veces pienso en el incidente. ¿Por qué sucedió? ¿Cuáles eran las circunstancias? ¿Por qué tenían que estar allí esos buques, en ese sitio en particular? ¿Por qué no hubo alguna otra cosa que hubiésemos podido hacer? No me siento acosado por aquello, pero de tanto en tanto vuelvo a pensarlo.

MARCOS IRRAZÁBAL

El soldado conscripto Marcos Irrazábal proviene de un barrio de la clase trabajadora en las afueras de Buenos Aires. Tenía diecinueve años cuando lo enviaron a las Malvinas, el 11 de abril de 1982. Estuvo en una batería de morteros, parte del Regimiento 3 de Infantería de la Brigada 10 del Ejército, cerca de Sapper Hill. Trabajaba como empleado en las oficinas de una firma productora de cemento.

La Marina Británica bombardeaba nuestras posiciones todas las noches. Y los aviones nos bombardeaban durante el día. Todos los días. Lo único que yo quería era terminar con todo de una vez; no podía soportar la espera. Cuando nos enteramos de que las tropas británicas habían desembarcado, descontamos que sólo era cuestión de tiempo. Yo estaba desesperado deseando que alcanzaran nuestras posiciones, de manera que entráramos pronto en combate, y termináramos de una vez, pasara lo que pasare. Una vez que desembarcaron, supe que estábamos derrotados. A medida que los británicos se acercaban la situación era cada vez peor porque teníamos que estar constantemente en guardia.

Yo no tenía nada contra los soldados británicos. Ellos pensaban que su causa era justa, y lo mismo creíamos nosotros. Yo les estoy especialmente agradecido por la forma en que trataron a amigos míos que estuvieron en el hospital. Es a los yanquis a los que no puedo soportar, no sólo porque nos traicionaron dando armas a los británicos y colocándose en general del lado de ellos, sino porque nunca los he podido aguantar. Con sólo echar una mirada a su bandera ya me dan ganas de vomitar. Es una cuestión personal.

Estaba en Sapper Hill con la batería de morteros cuando me hirieron. Fue el 12 de junio; dos meses después de nuestra llegada.

Ese día yo había sido designado para traer la comida desde Puerto Argentino. Iba caminando, atravesando unos campos, cuando llegaron dos aviones ingleses sobre nosotros. No sé qué sucedió, pero caí herido. Creo que recibí fuego de nuestro propio lado. Sentí un gran golpe y caí. El soldado que estaba conmigo me aplicó un torniquete en el brazo, pero le pregunté dónde tenía la herida, porque no sentía ningún dolor.

Me contestó: "Es en el brazo".

Empezó a arrastrarme. En ese momento llegaron los camilleros, me pusieron en una ambulancia y me llevaron al hospital.

Posteriormente me trasladaron a la Argentina en el buque hospital y finalmente a un hospital en Buenos Aires. A veces preguntaba a la gente que iba a visitarme: "¿Por qué tuvo que pasarme a mí?" "¿Por qué tengo que perder un brazo?" Y siempre me respondían que debía mirar hacia atrás y entonces vería cosas peores, y que mi problema no era tan malo como el de algún otro. Eso es verdad porque yo iba muy a menudo a visitar a los que estaban en la sala de psiquiatría, muchachos que habían perdido la razón. La gente que me visitaba decía que no era lo mismo perder un brazo en un accidente de automóvil o de tren, que perderlo peleando por su país, perderlo por la Argentina, por algo que sentíamos que era nuestro.

En aquellos días yo no estaba de acuerdo con eso, pero ahora comprendo lo que querían decir. Yo no me considero un héroe. Ninguno de los que volvimos es un héroe. Los héroes son los soldados que se quedaron allá, que murieron peleando por la Patria, así que yo nunca me consideraré un héroe, aunque también luché por la Patria.

Si hay algo que me gusta mucho en la vida es jugar al fútbol. Cuando se me hizo la gangrena en el brazo, lo primero que pregunté al médico fue si podría volver a jugar al fútbol alguna vez. Eso fue muy poco antes de que me amputaran el brazo. Me dijo que podría jugar al fútbol y que sería como un tipo normal. Al principio, cuando empecé a jugar otra vez, los otros me trataban como a un chico. Yo les dije que quería que me quitaran la pelota como lo hacían antes de que perdiera el brazo. Al fin comprendieron, y ahora soy simplemente un jugador más.

HORACIO BENÍTEZ

Horacio Benítez, de Buenos Aires, tenía diecinueve años, y estaba próximo a finalizar su período de un año de conscripción militar cuando lo enviaron a las Malvinas. Revistaba en la 1ª Compañía del Regimiento 5 de Infantería, en la Brigada 10 del Ejército. Se hallaba en Port Stanley y participó de la batalla final en Wireless Ridge. Maneja una cooperativa de alimentos y productos de mercado, dirigida por veteranos de las Malvinas, y estudia derecho en sus horas libres.

Me faltaba cumplir ocho días más con el Ejército antes de volver a la vida civil. Recuerdo que nos levantamos esa mañana y encontré un diario que anunciaba la ocupación. Había una fotografía de soldados que estaban subiendo a un avión de transporte Hércules. Nosotros no éramos invasores, íbamos a recuperar lo que era nuestro. Sabíamos que teníamos que ir, aunque no sabíamos si enviarían o no a nuestra unidad. Empezaron a llamar al resto. Creo que queríamos ir porque pensábamos que era nuestro turno para defender a la Patria. Además, por ser tan jóvenes, también éramos muy ingenuos. No nos dábamos cuenta de lo que aquello significaba exactamente. Todos mis amigos iban a ir, entonces... también yo tenía que ir. Era una especie de atmósfera de fiesta; solamente nuestras madres estaban preocupadas y lloraban.

Salimos en avión el 11 de abril de 1982. Lo primero que me impresionó cuando llegamos a Puerto Argentino fue ver qué inglés parecía todo. Allá no había nada argentino. Hasta recuerdo haber tomado una caja de clavos que tenía escrito "Made in England". Entonces uno empezaba a pensar: ¿dónde estoy? ¿Qué es esto? Ni siquiera hablaban español. Nos tenían miedo. No les gustábamos. Pero resultaba que la gente a quienes supuestamente íbamos a defender, es decir, los isleños, no eran en realidad nuestra gente, entonces uno no sabía quiénes eran los invasores. Al final, éramos todos invasores; ellos lo eran y también nosotros. Quería hablar con un hombre y no podía, porque era inglés. A lo mejor sabía algo de español, pero no lo decía, entonces yo tenía que hablarle en inglés. ¿En mi propio país yo tenía que hablar en inglés? Entonces me dije: Estoy loco, esto no puede ser, ¿dónde estoy? Desde nuestro primer día en la escuela nos habían hablado de las Malvinas. Siempre nos habían dicho que eran argentinas. Están en nuestra plataforma continental. Las islas pertenecen a la Argentina. Nosotros sabíamos que eso era verdad.

En ciertos momentos nos daban de comer, pero nos daban solamente sopa; una vez a la mañana y una vez a la tarde. Así que, como en la guerra siempre hay poca comida, o por lo menos uno no puede comer tanto como quisiera, teníamos que ir de compras. Para comer algo teníamos que encontrar un periodista o alguien que vistiera ropas civiles, porque nosotros no podíamos entrar en los comercios. Así era cómo comprábamos productos ingleses; alimentos importados de Inglaterra. Yo recuerdo especialmente la manteca, era maravillosa, y había unos bizcochitos increíbles. Y otra cosa que no había probado nunca en la Argentina era el chocolate Aero mint, que me encantaba. Cierta vez compré veinte tabletas. Comprendía que estaba probando una clase de alimentos que no era la mía, pero no fue fácil, aunque nos ayudó para ir tirando.

Recuerdo que una vez conseguí establecer algún tipo de comunicación con uno de los locales, en mi improvisado inglés. Nos comunicamos como los pieles rojas de las películas del Oeste. *"How you ?"*; *"You buy"*; *"Is good"*. Y él me comprendía más o menos. A veces me compraba alimentos y hasta me devolvía el cambio en chelines y peniques. Yo le pagaba en dinero argentino. Pero había otros que no querían hablar con nosotros, que nos cerraban las puertas, que tenían miedo. Escuchábamos la radio —la radio de Uruguay— para saber qué estaban haciendo los ingleses, cómo avanzaban hacia nosotros, cómo iban maniobrando con sus soldados, dónde iban a desembarcar, cuántos eran, y otras cosas más.

En medio de todo aquello, no teníamos absolutamente ninguna información. Sabíamos lo que estaba ocurriendo en nuestra zona, pero no teníamos idea con respecto al resto. En nuestros cálculos, las cifras (del enemigo) iban creciendo. Al principio eran tres mil, luego fueron seis mil, después diez mil, y así sucesivamente. Más tarde, cuando los buques de guerra británicos se acercaron a la costa para bombardearnos, supimos los nombres de los buques por la radio. Ya en esos momentos sabíamos la mayor parte de lo que debíamos saber.

Después del 1° de mayo cambiamos nuestra posición a lo alto de una montaña, porque inteligencia nos había prevenido que la zona que estábamos cubriendo en el llano estaba a punto de ser batida por los cañones navales. Hasta ese momento no habíamos estado bajo bombardeos intensos mientras nos hallábamos cerca de la playa, pero entonces comenzaron. Recuerdo que sus buques se ubicaban en una línea. Alrededor de las ocho de la noche ya se los podía ver allí, y empezaban a cañonearnos hasta las once más o menos. Era muy extraño, porque inicialmente pudimos oír cuatro cañones disparando y después esperaron. Pensé que así debía de ser el bombardeo: cuatro proyectiles y una pausa. Pero no, en este caso fue una descarga continuada y duró cuatro horas. Recuerdo que yo estaba dentro de mi cueva de zorro escuchando las explosiones, y los proyectiles silbaban sobre nosotros. Cuando uno puede oír el sonido del proyectil, significa que está pasando por arriba. Cuando se deja de oír el silbido quiere decir que viene justo hacia uno.

De manera que, después de los primeros bombardeos, comprendimos que había llegado el momento, que no íbamos a seguir mucho más tiempo preguntándonos si ellos vendrían o no, porque ya estaban allí. En cierta ocasión, mientras nos bombardeaban, tres de nosotros estábamos en una trinchera. Uno rezaba y lloraba, no porque tuviera miedo, sino porque sabía que algo iba a pasarle, y así fue. Perdió una pierna. Mientras él rezaba, yo comía y el otro fumaba. Ya estábamos bastante cansados de quedarnos sentados allí en la turba mojada, y finalmente decidimos salir y contemplar la función, porque *era* un verdadero *show* ver los misiles y las granadas que pasaban volando, y oír todas las explosiones. Parecía que la tierra hervía y por momentos era como si se moviera toda la isla. Esa vez comprendí que toda la broma se había terminado y que estábamos en una verdadera guerra.

Nos bombardeaban todas las noches. Comenzaba en el frente de nuestro sector e iban avanzando gradualmente hacia el fondo con una precisión notable, como si estuvieran poniendo las granadas con la mano. Cuando alcanzaban el fondo de nuestro sector volvían al frente y empezaban todo de nuevo. Parecía que se nos venía encima el mundo entero. Había una sensación de impotencia, ya que uno no hacía otra cosa que estar allí esperando la muerte. Entonces nos poníamos a pensar sobre lo que habíamos hecho en la vida, pero como teníamos diecinueve años, realmente no había mucho que hubiésemos podido hacer. Entonces pensábamos en lo que haríamos si tuviéramos la suerte de volver.

Crecimos muy rápidamente. Nos preguntábamos por qué estábamos allí, si era por una buena razón, para ganar o para morir, o si sólo nos estaban usando. En gran parte nos hallábamos preparados para ganar o morir, aunque otros tipos querían volver a casa, a sus madres. Eso era completamente normal, pero no era lo que pensaba la mayoría de nosotros, que estaba preparada para morir allí, porque pensábamos que toda la Argentina estaba detrás de nosotros, que se sentían orgullosos de nosotros, y era por eso que también nosotros nos sentíamos orgullosos por lo que estábamos haciendo.

Llamábamos a los Harrier británicos la Muerte Negra, porque hacia el final de la guerra picaban hacia nosotros en la montaña Dos Hermanas y uno podía ver las sombras que se nos venían encima. Empezaban a tirarnos con las ametralladoras y no había donde esconderse o protegerse, de manera que la sombra se iba acercando a uno debajo del Harrier y cuando esa sombra lo alcanzaba, uno era hombre muerto. Para entonces ya habíamos perdido el control sobre nosotros mismos. Éramos como salvajes, ansiosos de matar, completamente degradados. Todos mis valores habían cambiado, porque mi vida había cambiado. Ya no estaba interesado en la vida que había llevado previamente. Me había convertido en un instrumento de la muerte, y mi cerebro sólo se concentraba en sobrevivir para ir a matar; eso era lo único que nos interesaba, a mí y a mi grupo de camaradas. Teníamos miedo. El miedo que se siente cuando uno se mira a sí mismo y dice: voy a morir. Y entonces uno se pregunta: ¿Por qué voy a morir? ¿Mi vida es realmente poco valiosa? Es entonces cuando los valores de uno cambian. En los últimos días nos quedábamos afuera, tomando sol o escuchando música mientras nos bombardeaban. Así es cómo vivíamos en esos momentos... una vida muy extraña. Yo sentía como si hubiera vivido siempre así, como si hubiera nacido allí.

Hacia el final de la guerra me encontraba en la cumbre de una montaña, cocinando un guiso en mi casco. Había explosiones de granadas de mortero y fuego de artillería por todas partes alrededor. Se podían ver las balas trazadoras. Toda la isla era un infierno, pero al mismo tiempo parecía una fiesta de Navidad en casa, con los fuegos artificiales. Y allí estaba yo, cocinando y mirando el espectáculo. Uno de mis compañeros dormía la siesta, otro escuchaba música. Entonces llegó la orden para que bajásemos al valle. Sabíamos que íbamos directamente al combate. Todos quedamos sumamente agitados y hablamos al mismo tiempo. Uno hablaba de su hermana, otro de su colegio.

Otro más hablaba de fútbol, cualquier cosa para evadir el tema. Pronto nos encontramos marchando en una línea recta, y alrededor podíamos oír explosiones y gritos. El valle tenía unos tres kilómetros de largo, y yo empecé a tener miedo de que me mataran.

Atacamos a los británicos al pie de la montaña. Fue un caos completo. Estaba oscuro, y empezaron a surgir bengalas que iluminaban el cielo. De pronto teníamos luz de día. Nos miramos unos a otros como diciendo: ¿Qué hacemos ahora? Quedamos en el campo de tiro de las ametralladoras y no nos movimos. Permanecimos inmóviles como soldados de plomo y entonces los británicos empezaron a arrojarnos misiles antipersonales. Parecían bolas de fuego que nos perseguían por todas partes. No habíamos visto nunca una cosa como esa. Era como si hubieran querido encontrar un soldado en particular. Todos corrían para alejarse y un par de amigos míos cayeron muertos. Quedé paralizado. No disparé, no supe qué hacer. Estaba desesperado. Entonces empecé a correr, pero corría hacia arriba, subiendo a la montaña, junto con otros, de manera completamente desorganizada. Mientras trepábamos, había cascos, armas, cadáveres, desparramados por todas partes. Era un desastre. Y hacia donde uno mirara había humo.

Unos veinte de nosotros llegamos a la cumbre, y justo al frente estaban las patrullas avanzadas británicas, con sus boinas rojas, los Paras. Empezó la batalla. Era una total locura, con gritos en todos lados. Y con intervalos de silencio, en los que se podía oír música o gente que hablaba, y hasta que reía. Por momentos veíamos venir grupos hacia nosotros, y no sabíamos quiénes eran, de qué lado estaban.

Empezó a nevar: una nieve muy tenue que nos empapó. Yo estaba detrás de una roca. Y ellos me disparaban. A la luz de una bengala vi a un tipo y le disparé. Tiene que haber recibido varios tiros porque le descargué todo el cargador, y él cayó. Pero venían otros hacia mí. Yo seguía disparando, pero ellos seguían acercándose. Algunos caían, se levantaban de nuevo y seguían cargando contra nosotros y disparando. En esos momentos ya estaban todos alrededor. Deben de haber pensado que había miles de nosotros allí, pero no podíamos haber sido más de veinte, porque el resto de la compañía estaba al pie de la montaña. Hirieron a un sargento. Gritó que le habían dado en el estómago. Otro soldado gritaba pidiendo ayuda, pero uno no podía ayudarlo. Cerca de él cayó una granada que lo levantó en el aire, y volvió a caer.

Se puso de pie y empezó a gritar: "Estoy herido, estoy herido", también insultaba, pero seguía caminando. Pasó junto a varios soldados y le dijo a uno de ellos: "Te dejo mi fusil", y a otro: "Te dejo mi cargador", como si todo hubiera terminado. Cuando se alejaba caminando recibió un impacto de granada de fósforo; sus ropas tomaron fuego y él empezó a gritar. Pero también estaba iluminando nuestra posición, porque era como una antorcha humana, y nosotros le hacíamos señas para que se alejara para no mostrar nuestra posición en la oscuridad. En ese momento no nos interesaba si él moría o no.

Yo llevaba conmigo ocho cargadores, pero ya se me había terminado la munición y había usado todas mis granadas. Ya no razonaba correctamente. El único pensamiento en mi cabeza era conseguir esa munición y continuar peleando. Algo me estaba forzando a hacerlo. Quizás, en lo más profundo, yo gozaba con ello porque no es más que un instinto primario. Encontré más munición, pero cuando la estaba cargando vi un soldado inglés frente a mí. En el instante en que yo levantaba el fusil me hirió en la cabeza. Pareció que caía en cámara lenta. Me dejaron allí.

La bala había sido desviada por el casco y me había herido en el cuello. No podía mover la cabeza, pero todavía podía pensar. Recuerdo haberme preguntado si tendría aún los brazos. Traté de mover las piernas y comprobé que tenía todos mis miembros. Pensé: Estoy vivo. Traté de arrastrarme hacia atrás. No podía ponerme de pie. La batalla continuaba; me daba vueltas la cabeza.

Me encontraron unos amigos y me llevaron hacia abajo por la montaña. Pensé que iba a desangrarme hasta morir. Pedí a mis amigos un último cigarrillo. Conversábamos, nos preguntábamos si íbamos a morir o no. Alguien dijo que los ingleses mataban a los heridos. Finalmente me desmayé, porque había perdido mucha sangre. No me podía mover, pero todavía podía pensar. Cuando llegamos al puesto de comando, le dijeron al capitán: "Aquí está Benítez, está muerto".

Me envolvieron en una manta y me pusieron en lo alto de una pila de cadáveres. Llegó un sargento que estaba escribiendo los nombres de los muertos y lloraba. Debo de haberme movido, o parpadeado, o algo, porque se dio cuenta de que todavía estaba vivo. Me sacó de allí; me dieron un poco de morfina y me llevaron al hospital.

Volví a casa, a la Argentina, en un buque hospital, y me internaron en el Hospital Militar de Campo de Mayo, en las afueras de Buenos Aires, durante dos semanas. Cuando regresé a mi casa en el primer fin de semana, salí con mis dos hermanos. Yo estaba todavía bastante traumatizado por todo el asunto. Fuimos a un bar. Yo esperaba que todo el mundo estuviera triste por lo ocurrido, pero todos se divertían mucho, como si acabaran de ganar la Copa del Mundo. No se notaban indicios de preocupación o pena en las caras de la gente. En Buenos Aires, era como si no hubiera pasado nada. Había habido una guerra allá abajo, y salió mal, y ahora todo estaba terminado, pero nadie se interesaba realmente en lo que había sucedido, en todos los que habían muerto. La gente hasta parecía más feliz por el hecho de que ya no hubiera guerra. Era una atmósfera de fiesta. Yo acababa de ver lo que los seres humanos pueden hacerse unos a otros, y todos los sacrificios hechos por nuestras tropas, pero en Buenos Aires nada de eso tenía valor. A nadie le importaba.

Nosotros, los veteranos, pronto nos dimos cuenta de que éramos distintos de los que se habían quedado atrás. No es que esté resentido, no quisiera que nadie tuviera que pasar por lo que yo pasé, pero como argentino duele saber que a nadie le importa lo que nosotros hicimos. Si a alguien le interesa es desde un punto de vista político o militar, pero no desde un punto de vista humano. A nadie le importamos nosotros. La vida continúa. No queremos una recompensa, pero al menos queremos saber por qué lo hicimos. Para matar a alguien hay que tener una causa, o estar loco. Yo no creo que nosotros estuviéramos locos, de manera que teníamos que tener una causa, pero cuando volvimos, la causa parecía haber desaparecido. Uno se preguntaba: ¿Cuántos padres maté? ¿Por qué los maté? ¿Valió la pena? ¿Lo hice por la Patria? ¿Es uno mismo, o son esos que ríen y bailan mientras los otros sufren?

Lo más penoso después de la guerra ocurrió cuando nos llevaron a casa en avión y luego al hospital, y cuando salimos del aeropuerto nos rodeó un grupo de madres que gritaban y lloraban preguntando: "¿Dónde está Alberto, dónde está Mario?", y trataban de llegar a nosotros a través de las ventanillas abiertas de la ambulancia. Corrían a nuestro lado. Querían saber qué había sido de sus hijos. Era terrible no poder decírselo.

PATRICIO PÉREZ

El soldado conscripto Patricio Pérez acababa de terminar sus estudios en el colegio secundario cuando lo llamaron para cumplir con el servicio militar. Volvió a la vida civil después de un año en el ejército. Tenía diecinueve años cuando volvieron a llamarlo para ir a las Malvinas. Combatió con la 1ª Compañía del Regimiento 3 de Infantería, en Wireless Ridge. Después de la guerra se preparó como tenedor de libros. Ahora es tesorero de la cooperativa de veteranos de las Malvinas, en Buenos Aires.

Antes de la guerra yo acababa de terminar mis estudios secundarios. No estaba trabajando. Practicaba un montón de deportes y tocaba música. Vivía realmente como un estudiante con mi familia. Nos alegramos mucho cuando recuperamos las islas, pero también hubo preocupación. Pasó una semana antes de que me llamaran. Llegó una carta de mi regimiento en la que me decían adónde tenía que ir, pero al llegar al cuartel resultó que no estaba incluido en la lista de combatientes. Algunos de nosotros protestamos diciendo que debíamos reemplazar a los soldados que acababan de iniciar la conscripción militar, porque nosotros teníamos instrucción completa. Para nosotros era muy importante, porque todos nuestros compañeros iban a ir, y pensábamos que también teníamos que defender a la Patria. Ninguno de nuestros superiores esperaba que hubiera guerra... sólo íbamos a reforzar las islas. Al mismo tiempo, sabíamos que había una posibilidad de guerra; pero como nuestros amigos estaban allá, creímos que si moríamos, íbamos a morir todos juntos. Desde que éramos niños nos habían enseñado siempre que las Malvinas eran parte de nuestro te-

Capitán de corbeta cirujano Rick Jolly que comandaba el hospital de campaña de Ajax Bay, al que apodaron la "Máquina de la vida verde y roja".

El capitán Juan Antonio López, un médico naval argentino que actuó en el buque hospital *Bahía Paraíso* cuando éste recogió sobrevivientes del *General Belgrano*.

Capitán de corbeta Nigel "Sharkey" Ward (aviación naval de la Marina Real).

Teniente Ricardo Lucero
(Fuerza Aérea Argentina).

Mayor Carlos Antonio Tomba
(Fuerza Aérea Argentina).

Fotografiados en la Base de la Aviación Naval Comandante Espora cerca de Bahía Blanca, aparecen el teniente José César Arca (izquierda) y el capitán Alberto Philippi.

Los chicos de la Guerra. Estaban todavía entonces en plena adolescencia, ahora tienen alrrededor de veinticinco años. *Arriba*: Patricio Pérez. *Abajo*: Horacio Benítez.

Arriba:
La muerte de la fragata HMS *Ardent*: "En la nave estaban ardiendo todos los fuegos del infierno. . . parecía que la hubieran cortado con un abrelatas." Pilotos argentinos bombardearon el buque el 21 de mayo de 1982 -la mañana de los desembarcos británicos en San Carlos.

Abajo: Guardias Galeses—sobrevivientes del bombardeo del *Sir Galahad*— llegan a Bluff Cove.

Mayor Ewan Southby-Tailyour
(Real Infantería de Marina)

Guardia Wayne Trigg
(Guardias Galeses)

Teniente Alastair Mitchell
(Guardias Escoceses)

El general Mario Benjamín Menéndez, Gobernador Militar Argentino de las Malvinas, en su puesto de comando.

El brigadier Julian Thompson, que condujo la 3ª Brigada de Comandos, vuelve a Gran Bretaña, en Southampton.

El Centro Comunal de Prado del Ganso, prisión para ciento catorce isleños locales mantenidos bajo guardia armada durante veintinueve días por las tropas argentinas. Esperaron impotentes en su interior mientras los paracaidistas británicos combatían para rescatarlos.

Dos de los libertadores del 2° Batallón del Regimiento de paracaidistas (2 Para): Izquierda: sargento Mayor Barry Norman, que se desempeñaba como guardaespaldas del teniente coronel "H" Jones, y que estaba junto a él cuando lo mataron.
Derecha: El hombre que condujo a la victoria al 2 Para después de la muerte de su comandante. El mayor Chris Keeble con su familia frente al Palacio de Buckingham después de recibir su condecoración de la Orden del Servicio Distinguido.

Chris White, un infante de marina herido, a bordo del *Uganda*.

Heridos de guerra que fueron llevados al buque hospital británico ss *Uganda* donde los atendió personal del QARNNS, el Real Servicio de Enfermeras Navales Reina Alejandra.

Chris White —centro, con pantalones camuflados— con otros sobrevivientes del Sir Galahad.

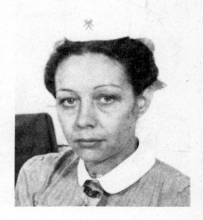

Enfermera Marion Stock

Arriba: Primer Teniente Jeff Glover, el único prisionero de guerra británico en manos argentinas, poco después de su captura cuando se eyectó de su Harrier sobre la Isla Soledad.

Izquierda: Juntos otra vez.

Abajo: Los jóvenes conscriptos argentinos pasaron muchas privaciones mientras esperaban que los británicos atacaran, especialmente frío y hambre. La derrota fue dura para ellos. . . pero todos estaban contentos cuando llegó el momento de volver a casa.

Regresos:

Arriba: Marinos muertos, del torpedeado *General Belgrano,*
reciben una bendición al llegar a suelo argentino.

Abajo: Los amigos y familiares de la Fuerza de Tareas
británica se reúnen en el muelle, en Portsmouth, para darles
la bienvenida a casa.

Señora Hulda Stewart, una isleña de las Falklands.

Señora Dorothy Foulkes, cuyo esposo Frank murió a bordo del *Atlantic Conveyor*.

Señora Gill White, esposa de Chris White, que sobrevivió al bombardeo del *Sir Galahad* y luego trató de quitarse la vida.

rritorio, parte de la Argentina, y por lo tanto teníamos que defenderlas.

Cuando llegamos allá, lo primero que hicimos fue vestirnos con ropas de invierno, pero no eran lo suficientemente abrigadas para aguantar el frío en las trincheras. Vivíamos en cuevas de zorro y el agua se filtraba a través de la turba, de modo que nos encontrábamos viviendo en el agua y el hielo, sin ropas secas. Teníamos que mantenernos tan secos como nos fuera posible y tratar de comer tanto como pudiésemos. Al principio comíamos razonablemente bien, pero cuando los británicos declararon la Zona de Exclusión, nos llevaban muy pocos alimentos y había que racionarlos. A veces nos desesperábamos de hambre y teníamos la obsesión de la comida. Necesitábamos encontrar alimentos, pero había que tener cuidado. En una ocasión, un amigo mío salió a buscar ovejas o vacas. Pero había minas por todas partes. Pisó una de ellas y perdió una pierna, y otros tres que iban con él resultaron heridos.

El combate es una experiencia extraordinaria. Habíamos visto películas de guerra, pero es muy distinto estar en la cosa real: el ruido, la emoción, la irrealidad, el miedo. Nunca olvidaré tantas explosiones, tantas balas trazadoras que volaban por todas partes; la noche que se transformaba en día por las bengalas. Los misiles británicos antipersonales eran asombrosos. Impresionaba verlos venir, apuntando directamente hacia donde uno estaba, como una ondulante bola de fuego. Yo me arrojé al suelo y uno me pasó por arriba. Quedé pasmado por la explosión que hizo.

La batalla de Wireless Ridge se produjo al final de la guerra. Mientras subíamos la montaña abrieron fuego intenso sobre nosotros. Lo peor eran los gritos de los heridos, que pedían ayuda gimiendo. Sentíamos mucha pena, pero también queríamos vengarlos. Recuerdo haber pensado qué importante era cubrirme las piernas. Siempre pensaba que si me herían en el brazo, en el pecho o en el estómago, lo mismo podría salir caminando. Lo principal era mantener cubiertas las piernas.

No quería perder las piernas. En una ocasión me cubrí detrás de una roca. Yo llevaba dos fusiles, y noté que había un francotirador que me estaba disparando. Yo quería salir de la roca y matarlo pero no podía, porque el fuego era muy intenso. En ese momento oí que alguien me gritaba que había visto al francotirador. Yo salí, vi que estaba inclinado sobre la roca y disparé contra él; su arma quedó en silencio. Lo vi caer, pero no sé si estaba herido o muerto. Esa clase de combate, entre las rocas, es como una película del Oeste, pero todo sucede tan rápidamente que uno no se da cuenta del todo de lo que está ocurriendo.

Lo que más sentí en ese momento fue odio. Quería venganza. Para entonces ya había olvidado el miedo y la clase de riesgo que estaba enfrentando; lo único que quería hacer, mi obsesión, era vengar a mis compañeros caídos. Y cada vez que veía caer herido a alguno de mis amigos ese sentimiento empeoraba, hacía que quisiera seguir peleando, sin importar por cuánto tiempo o a qué costo. La muerte no me importaba en esos momentos, lo principal era la venganza. Mirando hacia atrás ahora pienso que todo era una locura, muy extraño.

Una vez oí hablar a un veterano de Vietnam sobre la "borrachera de la guerra". Tenía mucha razón; es como estar borracho, y yo disfrutaba con ello en aquel momento. Cuando era chico todos jugábamos a la guerra, porque la habíamos visto en televisión o en el cine. Jugábamos con un fusil de madera, pero esta vez tenía un arma de verdad en las manos, y quizás olvidaba que podía realmente matar y ser matado.

Algunos de nosotros salimos a buscar heridos. Pensábamos que podían salvarse y volver. Oí decir que habían matado a mi amigo el soldado Horacio Benítez, y ese sentimiento de venganza me invadió de nuevo.

Enviamos abajo a los heridos, volvimos a la batalla y seguimos peleando durante cuatro horas. Por suerte, después de la rendición descubrí que Horacio había sobrevivido. Todos recibieron con alivio la noticia de la rendición. Y todos lloraban. Yo no reaccioné así. Había estado combatiendo durante muchas horas y no me sentía preparado para entregar mi fusil hasta que no me obligaran a hacerlo. Es distinto para aquellos que han estado realmente en combate. Yo no podía deponer mi arma hasta que ellos me la quitaran, y cuando la entregara me aseguraría de que estaba completamente inutilizada. Experimenté un tremendo dolor, me sentía derrotado. Lo que más me chocó fue cuando nos llevaron al aeropuerto y vi la bandera británica flameando en un buque. Fue un terrible golpe. Estaba tan enfurecido que empecé a llorar. Había sentido tanta hambre, había sentido tanto frío y había estado tan solo... Había pasado por tantas cosas y había visto morir a tantos amigos... y allí estaba la bandera británica flameando. Fue una terrible derrota. Los helicópteros británicos hicieron una pasada en vuelo mostrando las banderas de combate. Supongo que era parte de la guerra psicológica. Y estaban logrando lo que se proponían. Miré alrededor en el aeropuerto y vi cinco mil caras con la misma expresión: parecía que sus madres acabaran de morir; eran cinco mil caras de la derrota.

En el viaje de regreso en el *Canberra*, me hice amigo de uno de los guardias. Poco a poco nos dimos cuenta de que teníamos mucho en común, y yo traté de comunicarme con él en mi precario inglés. A ambos nos gustaba mucho la música. Yo tocaba la guitarra y él tocaba el piano. Era galés, se llamaba Baker, y también supimos que a ambos nos gustaba el rugby. Él jugaba para un club galés y yo jugaba en Buenos Aires. A veces cantábamos juntos en nuestro camarote, con la música de la BBC. Ambos comprendimos que la guerra había terminado y que ahora podíamos ser amigos, pero resultaba duro pensar que yo habría podido matarlo.

Cuando llegamos a Buenos Aires nos llevaron a la guarnición de Campo de Mayo. Era el Día del Padre, y todos queríamos ir a casa. Nos acostamos muy tarde esa noche. A la mañana siguiente vimos fuera de los cuarteles una gran cantidad de familiares que trataban de entrar para ver si sus hijos o hermanos estaban vivos. Finalmente les permitieron entrar. Se precipitaron adentro buscando desesperadamente a sus hijos, sus amigos; preguntando a cada soldado si había estado en determinado lugar o con cierta unidad. A veces sabíamos que ese soldado había muerto, pero no podíamos decírselo. En realidad, no sabíamos si debíamos decírselo nosotros o si era el Ejército el que debía comunicarlo.

La madre, el hermano y la hermana de un soldado muerto, que había recibido en la espalda un impacto de misil, se agarraron con fuerza y me preguntaron: "¿Estuviste en la 1ª Compañía?" "Sí", les dije. "¿Entonces conociste a Folt?".

Cuando me preguntaron eso quedé helado, porque yo sabía que estaba muerto, pero no sabía cómo decírselo. Entonces les contesté que creía que estaba herido, pero que podía estar en el hospital. Y después me alejé.

HORACIO LOSITO

El capitán Horacio Losito prestó servicios en una unidad de comandos durante la guerra de las Malvinas. Sus hombres patrullaron detrás de las líneas británicas y tomaron parte en la batalla de Top Malo House, el 31 de mayo. Actualmente se encuentra realizando un curso en la Escuela de Guerra del Ejército, en Buenos Aires.

Logramos hacer lo que todo soldado aspira: probarnos en combate. En la primera fase, la ocupación de las islas, ese combate fue favorable para las fuerzas armadas argentinas. Yo no estaba allá en esos primeros días pero compartí el orgullo de los hombres que habían recuperado esa parte de nuestro patrimonio nacional.

Trece de nosotros, de nuestra unidad de comandos, nos habíamos refugiado en Top Malo House cuando nos dirigíamos hacia Fitzroy. Estábamos listos para continuar la marcha cuando oímos helicópteros que se aproximaban. Al principio creímos que se trataba de nuestros propios helicópteros que venían a recogernos. Pero pronto nos dimos cuenta de que no era así. Espinosa y Brun, que estaban de guardia en el piso superior de la casa, dieron la alarma y al mismo tiempo abrieron fuego contra las tropas británicas que se acercaban. Hubo una explosión que sacudió toda la casa. Era de madera, muy pequeña, y empezó a incendiarse. Siguieron varias explosiones más. A través de las paredes nos llegaban cientos de balas. Todo sucedió muy rápidamente. Espinosa estaba con Brun y tres suboficiales en el piso de arriba. Ellos pudieron ver a las tropas británicas que se acercaban. Se le dijo que saliera de la ventana y abandonara la casa, como todos estábamos tratando de hacer en ese momento, pero Espinosa contestó: "Vayan ustedes, yo voy a cubrirlos."

Eso nos permitió a todos salir de la casa, porque Espinosa atrajo todo el fuego de los británicos y a su vez les disparó. En esos momentos, una granada de mano estalló en su pecho y lo mató instantáneamente. Brun resultó herido por esa misma granada y luego logró saltar por la ventana desde el primer piso. Cuando cayó lo hirieron de nuevo en la pierna y en la espalda. Consiguió seguir peleando con la pistola, y cuando se quedó sin munición trató de arrojar una granada, pero no tenía siquiera la fuerza necesaria para quitar el seguro.

Los seis que nos hallábamos en la planta baja habíamos tratado de salir por la puerta, la única puerta de la casa. El comandante salió primero, seguido por el radiooperador y por mí. Estalló una granada cerca de la puerta, me hirió en la cabeza y estuve a punto de perder el conocimiento, pero logré sobreponerme y continué disparando. Casi todos nosotros tratamos de dirigirnos hacia el arroyo Mullows, a unos doscientos metros de distancia, para alcanzar las alturas que se alzaban después del arroyo, sin darnos cuenta de que allí había más tropas británicas. Durante esa retirada, el sargento Esbert vio que el sargento Medina estaba recibiendo fuego enemigo que lo inmovilizaba y le gritó: "Corre, Fatso, que yo te cubro". Medina consiguió escapar, pero Esbert recibió un impacto de granada cuya explosión lo mató. Cuando Medina vio que Esbert había caído volvió hacia atrás corriendo para ayudarlo, y entonces lo hirieron a él, pero continuó disparando hasta el final del combate.

Me hirieron de nuevo en la pierna cuando estaba tratando de cubrirme, y caí hacia atrás en una especie de trinchera. Me encontré solo. Creí que todos estaban muertos. Pensé que yo también iba a morir, de todos modos, entonces decidí continuar peleando. En ese momento vi al radiooperador, que estaba transmitiendo la decisión del comandante de rendirnos porque nos habíamos quedado sin munición, y dos tercios de la unidad se hallaba fuera de combate. No reaccioné en ese momento. Solamente había visto una rendición en las películas y nunca pensé que yo me iba a ver envuelto en una situación similar. Antes de rendirnos vi que venían hacia mí dos soldados británicos, disparando hacia la posición donde yo me encontraba. Conseguí tirarle a uno de ellos, un individuo alto y rubio que he visto en un documental de la BBC. Le di en el estómago. Traté de disparar contra el otro soldado británico, un hombre bajo, de bigotes, pero no pude hacerlo. Había perdido todas mis fuerzas a causa de la hemorragia. Caí al fondo de la trinchera, y recuerdo que vi al soldado británico que me apuntaba con su fusil; en ese momento encomendé mi alma a Dios. Pensé que era el último minuto de mi vida. Pero todo lo que dijo, en inglés, fue: "Arriba las manos". Yo no podía siquiera levantar las manos. El británico me arrastró para salir de la trinchera y comentó: "La guerra se terminó para ti". Me aplicó un torniquete en la pierna y me dio su chaquetilla para mantener el calor.

Me inyectó morfina y pintó una "M" en mi cara. Después me llevaron junto a los otros heridos de mi sección a un lugar cerca de la casa, que todavía estaba ardiendo. Yo sabía que en el interior de la casa habíamos dejado al teniente Espinosa, pero era demasiado tarde para rescatarlo. Yo no lo conocía muy bien, pero habíamos estado juntos cuatro días haciendo patrullaje. Tenía un carácter jovial y era un católico devoto. Como soldado, era brillante, y nos había salvado la vida. Me sentí muy confundido en ese momento, viéndome rodeado por nuestros muertos y heridos. Por un lado, me sentía feliz y aliviado por estar con vida, pero por el otro, tenía la angustia de la derrota y la tristeza de ver a nuestros muertos. Nuestro comandante pidió permiso al comandante británico, el capitán Rod Boswell, para rescatar a nuestros hombres dentro de la casa, pero Boswell hizo notar que obviamente era demasiado tarde.

Después del combate de Top Malo House pude apreciar el lado humano de los soldados británicos. De los trece hombres de nuestra patrulla, dos resultaron muertos y seis muy mal heridos. El capitán Boswell y sus hombres nos trataron muy bien; evidentemente, era un buen oficial. Ayudó a los heridos tanto como pudo y nos llevó al hospital sin pérdida de tiempo. Querría aprovechar esta oportunidad para agradecerle por la forma en que nos trató en el campo de combate. También quiero agradecer al doctor McGregor, el médico del hospital de San Carlos, y a todos los que en el *Canberra* nos atendieron tan bien. Estábamos muy agradecidos por todo eso. Me gustaría mucho encontrarme con el capitán Boswell para hablar sobre el combate y nuestros recuerdos comunes, pero las circunstancias todavía no son propicias, obviamente.

Cuando nos tomaron prisioneros, nos reuníamos todas las noches para rezar por nuestros muertos, por nuestras familias, por las Malvinas, y pedíamos a Dios que nos diera otra oportunidad, porque teníamos la sensación de que habíamos defraudado a los otros. Yo soy un hombre profundamente religioso, y ese momento, cuando rezábamos todos juntos, era un gran momento de paz para mí. Sabíamos que Dios nos estaba poniendo en contacto con nuestra gente. Era como estar de regreso en nuestras casas. Nunca olvidamos que éramos prisioneros de guerra y, por lo tanto, nuestro deber era tratar de escapar. Obviamente no nos encontrábamos en una posición ideal para hacerlo, porque estábamos heridos, a bordo de un buque, y celosamente custodiados. A pesar de eso, tratamos de recuperarnos de nuestras heridas tan rápidamente como fuera posible, y esperábamos una ocasión en la que pudiésemos intentar escapar.*

Soy un soldado profesional y cumplo órdenes. El hecho de que nuestros soldados muertos están enterrados en las Malvinas es sólo una circunstancia. Estén sepultados allá o no, las islas son argentinas, y son parte de nuestro territorio, y como argentino siempre estaré dispuesto a pelear por nuestra Patria. Desde las Malvinas, nuestros muertos me dicen: "Prepárate."

---

*Los oficiales británicos de inteligencia del ejército frustraron uno de esos planes de escape a bordo de un buque cuando llevaban a los prisioneros argentinos de regreso a su país. Los oficiales prisioneros pasaban mensajes en código Morse dando golpecitos en las cañerías de agua entre los camarotes.

ALASTAIR MITCHELL

El teniente (ahora capitán) Alastair Mitchell se desempeñó como comandante de pelotón en el 2° Batallón de Guardias Escoceses. Fue herido durante el combate por Mount Tumbledown; uno de los últimos obstáculos que encontró el Ejército Británico antes de la victoria en Port Stanley el 14 de junio de 1982.

Me enteré de que iba a ir a las Falklands mientras me encontraba en Sandhurst haciendo un curso. Un día estábamos en una conferencia cuando repentinamente se interrumpió y encendieron todas las luces. Desde atrás, un tipo preguntó en voz alta: "¿Hay un teniente Mitchell aquí?" Todos aclamaron alegremente y dijeron: "Bueno, ahora te vas a las Falklands", aunque nadie lo creía. Caminé hacia el fondo de la sala, levanté el teléfono y dije quien era yo. Desde el otro extremo una voz dijo: "Habla el ayudante de la academia. Prepare sus ropas de invierno, va a ir a las Falklands". Hubo una pausa de asombro y unas pocas preguntas, como: "¿Quién habla?", hechas por mí. Resultó que *sí* era el ayudante de la academia. Realmente me conmovió. A partir de ese momento tuve algo así como dos semanas antes de la partida efectiva.

Yo soy una persona bastante pesimista, y hasta triste en el mejor de los casos. Tengo demasiada imaginación para ser valiente, o fanático ingenuo, o algo parecido. Yo siempre estaba contando los aviones de combate argentinos; ellos tenían ciento cincuenta y ocho y nosotros sólo veintidós Harrier. Esa clase de cifras y estadísticas no era como para sentirse muy optimista. Sabía que íbamos a pelear y estaba bien preparado para hacerlo. Yo no esperaba demasiado en cuanto a cuál podría ser el resultado, pero no tenía miedo realmente. Sabía desde el principio que no iba a ser muy agradable. No pretendo decir que otros no pensaran por mí, pero parecían tener cierta falta de visión. Mi comandante de compañía, John Kiszely, era en muchos aspectos de la misma opinión que yo. Recuerdo una conversación que tuve con él en una oportunidad. Nos habíamos hecho sacar una fotografía de toda la Compañía del Flanco Izquierdo. Más tarde la miramos y él me dijo: "Bueno, es más bien triste, pero algunas de esas caras no estarán allí si sacamos una fotografía en el viaje de vuelta". Comprendía toda la realidad, igual que yo; tal vez uno o dos de los otros no veían así las cosas. Escribí a mi familia y a la chica con quien me iba a casar tan pronto como volviera. No les dije nada de aquello, porque pensé que podía deprimirlos.

Hicimos mucha instrucción de primeros auxilios. La concentración en las caras de los jóvenes soldados mientras aprendían a vendar a alguien mostraba a las claras su pensamiento de que podrían tener que hacer eso de verdad. Era una cosa más que agrega ímpetu a todo el asunto.

La instrucción cubría una variedad de aspectos: aprendimos mucho sobre el Ejército Argentino, tan pronto como pudimos; sus armas, capacidades y organización. Nos familiarizamos con la organización de las fuerzas enemigas en las islas. Supimos cuál regimiento era cual. Tuvimos que aprender español. Aunque virtualmente lo único que aprendimos fueron cosas como: "Manos arriba", y "Ríndanse". Pensábamos que no tenía sentido aprender "Me rindo", o algo por el estilo. Nos enseñaron cómo había que tratar a los prisioneros de guerra, revisamos varias veces la Convención de Ginebra. Tuvimos que cambiar todo nuestro material de instrucción normal, porque no estaba en realidad dirigido hacia la Argentina. En el ayudamemoria de mi comandante de pelotón tuve que quitar todas las fotografías de los aviones soviéticos y empezar a colocar las de los argentinos.

No había mucha gente en el Ejército Británico que supiera mucho sobre los argentinos. Tuvimos mucha ayuda de nuestra Marina, que había tenido más contactos con ellos. Desde que teníamos trece años habíamos crecido pensando en que los alemanes eran nuestros eternos enemigos. Pero para nosotros, el Ejército Británico ha luchado en todo el mundo, y un enemigo es un enemigo.

Hacíamos mucho entrenamiento físico en el viaje de ida en el QE2. Corríamos por la cubierta y empezamos a realizar unas pocas tareas, las más livianas, para acostumbrarnos. John Kiszely era un fanático del estado físico, que no aguantaba a los tontos o a los que no estaban en condiciones físicas. Nos poníamos nuestras mochilas, que pesaban de veinte a veinticinco kilos y empezábamos a correr por la cubierta. Si cedían las rodillas o si alguien se torcía un tobillo, las consecuencias eran muy duras en cuanto a la reacción del comandante de compañía. Simplemente los hacía a un lado y el resto de nosotros continuaba. Parecía más bien brutal, pero sólo teníamos un tiempo corto, nos preparábamos para ir a pelear y, básicamente, no se podía permitir que hubiera perdedores. Si para entonces no se hallaban en buenas condiciones, nunca lo estarían. El procedimiento dio buen resultado, porque los soldados de nuestra compañía alcanzaron un excelente estado físico. En cierta forma, eso hizo que les dieran las tareas más duras, o al menos así parecía. Desde otro punto de vista, constituyó un motivo de gran orgullo para la compañía, de manera que, finalmente, todo era para bien.

Nuestro viaje en la lancha de desembarco desde el *Intrepid* hasta la costa fue pésimo; las diez o doce horas más espantosas de toda mi existencia. Fuimos la primera compañía que cargaron, y tuvimos que esperar dos horas el resto del batallón. Ya empezábamos a preguntarnos para qué nos habían metido allí. Estábamos absolutamente aplastados dentro de la lancha de desembarco; simplemente no podíamos movernos. Íbamos sentados sobre nuestras mochilas y nos habíamos envuelto en ropas impermeables, porque sabíamos que sería un viaje bastante duro. Antes de dejar el buque ya nos congelábamos de frío; la temperatura era de uno o dos grados por arriba del punto de congelamiento. Había una ligera llovizna.

Cuando soltaron la lancha de desembarco, iniciamos el cruce. Fue terrible desde el vamos. Avanzábamos en mar gruesa, y esas cosas, con sus fondos planos y el borde biselado en la proa, golpeaban violentamente contra las olas. El agua pulverizada nos cubría, y en menos de diez minutos después de salir todo el mundo estaba empapado. Y teníamos que soportar nueve horas de eso...nos parecía eterno. Después de una hora la gente ya se sentía completamente entumecida. De la mitad para abajo teníamos los cuerpos adormecidos, tan apretados estábamos. Nos congelábamos de frío. Cuando partimos, mucha gente hacía bromas, pero media hora después ya todos se habían callado. Había un silencio total, sólo se oía el crepitar de las radios y el horrible golpeteo de las olas contra la lancha.

En determinado momento creímos que nos acercábamos para desembarcar: surgió una bengala que iluminó toda la zona. Pensamos que eran fuerzas propias, pero continuábamos en silencio de radio para mayor seguridad. Pronto iba a llegar el amanecer; viramos en redondo y nos mantuvimos lejos de la costa hasta tener la certeza de que no había enemigos cerca. Teníamos terror de que nos sorprendieran dentro de esas horribles cosas en el mar. Finalmente logramos desembarcar en Bluff Cove, pero conseguir que la gente descendiera fue un esfuerzo increíble. Teníamos que levantar a cada uno, enderezarle las piernas, colocarle la mochila en la espalda y arrojarlo hacia adelante desde la proa. No habíamos comido nada, ni traído nada con nosotros, no podíamos hacer nada. Caminábamos tambaleándonos por la playa y tratamos de clasificar a la gente. Entre los que habían desembarcado algunos parecían aturdidos y desorientados.

Recuerdo haber visto un sujeto muy particular que llegó a la playa como una tromba, y luego se mantuvo absolutamente inmóvil, de frente a la lancha de desembarco. Yo pensé: será mejor que lo ayude a moverse.

No recuerdo bien si alcancé a tomarlo del brazo o no, pero le dije: "¿Quién es usted?". Él continuó paralizado mirándome. Le hablé de nuevo: "Vamos, hombre, ¿quién es usted?"

En esos momentos yo ya estaba perdiendo la paciencia con esa gente. Me preparaba para agarrarlo y arrojarlo a la fila junto con el resto, cuando me di cuenta de que era John Kiszely, ¡mi comandante de compañía! Me lanzó una mirada como para dejarme helado, y seguramente se preguntaría qué estaba por hacer yo. Luego entramos todos un poco más en la costa y pudimos dormitar por media hora bajo la llovizna. Nos sentíamos tan bien por estar en tierra firme que la mayoría se durmió de inmediato. Después partimos hacia la granja de Bluff Cove.

Habíamos oído decir que podíamos mojarnos los pies en el mar cuando tratáramos de desembarcar. Para un hombre de infantería sus pies son vitalmente importantes. No teníamos la menor idea sobre el tiempo que iba a durar la campaña, o por cuánto tiempo íbamos a tener que marchar. Estábamos muy preocupados cuidando los pies de los soldados. Antes de desembarcar conseguimos fundas de plástico de las que se usan en el interior de los papeleros o tachos de basura, y todos se envolvieron los pies con eso. No tiene sentido mojarse los pies si puede evitarse, y si el agua salada se mete dentro de las botas y entre la ropa cuando uno desembarca, puede tener problemas luego. Los cristales de sal que quedan son higroscópicos y absorben el agua. Las botas de cuero quedan arruinadas.

(*La batalla por Mount Tumbledown se produjo en la noche del 13 al 14 de junio de 1982.*)

Todo empezó cuando avanzamos a través de una de nuestras compañías que debía tomar una posición enemiga. El enemigo no estaba allí, por lo tanto esa compañía se detuvo donde estaba y nosotros avanzamos a través de sus filas y en dirección a nuestro propio objetivo. No pasó nada. La tensión era eléctrica. Nos movíamos en línea extendida y tampoco pasó nada todavía. Seguíamos esperando. Después de un tiempo sentimos casi una sensación de alivio. Los hombres empezaban a pensar: Se han ido, ya no están aquí. De pronto el horizonte se iluminó en un mar de relámpagos y destellos blancos.

Las armas automáticas disparadas de noche son extremadamente brillantes contra ese fondo de cielo gris y sombrías rocas de granito. Al principio los destellos casi enceguecían. Todo el mundo se arrojó cuerpo a tierra, porque las descargas iniciales fueron increíbles: era como encontrarse en el extremo prohibido de un polígono de tiro con ametralladora. Las balas sonaban como un látigo sobre nuestras cabezas. El aire estaba lleno de pedacitos de plomo y trozos de roca que se desprendían y volaban por todas partes. Por uno o dos minutos quedamos pasmados. Teníamos la sensación de que, si levantábamos la mano un poco solamente, la perderíamos de un tiro. Era increíble. Nos recuperamos rápidamente, y los argentinos ya no pudieron nunca volver a descargar semejante potencia de fuego. Pero aun así, nuestro primer encuentro había sido espantoso. Nos demostraba cuánto poder de fuego tenían.

En esa situación, comandar un pelotón es probablemente más fácil que ser un soldado común. Yo puedo decir honestamente que desde el momento en que empezó el fuego hasta mucho después, no sentí absolutamente nada de miedo. Tenía que cumplir una tarea y veintinueve hombres me estaban mirando para hacerla. Uno no tiene tiempo para pensar, apenas pude disparar mi fusil. Me hablaban por la radio, preguntando esto y lo otro. Los jefes de sección decían: "¿Qué hacemos ahora?" y así constantemente. Tiene que haber sido más terrible para el soldado raso, metido detrás de una roca devolviendo los disparos, preguntándose qué diablos irá a pasar con él en los próximos minutos. El probablemente tenga tiempo para pensar. Yo no lo tenía. Iba recorriendo el proceso normal y lógico de tratar de poner sobre el enemigo tanto fuego como fuera posible mientras resolvía cómo diablos hacer para sacarlos de allí. Por supuesto no atacábamos de frente. Eso estaba fuera de cuestión. No íbamos a morir así.

Los soldados eran buenos. Uno les decía: "Ocúpense de esa sección que está allá..." y ellos se ponían en movimiento y lo hacían. En una extraña y caótica situación como esa, que es aterradora porque parece que el infierno se ha desatado, a los soldados les gusta que les digan lo que tienen que hacer. Hasta el individuo más rebelde —el típico soldado discutidor de cuartel, que está siempre cuestionando esto o aquello o lo de más allá en los ejercicios de tiempos de paz— de pronto dice: "¿Qué quiere que haga ahora, señor?" En tiempo de paz se trata de combates simulados; se practica esa clase de cosas, pero uno siempre sabe que sería mucho peor si estuviera el enemigo devolviéndole a uno el fuego.

Cuando di las órdenes para Tumbledown, veinticuatro horas antes de lanzar el ataque, dije a mis tres jefes de sección y al sargento encargado del pelotón: "Al final, todo esto se va a desintegrar en un caos total. Se va a reducir a una situación de pequeños grupos de guardias que tengan todavía el coraje de seguir avanzando". Y eso es lo que ocurrió; se desintegró todo para convertirse en una guerra de jefes de sección. Fue muy parecido a lo que yo había imaginado.

Después de dar las órdenes seguimos conversando, y ellos querían saber qué podíamos esperar en materia de bajas. Les dije muy claramente que había tres personas básicamente en un pelotón que tenían las mayores probabilidades de morir. Una es el comandante del pelotón, por obvias razones: él está siempre allí al frente, y es muy difícil cuidarse a sí mismo cuando se está cuidando a sus hombres. El otro es el tipo que lleva el arma antitanque, porque es increíblemente pesada y lo limita. Y la tercera persona es el radiooperador del comandante del pelotón, porque lleva una pesada radio. Le señalé perfectamente que yo no tenía la menor intención de morir. Se mostraron muy contentos al oír eso, porque si yo no iba a morir quería decir que probablemente tampoco ellos morirían. Aunque parezca extraño, es más fácil que los soldados sigan a alguien que dice tal cosa con toda sencillez que a alguien que quiere ser un héroe. Los héroes están muy bien cuando se matan ellos solos, pero la gente se echa atrás un poco cuando sus actos pueden comprometer la vida de los demás.

El desarrollo del combate trajo un gran alivio en la tensión. Ya no habría retirada, aquí se jugaba todo, y yo estaba contento de terminar de una vez. Pensé que podíamos ganar. Pensé que estaríamos bien y que nuestras bajas iban a ser bastante reducidas. Pero mis cálculos empezaron a flaquear cuando me di cuenta de que los argentinos con quienes estábamos peleando pertenecían al batallón 5 de Infantería de Marina. Nos habían advertido que eran gente muy dura. Habíamos hablado con camaradas que pelearon contra regimientos de conscriptos y nos habían dicho que no era tan malo. Pero yo empecé a comprender que esta otra gente no iba a ceder en lo más mínimo. Nos gritaban frases obscenas en inglés, amenazándonos con respecto a lo que iban a hacer con nosotros. Una cosa era cuando empezaron a dispararnos, pero cuando nos gritaron... fue muy distinto. Todo está muy bien mientras se trate de disparar contra un blanco, pero cuando ese blanco está hablando y uno comprende que es un ser humano, las cosas cambian mucho.

Ellos iniciaron el fuego a unos trescientos metros. De allí en adelante nos fuimos acercando cada vez más. Hubo muchas ocasiones en que estábamos sentados detrás de una roca y, a cuarenta metros de distancia, detrás de otra roca y apenas fuera del alcance de una granada, había un argentino. Uno de nosotros asomó la cabeza por el costado de la roca y le disparaba, él nos disparaba a nosotros, y así seguíamos por un buen rato. Ellos no se quedaban dentro de sus cuevas de zorro esperando que les dispararan, salían y trataban de sobrepasarnos por el flanco. Tenían un gran poder de fuego, porque sus fusiles FAL pueden disparar en forma automática. Después de unas pocas horas empezó a tomar forma en nosotros la idea de que las cosas no iban a ser tan fáciles. Ahora sencillamente no nos podíamos mover; habíamos llegado extremadamente cerca de ellos y estábamos totalmente inmovilizados.

Siempre supimos que, al final, podríamos hacerlo, yo lo sabía por lo menos. Mi comandante de compañía logró el ajuste apropiado de la artillería. La instalamos tan cerca como era posible. Yo diría que nuestras granadas de 105 mm caían a setenta y cinco u ochenta metros de distancia.

Realizamos una maniobra bastante extraña, como si hubiera sido de la Primera Guerra Mundial, excepto que el ancho de la tierra de nadie era mucho menor. El comandante de compañía me ordenó que avanzara directamente detrás de la tercera salva de artillería. La situación estaba en un verdadero punto muerto desde hacía horas. Nosotros tratábamos de lograr que la artillería ajustara su tiro cerca de los argentinos, pero seguíamos sufriendo bajas. Inevitablemente, cada media hora alguien recibía un impacto. Parecía que no estábamos yendo a ningún lado. Al final, John Kiszely se hizo cargo de la situación y comenzó con mi pelotón. Me dijo: "Le daremos tres salvas de artillería y luego usted deberá lanzar el asalto".

En esos momentos, la situación había cambiado ligeramente. El pelotón situado a mi izquierda había logrado subir hasta unas rocas y podía disparar contra las trincheras argentinas desde arriba. Entonces pudimos avanzar girando por el flanco. Trece o catorce de nosotros se destacaron, y estábamos listos para atacar en el centro de la posición argentina cuando cayera la tercera salva. Yo estaba preocupado por la posibilidad de que corriéramos a meternos justo debajo de nuestras propias granadas. Pensé también: Esto es posiblemente mi fin y de los restos de mi pelotón. Pero, francamente, después de cuatro o cinco horas de estar recibiendo tiros y tirando contra otra gente, ya no me importaba nada de nada. Quería entrar allí y terminar de una vez. Por eso pensaba que probablemente moriría. Sé que suena casi imposible, pero realmente ya había tenido demasiado. No me importaba. Estaba poniéndome terriblemente furioso y ya había perdido la esperanza de hacer cualquier otra cosa. Pensaba: Bueno, si todo anda bien, nos meteremos allí, y lo haremos. Recuerdo haber dicho al sargento que me acompañaría en esa maniobra en particular lo que iba a ocurrir. Él me miró... y yo me limité a encogerme de hombros. Estoy seguro de que todos pensábamos que íbamos a avanzar tres metros y caer abatidos, o que íbamos a terminar corriendo en sentido contrario en pocos minutos más.

Nos alineamos y se oyeron las tres salvas; después de la última se hizo un silencio mortal en el combate. Me surgió una voz lastimera cuando pregunté a John Kiszely y sus radiooperadores: "¿Fue esa realmente la última?", porque tenía miedo de correr hacia las propias granadas. Me contestaron: "Sí". Entonces, simplemente nos levantamos y corrimos al frente. Caímos sobre el centro de la posición argentina, que se hallaba a sólo sesenta o setenta metros de distancia. Una vez allí empezamos a abrirnos camino disparando. Cargamos en profundidad y los sorprendimos cuando salían de sus cuevas de zorro. Les tirábamos granadas y les disparábamos a corta distancia, en algunos casos a dos metros. A algunos de ellos debimos atacarlos con bayonetas. Cuando se limpia una trinchera, debe hacerse con extremo cuidado. Tuvimos uno o dos hombres heridos por argentinos que saltaron a nuestras espaldas. Se hallaban en cuevas extremadamente profundas, muy bien construidas.

Varias veces tomamos gente que se rendía, y nos ubicamos en la mejor posición posible para ver a los argentinos. Les gritábamos en español que se rindieran, lo que para cualquiera es una angustiosa experiencia. Si alguna vez tengo que rendirme, lo pensaré dos veces. Solamente lo haría si fuera absolutamente necesario. Hay que asegurarse de que se ha depuesto el arma. Si un argentino salía de una cueva con un arma, yo debía tener mucho cuidado con lo que hacía. Si él se hubiera arrojado de pronto al suelo detrás de una roca, creo que yo habría dado probablemente la orden de dispararle. Los argentinos que salían con las manos en alto eran un caso distinto, razonablemente inofensivos. Pero había que estar muy atento observando alrededor de uno, para ver quién estaba detrás de ellos y quién hacia los lados. Es difícil para ambos bandos cuando se produce una rendición. Tan pronto como se acercaban hacia nosotros, los revisábamos rápidamente y los enviábamos juntos a retaguardia, fuera del paso.

En medio de esta posición enemiga, sentimos repentinamente que la resistencia se quebraba. Fue una cosa tangible. De pronto los argentinos, que nos habían estado gritando pocos minutos antes, corrían encolumnados bajando la montaña, huyendo, aunque otros corrían *subiendo* la montaña. Siempre recordaré al hombre que empuñaba una ametralladora a mi lado. Me preguntó: "¿Qué debo hacer, señor?" Había muchos argentinos que corrían bajando la montaña. Como no tenían armas con ellos, di la orden de no disparar. A menudo me he preguntado sobre eso, porque algunos de esos hombres fueron los que más tarde lanzaron granadas de mortero contra nuestros camilleros... sea como fuere, eso es lo que yo hice.

Cuando uno está muy cerca de alguien, siempre puede saber si ha recibido un impacto, porque se oye el *crack* de la bala, pero también se oye otro horrible ruido cuando la bala choca contra carne y hueso sólidos. Es espantoso. Un ruido extraordinario, y aunque uno no lo haya oído nunca, instintivamente sabe qué está ocurriendo con exactitud. Uno está muy acostumbrado a oír el *crack* de las balas. Está acostumbrado a oír el silbido cuando rebotan contra una roca. Pero de pronto se oye ese ruido sordo tan particular, y uno siente mucha tristeza.

Poco antes de lanzar el ataque final que terminó con parte del enemigo, estábamos esperando y colocándonos en posición. Algunos enemigos empezaron a arrastrarse hacia nosotros para atacar. Se acercaban más y más, y sólo era cuestión de tiempo que se colocaran al alcance de las granadas. Hubo un momento en que ya no se los pudo ver. Uno de mis soldados, que tenía un aparato para visión nocturna, de pronto vio a uno de ellos, y oímos el *crack* y el ruido sordo cuando la bala dio en el enemigo. Hubo un momento de silencio y luego el argentino lanzó un terrible alarido. Llamaba a su madre. Había un silencio completo en ambos bandos en esos momentos. Ambos lo oímos y estoy seguro de que, en cierta forma, nos horrorizamos tanto como los argentinos. Fue realmente un ruido pasmoso, y se lo siguió oyendo una y otra vez.

Cuando finalmente llegamos a la cumbre de la montaña tuvimos una extraña sensación. Siete de nosotros alcanzamos la cima en esa etapa inicial, John Kiszely, yo y otros cinco. Cuando empezamos a trepar la ladera, el enemigo se dispersaba delante de nosotros. Subimos cada vez más alto hasta llegar al punto más alto. Casi no podíamos creer que estábamos en la cima, y allá, apenas a cuatro kilómetros de distancia y claramente visible, se hallaba Stanley. Podíamos ver las luces, hasta podíamos ver los faros de los vehículos que se movían en los caminos. Durante uno o dos segundos nos quedamos inmóviles mirando todo eso con total euforia: "Lo hicimos. Ya no tenemos más nada que hacer. Ya está".

Naturalmente, eso resultó fatal, porque desde unos doscientos metros un arma automática argentina y varias otras abrieron fuego sobre nosotros. En esa descarga inicial, que realmente fue casi una emboscada, fuimos heridos tres de nosotros. Vi a la persona que estaba delante de mí que caía girando al suelo. Lo habían herido en la mano, y la fuerza lo había derribado dando vueltas como un trompo. Hubo un *crack* a mis espaldas y alguien recibió un impacto. Parecía que todo esto ocurría con cámara lenta; en realidad, sucedía que mi cerebro pensaba demasiado rápido. Cuando me di vuelta para correr hasta el refugio más próximo, sentí de repente algo así como tremendos golpes de martillo en mis piernas. La munición trazadora formó líneas escarlata que me rodearon. Un proyectil había dado en mi fusil, que desapareció. Yo me encontré arrastrándome hasta encontrar la depresión más cercana del terreno. Las balas crepitaban por todas partes alrededor de nosotros.

Yo no estaba del todo seguro si mis heridas habían sido producidas por trozos de barro levantado por las ráfagas de ametralladora, o si eran de los proyectiles propiamente dichos. Noté que mis piernas, y especialmente la derecha, ya estaban muy rígidas. Sentí una fugaz impresión de quemadura a través del músculo del brazo derecho. Bajé la mano para tocarme la pierna, y dos de mis dedos se hundieron hasta los nudillos. Fue en ese momento que me di cuenta de que había sido herido por trozos de metal. John Kiszely devolvió el fuego y se arrastraba debajo de las trayectorias de los disparos enemigos, tratando de ayudar a varios hombres. Con un tono de pedido de disculpas —en cierta forma— le hice saber que yo también estaba herido. Se culpaba a sí mismo por el incidente. Dios sabe por qué, pero no fue ciertamente su culpa, y luego hizo un buen trabajo vendándonos a todos. Lamentablemente, en mi caso, me vendó la pierna que no tenía muchos agujeros. Ninguno de los dos se dio cuenta de que la otra pierna estaba acribillada por las balas.

Al principio, sentí casi una sensación de alivio. Había quedado afuera. Eso suena extraordinario, pero yo sabía que todo había terminado para mí, y que el pelotón detrás de nosotros estaba a salvo. No había más nada que yo pudiera hacer, y *sabía* que me iría a casa. No me llevó mucho tiempo empezar a pensar cosas más importantes. Todavía había argentinos a sólo doscientos metros de distancia que desesperadamente trataban de matarme. Yo no sabía qué gravedad tenían mis heridas, pero ya comenzaba un fuerte dolor.

Fue un asunto bastante difícil lograr que llegaran las camillas para los que estábamos heridos. Tenían que continuar el combate, sacar de allí a los restantes argentinos, y los camilleros enfrentaron muchas dificultades para llegar hasta nosotros. Tuvieron mucho valor cuando nos llevaban abajo. Uno de ellos sufrió una herida en un brazo mientras llevaba la camilla, y continuó caminando a pesar de ello, cargando la camilla con un solo brazo. Se negaba a permitir que otro la llevara. Avanzamos en un "convoy" de tres camillas.

Estuvimos allí durante varias horas antes de recibir alguna atención médica, porque la lucha continuaba. Y los pobres muchachos de mi pelotón tuvieron que cargarme por terrenos muy difíciles. Continuamos descendiendo y, de repente, una granada de mortero cayó a doscientos o trescientos metros de distancia. En esos momentos ya era de día, y yo no encuentro ninguna excusa para este hecho. Tiene que haber sido perfectamente evidente para los controladores de fuego de los morteros argentinos, que probablemente se encontraban en el Monte William, que se trataba de grupos de hombres portadores de camillas. En poco tiempo, ellos hicieron "caminar" a los morteros para centrar el fuego sobre nosotros. Dos o tres granadas cayeron muy cerca. Y después de eso me encontré tendido en tierra a corta distancia de mi camilla. Había un silencio total. En ningún momento había oído la explosión. Me di vuelta. Los camilleros estaban destrozados. Uno de ellos, completamente deshecho, volado en trozos. Fue realmente horrible. Yo no lo podía creer. Uno de los que murió en ese infortunado accidente fue el soldado que corrió valientemente para levantar la camilla aunque lo habían herido.

El guardia Findlay, uno de los otros, no estaba demasiado herido. Le habían dado en una mano y le faltaba un trozo en el medio. Nos miramos uno a otro, ambos habíamos tenido ya bastante. No había nada que pudiésemos hacer por los otros, la mayoría de ellos tenían heridas muy graves. Empezamos a descender la montaña. Marqué en mi mapa el sitio donde aquello había ocurrido. Tan pronto como encontré alguien al pie de la montaña, traté de que fuera allá un helicóptero. Encontramos a un cabo y le informamos dónde estaban los heridos. Él les prestó los primeros auxilios. El guardia Findlay y yo regresamos aproximadamente un kilómetro; yo usaba su fusil como muleta y él me ayudaba. Por momentos teníamos que detenernos porque mis piernas no resistían. Caminamos hasta el puesto de auxilio del regimiento.

(*El teniente Mitchell fue transferido al hospital de campaña de Ajax Bay.*)

Cuando me llevaron adentro para registrarme, colocarme una tarjeta de identificación y decidir qué iban a hacer conmigo inicialmente, lo primero que noté fue lo increíblemente cálido que estaba ese lugar. Durante seis semanas había estado viviendo en un agujero en la tierra. Me había acostumbrado a sentir frío y, después de un tiempo, ya no me molestaba demasiado. Ese calor era tan increíble que después de unos diez segundos de estar allí en la camilla, me desmayé. Aprovecharon esa oportunidad para quitarme casi toda mi ropa, porque de lo contrario es un procedimiento muy doloroso. Supongo que era una reacción bastante normal, aflojarse hasta perder el conocimiento cuando lo entraban a uno en el hospital de campaña. Otra cosa que noté después fue que el lugar era bastante suntuoso para un viejo frigorífico. Cuando uno no está acostumbrado a ver un techo, un edificio como ése puede parecer lujoso después de un rato. Había también alguna mesa aquí y allá. Parecía casi civilizado.

Habían formado una cola con los heridos que debían ser operados, y me acomodaron en una tienda por un rato. Me dormí, aunque no tenía idea de cuánto tiempo. Recuerdo que me llevaron en la camilla para la primera de varias operaciones. Estaré eternamente agradecido a los cirujanos que me atendieron tan bien.

Mientras esperaba entrar para mi operación, estaba acostado en mi camilla junto a un argentino. Había muchos de ellos en el lugar, y también uno o dos médicos argentinos. Noté que se acercaba un capitán de corbeta cirujano que me habló. Mencionó que había un cese del fuego, y lo tradujo también para el argentino que estaba a mi lado. No sé cuál de los dos se mostró más aliviado, si él o yo. El oficial naval hablaba un poquito de español; se puso en cuclillas entre nosotros dos y empezó a hacer de intérprete. El argentino no era más que un muchachito, un indio de algún lugar al norte de Buenos Aires, y tenía esposa. Me daba la impresión de no saber en realidad qué estaba pasando. Todo lo que sabía era que lo habían herido en las piernas y que sentía mucho dolor. Estaba agradecido a los británicos por la forma en que lo cuidaban. Al día siguiente lo trasladaron al *Uganda* con un helicóptero. Yo no sé si alguna vez había volado en un helicóptero, porque pareció aterrorizado cuando lo levantaron hacia esa asombrosa máquina que vibraba. Probablemente pensó que lo iban a arrojar al mar. Recuerdo que el tripulante del helicóptero le dio una suave palmadita en la cabeza para calmarlo, porque el chico parecía absolutamente horrorizado.

Sentí pena por él. Los argentinos que pelearon contra los Guardias Escoceses en Tumbledown eran un grupo muy duro, pero en general uno tenía la impresión de que sólo eran conscriptos. Nosotros éramos soldados profesionales, y muy superiores a ellos. Casi les teníamos lástima, no eran voluntarios.

Cuando me entraron en la camilla estaban operando gente en todas partes alrededor. Yo me sentí increíblemente aliviado, prácticamente era lo que yo deseaba. Pensé: Bravo, a mí me llevarán afuera. Me explicaron a grandes rasgos lo que iban a hacer. No sabían exactamente qué tenía yo. Empezaron a buscar a tientas y luego me inyectaron algo llamado Omnipon (morfina), que me hizo perder el conocimiento.

Nos llevaron en avión a Brize Norton. Mis padres y mi hermanita me estaban esperando. Querían verme... a mí y a la chica con quien iba a casarme. Los empleados del NAAFI local[1] se hallaban reunidos afuera agitando banderas. Era grande haber regresado, pero yo me sentía bastante preocupado por lo que pudieran pensar de mí. Muchos de los hombres tenían heridas peores que las mías. Habían perdido sus piernas y estaban inquietos pensando cómo reaccionarían sus hijos pequeños ante esa clase de cosas. No fue tan malo para mí, porque logré bajar del avión caminando. Hice un esfuerzo tremendo, pero valió la pena porque creo que mis padres esperaban que me bajaran en una camilla, con drenajes y otras cosas. Me parecía casi un sueño volver, después de haber estado en aquella batalla en la montaña.

La gente del ejército que no había estado en las Falklands me decía: "Tiene que haber sido una gran experiencia". Yo no estoy convencido. Tuve un pelotón de veintinueve hombres, de los cuales hubo doce bajas, incluyendo dos que resultaron muertos. Si me pidieran que fuera e hiciera lo mismo otra vez, obviamente lo haría porque soy soldado. Fue interesante porque uno vivió una vida en un nivel mucho más elevado y conoció las emociones humanas más altas y las más bajas. No es la clase de cosas que me gustaría ir a hacer todas las mañanas antes del desayuno, francamente. Y no lo disfruté en ningún sentido de la palabra, ni por asomo.

[1] NAAFI — Cantinas del Ejército, Marina y Fuerza Aérea. (*N. del T.*)

CARLOS HUGO ROBACIO

El capitán de corbeta Carlos Hugo Robacio, que comandaba
el Batallón 5 de Infantería de Marina, es un soldado argentino de carrera. Tiene su base en el cuartel general de Infantería de Marina, en las afueras de Puerto Belgrano. En la campaña de las Malvinas participó en el combate contra los
Guardias Escoceses en uno de los encuentros decisivos de la
guerra: Mount Tumbledown.

Me siento orgulloso de ser infante de marina, especialmente después
de la guerra de las Malvinas, que fue una maravillosa experiencia para un soldado profesional, aunque sin ser realmente una operación para infantes de marina, con la excepción de la ocupación inicial de las
islas. A pesar del hecho de que tuvimos que rendirnos, estoy orgulloso por lo que hicimos. Causamos mucho más daño al enemigo de lo
que ha sido admitido. Cuando todo terminó, yo tuve que enterrar no
sólo a nuestros muertos sino también a los muertos británicos, y puedo asegurar que eran muchos.

Me enviaron a las islas después de la ocupación inicial. Cuando oí
por primera vez que la Argentina había desembarcado en las islas, me
sentí orgulloso por lo que había hecho el gobierno, pero tuve más orgullo aún cuando entramos en verdadero combate. Sabía que nos en-
frentábamos a un enemigo que conocía su oficio y tenía adecuados recursos. Yo no llamaría guerra a lo que ocurrió, fue una batalla, una
buena batalla. La Dama de la Fortuna puede habernos fruncido el en-
trecejo esta vez, pero estoy convencido de que, a la larga, triunfare-
mos.

Nadie quedó sorprendido realmente por lo que sucedió allá. Todos sabíamos que iba a ser una batalla larga y muy dura, y sabíamos

también que estábamos en desventaja. Fuimos con lo que teníamos, e hicimos lo que pudimos. No importa cuál fue el resultado... lo intentamos. Yo creo que una nación que quiere recuperar parte de su territorio debe estar preparada para luchar por él. Recuperar las islas fue un hito fundamental en nuestra historia.

El combate de Tumbledown fue terriblemente duro, y yo creo que fue más allá de lo que ambos bandos pensamos que sería la guerra moderna. Quedamos todos sorprendidos al comprobar qué duro y rápido es el combate moderno. Tan rápido y violento fue que en cierta ocasión mi subordinado me pidió que ordenara fuego de artillería sobre las posiciones enemigas cuando las estaban sobrepasando. Todo lo que pude hacer fue advertirles treinta segundos antes, para que pudieran por lo menos tomar cubiertas.

Nadie cedía, y tenemos ejemplos de actos de coraje y valentía que van más allá del llamado del deber. Recuerdo dos casos en particular. No fueron condecorados porque no cumplieron órdenes. En un caso, habían logrado rechazar al enemigo y atacar. Uno de nuestros hombres salió de su trinchera y comenzó a perseguir al enemigo; murió cinco metros delante de nuestras posiciones peleando como lo que era: un hombre valiente.

En el otro caso, un soldado se negaba a retirarse cuando le ordenaron hacerlo y, finalmente, después de habérsele terminado sus municiones, la única forma en que pudieron eliminarlo fue haciéndolo volar en pedazos. Yo mismo tuve que poner esos pedazos en una bolsa plástica.

Uno tiene que estar orgulloso de esos hombres, aunque muchos de ellos no eran soldados profesionales. Se negaban a rendirse, y sólo lo aceptaron cuando las circunstancias nos obligaron a hacerlo por habernos quedado sin munición. A mí me resultó especialmente duro tener que ordenar una rendición.

Todos los conscriptos heridos y tomados prisioneros por los británicos fueron muy bien tratados, y estoy particularmente agradecido por eso. Cuando volví al continente y hablé con ellos, me relataron qué bien los habían atendido los médicos británicos. Esto demuestra el comportamiento humano destacable en ambos bandos durante la guerra.

El último día — 14 de junio— a eso de las seis y treinta yo todavía creía que estábamos ganando. Mi unidad no había sufrido verdaderas pérdidas. No habíamos entregado ninguna de nuestras posiciones. Lo único que habíamos perdido era una muy pequeña parte de Mount Tumbledown. Sabía que nos estábamos quedando sin munición, de modo que pedí más al comando. Concentrábamos nuestros esfuerzos en Mount Tumbledown porque ése era el combate que iba a sellar la suerte de Puerto Argentino. Desgraciadamente, en ningún momento recibimos la munición que habíamos solicitado. Alrededor de las siete de la mañana recibí la orden de retirarme, luego vendría la rendición. Nuestro código militar establece que, para que una unidad militar argentina se rinda, debe haber consumido toda su munición y perdido por lo menos los dos tercios de sus hombres. Fue horrible tener que ordenar a las unidades que aún estaban peleando, que se retiraran. Fue un momento muy amargo. Realmente nos sentimos derrotados. Se podía ver que la batalla tocaba a su fin. La unidad se retiró ordenadamente, bajo intenso fuego enemigo y con la ayuda de Dios, porque Dios está en el campo de batalla.

Después, mis hombres se preparaban para resistir en Sapper Hill hasta el último soldado, pero nos informaron que nuestros comandantes superiores ya se habían rendido, y yo tuve que dar a mis unidades otra vez la orden de retirarse. Pero estábamos orgullosos porque habíamos consumido toda nuestra munición. Obviamente, pienso que lo peor que puede suceder a un soldado, lo más humillante en su vida, debe de ser rendirse, pero confío en que la próxima vez seremos nosotros quienes tomen los prisioneros.

Peleamos contra soldados muy profesionales y yo aprendí mucho de mi enemigo. Espero poder aplicarlo algún día, usando lo que ellos nos mostraron, para recuperar nuestras islas.

MARIO BENJAMÍN MENÉNDEZ

El general Mario Benjamín Menéndez desciende de una de las más distinguidas familias militares argentinas. A principios de 1982 restaba servicios en el Estado Mayor Conjunto, cuando fue nombrado Gobernador Militar de las Islas Malvinas.

Tuve una reunión con el general Galtieri el 2 de marzo de 1982. Se inició como una reunión de rutina. El general era Comandante en Jefe del Ejército y Presidente de la República. Yo informé sobre mi área de responsabilidad como Jefe del Estado Mayor Conjunto y, al final de la reunión, me dijo que tenía una noticia importante para mí. Fue entonces cuando me comunicó que la junta estaba preparando la ocupación militar de las Malvinas, lo que dependía de cómo evolucionaran las negociaciones con Gran Bretaña. Fue algo completamente inesperado — una gran sorpresa— y me sentí profundamente emocionado por todo lo que significan las Malvinas para mí, como argentino y como soldado. El general Galtieri me dijo que, si la ocupación militar se realizaba, yo había sido elegido para desempeñarme como Gobernador Militar de las islas: no comandante militar, porque el gobierno no preveía la posibilidad de ninguna operación militar importante. Como Gobernador Militar yo tendría la gran responsabilidad de integrar las islas a la Nación Argentina y de tratar de ganar a la población local.

Mi llegada a las islas, en Puerto Argentino, fue la concreción de un sueño para los argentinos. (El conocimiento de nuestros derechos sobre las Malvinas) es un sentimiento muy profundo; una ambición y, al mismo tiempo, una frustración. Todo eso cruzaba por mi mente cuando el avión estaba por aterrizar en las islas y, cuando tocamos el suelo, todos gritamos: "¡Viva la Patria!" Me sentí muy emocionado en ese momento, pero también preocupado, porque cuando llegué a las islas ya se había producido la votación en la ONU y la Fuerza de Tareas Británica había zarpado. De manera que subsistían algunas pocas dudas y eso me hacía sentir aún más el peso de mi responsabilidad. Sobre todo, estaba el orgullo de saber que yo era el primer gobernador argentino de las Malvinas después de ciento cincuenta años.

Tenía instrucciones políticas muy claras sobre la forma en que debía cumplir mis funciones. Había tres elementos principales. El primero consistía en respetar las costumbres, tradiciones y propiedades de los isleños. El segundo, tratar de mantener su nivel de vida y, tan pronto como fuera posible, mejorarlo. No había ninguna duda de que se podía mejorar. El tercero era tratar de establecer vínculos estrechos con los isleños, de manera que pudiéramos, en el largo plazo, integrarlos a la forma de vida argentina. Una medida que no habíamos previsto, pero que era necesario tomar, fue el cambio en la dirección del tránsito. La primera vez que llegó el general García, notó que muchos vehículos militares estaban circulando con conductores que no tenían experiencia para conducir conservando la izquierda. Pensó que era peligroso y provocaría accidentes y decidió modificar la reglamentación haciendo que se conservara la derecha.

Nuestras relaciones con los isleños no fueron fáciles. Sabíamos que la población local no iba a estar conforme con nuestra presencia, que iban a desconfiar de nosotros, y eso es exactamente lo que ocurrió. Algunos de los habitantes de Puerto Argentino se habían ido al campo a instalarse con sus parientes y tenían miedo de regresar. Sin embargo, poco a poco fuimos estableciendo relaciones con los locales, especialmente a través del comodoro Bloomer-Reeve, que había vivido dos años en las Malvinas (como representante de la línea aérea estatal LADE). Él conocía muy bien a la gente, habló con ellos y trajo a varios a conversar conmigo.

Tuvimos interesantes conversaciones sobre las esperanzas y ambiciones de los isleños: por ejemplo, cómo veían ellos la participación de la Compañía Islas Falkland, que empleaba a la mayoría de la población y poseía la tienda principal de la isla. Querían tener más libertad, especialmente en el interior de la isla. Se podían hacer muchas cosas. Se podía industrializar las algas, aumentar la pesca, perforar en busca de petróleo... hay toda clase de posibilidades. Los isleños querían saber qué papel tendrían ellos en esto. Había también mejoras básicas que se podían llevar a cabo. El gobierno colonial les había estado prometiendo desde hacía años la construcción de una red de carreteras. Todo lo que habían hecho en ciento cincuenta años de ocupación era quince kilómetros de camino. Nosotros sabíamos que eso se podía mejorar de inmediato, y que las comunicaciones con las islas tenían necesidad de una drástica revisión. Podríamos haberlo hecho, si hubiésemos tenido tiempo.

De modo que existían muchos proyectos que habrían colmado las esperanzas y ambiciones de los isleños, pero gradualmente, con la aproximación de la Fuerza de Tareas, tuvimos que concentrarnos en otras prioridades. A medida que crecía nuestra presencia militar en Puerto Argentino, los seiscientos o setecientos habitantes se convirtieron en una pequeña isla en un mar de diez mil soldados argentinos enviados desde el continente. Es un gran motivo de orgullo para mí que, durante los dos meses y medio de ocupación no hubo un solo incidente serio: ni una violación, ni un intento de violación, ni asalto alguno, ni ataques. Hubo algunos robos y raterías, pero lo sustraido fue mayormente alimentos. Había intensos patrullajes de nuestra policía militar y una muy estricta disciplina para asegurar que los soldados no se movieran individualmente por Puerto Argentino. También consejos de guerra que sentenciaban a oficiales y soldados que hubieran violado esas normas. Se pagaron compensaciones por cualquier cosa perdida o robada. Recuerdo que llegamos a pagar compensación por un gato que resultó aplastado por un camión militar.

Las casas, jeeps y tractores que usamos no fueron requisados sino alquilados. Siempre pagamos por todo lo que usamos, y todavía tenemos los recibos. Uno de nuestros más graves problemas eran los abastecimientos y los víveres para la población local, porque el buque de la FIC ya no pudo hacer el viaje desde Gran Bretaña. Resolvimos ese problema con nuestras propias provisiones, pero también prohibimos a nuestros soldados que compraran comida o elementos básicos en el West Store, para que los isleños no se quedaran sin ellos. La mejor indicación del respeto con que tratamos a la población local fue la visita de la Cruz Roja Internacional a principios de junio. Se les permitió entrevistarse con los isleños sin que hubiera ningún argentino presente. Después de eso, vinieron a verme y me dijeron que estaban sorprendidos por la ausencia de acusaciones serias por parte de los isleños.

También teníamos que garantizar la seguridad de éstos, especialmente en los últimos días de la guerra. Organizamos refugios y grupos de personal para combatir el fuego. El 15 de junio, cuando ya nos habían derrotado, el comodoro Bloomer-Reeve iba caminando hacia un helicóptero que lo llevaría al campamento de prisioneros de guerra, cuando dos mujeres locales se le acercaron para decirle que estaban muy agradecidas por la forma en que las habían tratado los argentinos a la hora de la victoria y en la derrota. Esto muestra la actitud de los isleños más objetivos.

No había un plan estructurado para la defensa de las islas, porque el proyecto original para la ocupación de las Malvinas no contemplaba la posibilidad de una reacción militar británica. Naturalmente, eso causó más tarde graves problemas, porque tuvimos que improvisar la defensa, y cuando empezaron a llegar a las Malvinas otras unidades militares, a veces no tenían el apoyo logístico apropiado, y así se sumaban todos los problemas que se encuentran cuando no se ha planificado adecuadamente hacia adelante. Después, las cosas se hicieron aún más difíciles por los problemas causados por la Zona de Exclusión y el bloqueo británico. Tratamos de organizar una defensa en la mejor forma que pudimos.

El desembarco británico en San Carlos no fue del todo inesperado. Era uno de los muchos lugares donde podían haber desembarcado. Sé que los británicos consideran otros sitios tales como Fitzroy y Barclay Sound, pero nosotros no podíamos materialmente cubrirlos a todos. El blanco principal era claramente Puerto Argentino, y era allí donde debíamos concentrar nuestras fuerzas porque no podíamos trasladarlas de un lado a otro. Destacamos pequeñas unidades a San Carlos para poder recibir una alerta temprana, pero obviamente esas unidades no podían ofrecer ninguna resistencia. Era casi imposible impedir el desembarco enviando tropas a la cabeza de playa. Nuestros helicópteros no podían volar porque los británicos dominaban el aire. Sólo pudimos enviar patrullas al frente, que chocaron con soldados británicos en muchas ocasiones. Su misión principal era observar e informar el despliegue de las fuerzas británicas, de manera que pudiésemos solicitar ataques aéreos contra la cabeza de playa, como una forma de limitar los desembarcos.

Fue imposible montar un contraataque en gran escala contra los británicos en esa etapa. Al comienzo pensamos que el desembarco en San Carlos podía haber sido de diversión, y es por eso que ordené a nuestros aviones que reconocieran la zona a fin de que pudiésemos tener una idea de la magnitud de la operación. La primera noticia del desembarco fue trasmitida por el teniente Esteban, pero perdimos contacto muy pronto después de su informe, y no disponíamos de muchos detalles. Después que el teniente Crippa voló sobre San Carlos y contó el número de buques británicos, ya no hubo duda alguna de que ese era el desembarco principal británico.

El combate de Prado del Ganso fue la primera confrontación importante entre los dos bandos. El Regimiento 12 peleó muy bien y con gran vigor, ofreciendo feroz resistencia. Pudimos enviar algunos refuerzos por helicóptero porque las condiciones del tiempo eran tan malas que los aviones británicos no podían volar. Lamentablemente, los ataques aéreos desde el continente tampoco pudieron llegar a sus blancos, debido igualmente al mal tiempo. Hicimos todos los esfuerzos posibles y, esa noche, cuando conferenciamos sobre los posibles modos de acción con el comandante de las fuerzas en Pradera del Ganso, fue autorizado a rendirse en cualquier momento en que pensara que era necesario. Realmente, no tenía ningún sentido que continuara la resistencia contra un enemigo que era mucho más fuerte y lo tenía completamente rodeado.

La defensa de Puerto Argentino se organizó en tres etapas. En primer lugar, se estableció un perímetro de trescientos sesenta grados porque pensábamos que ése iba a ser el primer blanco británico en su ataque sobre las islas. Después del desembarco en San Carlos todo eso cambió, porque pudimos determinar en qué dirección iban a avanzar las tropas británicas. Entonces reforzamos el sector oeste con otras unidades y colocamos nuevos campos minados, pero todo eso se hizo con recursos muy limitados. Era muy difícil mover de un lado a otro nuestra artillería, porque no teníamos suficiente número de helicópteros. A pesar de todo, nuestras defensas fueron razonablemente fuertes. No había dudas de que el combate por Puerto Argentino iba a ser la batalla final de la guerra. Nos habíamos preparado para eso, proponiendo diversas ideas al alto comando en el continente, que, lamentablemente, no fueron aceptadas. Pudimos seguir el avance de los británicos gracias a los informes de nuestras patrullas. Teníamos una buena idea de dónde era más probable que atacaran, la posible ubicación de su artillería y de las unidades de reserva. Pero no podíamos explotar esos conocimientos debido a nuestra limitada capacidad de transporte. La verdad es que nuestros comandos operaron muy bien y nos proporcionaron inteligencia en cantidad, capturando equipos y códigos enemigos, que también ayudaron. No pudimos impedir el ataque británico, pero teníamos información suficiente para prepararnos.

Los británicos habían establecido una completa superioridad aérea y dominaban el mar. Estábamos totalmente rodeados. Cuando comenzó la batalla final el gran poder de fuego británico se hizo más evidente. Además, tenían más habilidad para el combate nocturno. Si se tiene en cuenta todo eso, resistir o no deja de ser una cuestión de coraje o voluntad. Peleamos duro y logramos resistir al enemigo en las alturas tanto tiempo como fue posible. Nuestras tropas habían estado bajo intenso bombardeo y en el terreno durante mucho tiempo con severas condiciones de tiempo. Se hallaban extremadamente cansadas. Hubo una lucha muy dura en Mount Tumbledown, en la que participaron nuestros infantes de marina. Otro tanto ocurrió en Longdon, con el Regimiento 7 de Infantería. Hacia la mañana del 14 de junio, Tumbledown estaba a punto de ser perdido, y comprendimos que ya no nos quedaban más cartas que jugar. Nuestra artillería había quedado reducida a diez o doce piezas. No teníamos apoyo aéreo directo y los buques enemigos estaban frente a la costa reforzando su artillería terrestre. Habíamos perdido equipo y teníamos muchas bajas por fatiga de combate. Todo estaba muy desorganizado. La única posición elevada aún en nuestras manos era Sapper Hill, y lo único que podría haber evitado a esa altura una derrota militar era una solución militar. Continuar nuestra resistencia sólo habría significado pérdidas de vidas en vano. Esa fue la conclusión a la cual llegué y, después de algunos contactos con los mandos superiores (en el continente), decidí aceptar el cese del fuego ofrecido por los británicos e iniciar las negociaciones.

La firma de la rendición fue la culminación de un proceso angustioso y sumamente triste. Yo no podía concebir que nuestras tropas fueran derrotadas, porque sabía que habían hecho todo lo posible para defender las islas y Puerto Argentino dentro de sus capacidades y limitaciones. Tal vez se podría haber hecho más en otras circunstancias. De manera que había un sentimiento de tristeza y gran tensión, pero no de vergüenza. Cuando hablé con el coronel Rose (comandante del Regimiento 22 SAS, que negoció la rendición) mi principal preocupación fue asegurarme de que la valentía y bravura con que habían peleado los argentinos fueran reconocidas por los británicos. Él lo aceptó. No estábamos hablando aquí de eficiencia, estábamos hablando de valentía. Sobre esa base, debían permitirnos ciertas condiciones en nuestra derrota: poder regresar a nuestro país con las banderas de guerra; permitir que los oficiales conservaran sus armas personales mientras estábamos en las islas y retener el comando sobre nuestras unidades. Todo esto significa mucho para un soldado, aun en la derrota.

Para mí fue tremendamente penoso, pero yo había llegado a una conclusión, y tenía conciencia de haber hecho todo lo posible y de que mis soldados, suboficiales y oficiales habían mostrado gran espíritu de sacrificio, y gran valentía... tanto como siempre demostraron las Fuerzas Armadas argentinas en su historia. Cuando el general Moore me presentó el documento de rendición, le señalé que ésta no era incondicional, y él estuvo de acuerdo en tachar esa palabra.

JULIAN THOMPSON

El brigadier Julian Thompson comandaba la Brigada 3 de Comandos en la campaña de las Falklands, y fue quien planificó el desembarco británico en San Carlos. Ahora está retirado de la Real Infantería de Marina y es miembro investigador superior en el departamento de Estudios de Guerra del King's College, en Londres.

La planificación de la recuperación de las Falklands se inició el 2 de abril de 1982, el día en que los argentinos las invadieron. Yo me encontraba en Plymouth sin mi estado mayor, porque la mayoría de ellos estaban en un ejercicio de reconocimiento en Dinamarca. Esto me resultó alarmante, porque sin mis expertos yo me sentía poco menos que desnudo. A medida que la planificación empezó a desarrollarse, resultó muy evidente que los comandos superiores, en Northwood (Londres) no se daban cuenta de la enorme cantidad de buques que necesitaríamos para transportar a todos esos hombres y materiales al sur. En las primeras horas se produjeron acaloradas conversaciones telefónicas con Northwood, explicando por qué necesitábamos cierta cantidad de buques. Todo esto mejoró cuando ellos empezaron a requisar buques de línea como el *Canberra* y otras naves civiles.

Nos resultó de enorme utilidad lo que nos presentó el mayor Ewan Southby-Tailyour, cuando nos dijo: "Miren, tengo todos estos mapas y documentos". Unos años antes, él había sido comandante del destacamento de infantes de marina en las Falklands, y durante mucho tiempo había estudiado las islas y las aguas costeras. Le dije: "Entonces será mejor que venga con nosotros", y él respondió: "No habría forma de que yo no fuera".

La otra persona que fue extremadamente importante en la planificación era el comodoro Mike Clapp, que ocupaba un cargo equivalente al mío en la Marina Real. En esta planificación de una operación anfibia, las tropas no podían desembarcar simplemente donde más les gustara. Podría no convenir a la armada llevarlas allí por causa de las rocas y bajíos; podría no ser buen lugar para protección contra submarinos, y otras razones por el estilo. De manera que la planificación de esta operación era un esfuerzo conjunto que se convirtió en único tema durante las siete semanas que nos llevó llegar allá. Teníamos que consultar a la marina en todo momento, e inevitablemente, cuando se hace necesario tener consultas con otras personas, surgen los desacuerdos. Pero hubo muy pocos como Mike Clapp. Durante las siete semanas tomamos juntos el desayuno todos los días... y si uno puede desayunar durante siete semanas con una persona, significa que se lleva bien con ella.

Una de las mayores dificultades que teníamos era que, a través de los años, las capacidades de Gran Bretaña para la guerra anfibia han sido reducidas en tal forma que existe gran cantidad de personal sin ninguna experiencia en ese tipo de operaciones. Éste era un desembarco para el cual no habría segunda oportunidad. No habría ningún Dieppe seguido por Normandía. Si no tenía éxito la primera vez sería un desastre, de modo que había que hacer las cosas bien. Pero nos encontramos con que había una falta de comprensión del problema que significaba un desembarco anfibio, en varios niveles superiores a nosotros. De manera tal que, cuando decíamos: "Necesitaremos esto, necesitaremos cobertura aérea, necesitaremos superioridad aérea", nos encontrábamos a veces con incredulidad, y nos contestaban que estábamos exagerando los problemas.

La principal preocupación era que no teníamos superioridad aérea. Corríamos el riesgo de tener una elevada pérdida de vidas, ya fuera por una gran cantidad de buques hundidos al llegar a las islas o mientras estuviésemos realizando ya la invasión. Me parecía que una forma de solucionar ese problema era alcanzar las bases aéreas argentinas en el continente y destruir o dañar seriamente su fuerza aérea. No dije en realidad a Northwood: "¿Por qué no hacemos esto?", pero lo tenía ciertamente en mi cabeza cuando les dije: "¿No creen que deberíamos hacer algo con respecto a su Fuerza Aérea?" Políticamente no era aceptable; y fue por ese motivo que no se lo hizo. Hicimos conocer estos puntos... pero no tuvimos respuestas satisfactorias. Envié una carta a Northwood en la que decía: "Llevaremos a cabo el desembarco, naturalmente, porque eso es lo que nos han ordenado hacer, pero usted debe saber que, si nos atacan desde el aire y el enemigo tiene éxito en su ataque, tendremos ciertamente muy muy numerosas bajas". El significado ulterior de esto era que podríamos haber perdido todo.

Nos habían ordenado desembarcar en las islas Falkland, decidir dónde íbamos a desembarcar y cómo lo íbamos a hacer. Durante todo el tiempo yo tenía conciencia de que era responsable por las vidas de una gran cantidad de hombres, y responsable también del éxito de esta operación. Descansaban sobre mis hombros las esperanzas y aspiraciones de muchas personas. Sentía esa presión sobre mí, y eso daba cierto color a mi punto de vista de la vida.

Todos teníamos sentimientos encontrados durante el viaje hacia allá, cuando disponíamos de tiempo para pensar y reflexionar. Una de las causas de emoción era la alegría producida por el hecho de que íbamos a hacer algo muy grande, en muchos casos por primera vez. Unida a eso estaba aquella sensación de: ¿Qué estamos haciendo? ¿Para qué estamos aquí? La mayor parte de nosotros tenía muy claro que estábamos allí por razones de principio. También teníamos muy claro que estábamos allí para resolver un problema causado por errores políticos. Para los soldados, no hay nada de nuevo en eso. Por un lado, esto parte del contrato: hay que ir y cumplir una operación porque es para eso que nos pagan los contribuyentes. Por otra parte, uno puede morir, y entonces se pregunta: "¿Por qué causa estamos muriendo?" En todas nuestras mentes estaba perfectamente claro que existía una causa justa por la cual estábamos sacrificando nuestras vidas. Pero al mismo tiempo, aunque no nos importaba morir por nuestra Reina y nuestro país, sí nos importaba ciertamente morir por los políticos.

A bordo del HMS *Fearless* tenía un camarote donde nos reuníamos con mi estado mayor de planificación. Generalmente desplegábamos un gran mapa en el suelo, porque no había otro sitio donde ponerlo. Nos agrupábamos alrededor, trabajando las diversas opciones. De tanto en tanto tenía una conversación telefónica con Northwood. Ellos preguntaban: "¿Cuáles son sus planes ahora?" Yo les comunicaba el plan, entonces quedaba atado a él y me preguntaba por qué quería hacerlo en esa particular forma. Con frecuencia el buque se hallaba en mar gruesa, de manera que nos agarrábamos de algo para evitar que los movimientos del buque nos arrojaran de un lado a otro, mientras hablábamos por una línea mala y crepitante, que a menudo se cortaba y luego volvía. Muchas veces, para poder tener una conversación de cinco o diez minutos, yo debía permanecer en ese pequeño agujero donde estaba el teléfono durante media hora, escribiendo frenéticamente con mi libreta de notas en equilibrio sobre mi rodilla y tratando de recordar lo que me habían dicho a través de esa línea telefónica extremadamente mala.

Tuve en todo momento una sensación de frustración por el hecho de que ni en Northwood ni en el estado mayor del almirante existía una cabal comprensión del problema anfibio tal como yo lo veía. Exponía los puntos que querían que se cubrieran y sólo conseguía que me preguntaran por qué había que hacer esto o lo otro. Yo suponía que las razones eran bastante obvias. Simplemente, ellos no entendían cómo se debía realizar una operación anfibia. Era un punto sumamente bajo. Estábamos corriendo el riesgo de perder mucha gente y yo sentía que chocábamos nuestras cabezas contra una pared de ladrillos tratando de explicar eso a la gente que estaba allá en Inglaterra, y ellos no lo comprendían.

Para planificar ese desembarco era absolutamente vital la inteligencia, y había dos cosas claves que necesitábamos saber: ¿cómo eran las playas y qué había detrás de ellas? Queríamos saber cosas tales como si el gradiente era el adecuado para un desembarco; ¿había sitio detrás de la playa o era una ciénaga? También necesitábamos saber dónde estaba el enemigo y en qué fuerza, porque queríamos desembarcar donde no estuviera. No queríamos tener un sangriento enfrentamiento en el desembarco, con graves bajas, por caer directamente en sus fuerzas principales.

Hay dos formas de obtener esa inteligencia: la recibe uno de arriba, de su superior, porque ellos y nosotros escuchábamos las transmisiones de radio del enemigo; y otra forma era mediante la fotografía aérea, pero nosotros no teníamos aviones capaces de cumplir esa tarea para nuestras fuerzas.

La única respuesta consistía en enviar hombres que fueran a mirar el problema. Y entonces ellos o enviaban hacia atrás una señal, trasmitiendo la información que queríamos, o regresaban y nos decían dónde estaba el enemigo, cómo eran las playas, y qué características tenía el terreno. Esto lo hicieron nuestras Fuerzas Especiales: El Escuadrón Especial de Botes de la Real Infantería de Marina (SBS), y el SAS, el regimiento del Servicio Aéreo Especial del ejército. Juntas, éstas son probablemente las mejores tropas de fuerzas especiales de todo el mundo. Ése es su papel en la guerra: la reunión de inteligencia a largo alcance. En esa tarea comenzaron el 1° de mayo, cuando el grupo de batalla de los portaaviones empezó a introducirlos secretamente y de noche dentro de las islas.

Pudimos introducir esas patrullas de noche y mediante el uso de helicópteros, cuyos pilotos estaban equipados con antiparras para visión nocturna. Había solamente cuatro de éstos, de manera que la capacidad de transporte era muy reducida. Se los lanzaba desde lejos, mar afuera —a unos ciento treinta o ciento cincuenta kilómetros— y depositaban en tierra a sus patrullas a gran distancia de su eventual destino, porque el ruido del helicóptero aterrizando cerca de las tropas enemigas habría delatado que algo estaba ocurriendo. Era un trabajo sumamente peligroso. Aunque elegíamos sitios de introducción donde pensábamos que no habría nadie cerca, bien podría haber existido alguna patrulla enemiga llegada recientemente a esa posición.

Nuestras patrullas marchaban entonces cuatro o cinco noches hasta su destino final. Solamente se movían de noche, descansando tendidos en el suelo durante el día. Hacia la mañana, debían encontrar algún sitio donde refugiarse. Cuando llegaban a la posición final, desde la cual habrían de observar al enemigo, construían un escondite. Lo hacían instalando alambre que llevaban con ellos, sobre un hueco entre dos rocas, o sobre un agujero que ellos cavaban. Cubrían ese alambre con tepes de turba y vivían allí en el refugio, que a veces se llenaba de agua rápidamente, porque estaban en medio de una ciénaga de turba. De día observaban lo que estaba ocurriendo. De noche cumplían otras tareas, buscando playas, tratando de situarse muy cerca de las posiciones del enemigo. Ocasionalmente se acercaban tanto que po- dían echarse a tierra y oír a los soldados enemigos mientras hablaban y verlos encendiendo fuegos. Antes del amanecer se retiraban, para poder esconderse antes de que llegara la luz del día. Naturalmente, era terriblemente incómodo para ellos permanecer en sus escondites. Era imposible salir durante el día, ni siquiera para responder al llamado de la naturaleza. En cierta ocasión, un helicóptero argentino aterrizó exactamente encima de uno de esos refugios. El viento del rotor empezó a hacer volar los tepes de turba desde arriba de los alambres, pero afortunadamente no los descubrieron.

Desde sus escondites ellos tenían que enviarnos la información que habían obtenido. Por lo general, en esta clase de operaciones la enviarían a retaguardia por radio. Pero como no teníamos radios de transmisión en breves ráfagas,[1] las Patrullas de las Fuerzas Especiales tenían que pasarse una hora y media usando el código Morse para enviar el mensaje a retaguardia. El peligro de esto es que podría haber

---

[1] En las operaciones encubiertas, las tropas de las SAS y el SBS normalmente codificaban los mensajes en radios especiales. Transmitían en forma comprimida, a alta velocidad, en ráfagas, para impedir que el enemigo comprendiera y localizara la fuente.

posibilitado a los argentinos que detectaran el escondite usando equipos de marcación direccional radial. Era vitalmente importante que no los descubrieran nunca cerca de algún sitio donde podríamos desembarcar, porque eso delataría de inmediato el lugar que nos interesaba. A menudo les daba órdenes de que regresaran para informar personalmente cara a cara. Por supuesto, eso aumentaba el riesgo, porque cada vez que introducíamos o extraíamos una patrulla se estaba duplicando el riesgo de que los encontraran. El hecho de no tener radios que trasmitieran en cortas ráfagas era decididamente una desventaja. Las patrullas tenían que marchar de noche para regresar, y durante varias noches, hasta llegar a determinado punto de encuentro donde el helicóptero habría de recogerlos.

En la noche de la invasión desembarcamos alrededor de medianoche en la Bahía San Carlos, en el Estrecho de San Carlos. Hallándome de pie en el puente del *Fearless* podía ver los relámpagos del fuego de los cañones sobre Fanning Head, y las cintas de trazadoras donde las patrullas de la SBS sostenían algún combate con cierto enemigo. La intensidad iba aumentando. Debido a diversos problemas se vio claramente que el desembarco se demoraba cada vez más y que, si no teníamos cuidado, podíamos ser sorprendidos por la luz del día. Alguien me dijo: "¿Por qué no apuramos las cosas?" Le respondí: "No. No haremos eso". Me podía imaginar el caos que causaría en medio de la noche. Estábamos tratando de mantener silencio de radio para no descubrir que nos hallábamos allí. Muchas conversaciones por radio a un tipo que iba en una lancha de desembarco, de noche, tratando de trasmitir órdenes, habrían provocado un desorden peor del que ya se estaba produciendo.

El desembarco se extendió hasta aproximadamente una hora más tarde, y el sol salió cuando estaba entrando la segunda ola. Nos desplazamos navegando hacia la Bahía San Carlos; era exactamente igual a las Hébridas Exteriores en un día soleado. Resultaba fantástico, la escena era casi familiar, implantada en nuestras mentes por todas las fotografías aéreas que habíamos visto en las fases de planificación.

Los ataques aéreos comenzaron mucho más temprano de lo que nosotros habíamos calculado. Previamente, la experiencia de la armada había sido que la Fuerza Aérea Argentina demoraba medio día para ponerse en movimiento, descubrir dónde estábamos y resolver qué iban a hacer. ¡Esos aviones llegaron apenas una hora después del amanecer! Comprendí qué vulnerables éramos a esos ataques, allí detenidos en algo así como un lago escocés. A medida que aumentaban durante el día, sentí una creciente sensación de frustración en la sala de operaciones del HMS *Fearless*, que es como una caja de lata. Muchas de las radios no estaban operando bien. Generalmente se producen fallas en las radios al comenzar una operación como esa. Afuera de esa pequeña caja, el *Fearless* estaba haciendo trabajar su dispensador de *chaff*[1] que dispara elementos como el Bacofoil para engañar a los aviones atacantes. El ruido hacía pensar en gente que estuviera golpeando con fuerza en los costados de la caja. Y yo no podía salir del buque, porque cada vez que mi helicóptero venía a buscarme, el comandante del buque decía: "Si ese helicóptero vuelve otra vez, mi gente lo va a derribar".[2]

A medida que progresaban los desembarcos iban llegando los mensajes. Los podía oír por la radio. Estaban dañando y hundiendo buques. Eso no me sorprendía. Los buques tenían que permanecer allí y cambiar golpes con la Fuerza Aérea Argentina, lo que hacían con particular valentía. Ellos, y no nosotros, eran los que pagaban el precio por no tener superioridad aérea. Al mismo tiempo, yo había perdido un par de helicópteros, y estaba preocupado por lo que podrían estar haciendo mis tropas en tierra. Aunque me sentía extremadamente triste por esos buques hundidos, por el momento no me estaban afectando demasiado.

Había una continua presión sobre nosotros para que saliéramos de San Carlos, por razones que no puedo comprender perfectamente. Con frecuencia me requerían desde el teléfono para hablar con el comando superior en Northwood (por el enlace portátil del satélite). Esto hacía necesario un viaje por barco o helicóptero, de aproximadamente dos kilómetros y medio, hasta donde estaba instalada la radio-teléfono. En una ocasión, después de una conversación telefónica particularmente irritante, recuerdo haber salido de la tienda y dicho para mí mismo, con bastante furia por cierto: Ganaré la guerra para estos maricones y después me iré.

Las semillas del combate de Prado del Ganso comenzaron a germinar el segundo día después de los desembarcos, cuando resolví que deberíamos lanzar un ataque para causar el mayor daño y destrucción al enemigo. No íbamos a quedarnos realmente allí, de acuerdo con mi

[1] El *chaff* fue un invento de la Segunda Guerra Mundial para engañar el radar enemigo. Unos dispensadores disparan contenedores que esparcen miles de cintas metálicas. Esto puede confundir a los misiles atraídos por un buque.

[2] El miedo de derribar inadvertidamente un avión propio era un factor constante. Un helicóptero británico de transporte de tropas fue realmente derribado por un misil de la Armada Británica.

decisión de herirlo próximo a la cabeza de playa antes de abandonar la posición. Como teníamos mal tiempo noche tras noche se hizo evidente que no disponíamos de helicópteros suficientes para movilizarnos avanzando hacia el Monte Kent y Prado del Ganso. Mi objetivo principal era llegar hasta el Monte Kent, que se encontraba muy cerca de Stanley.

Por fin, ordenaron desde Londres que capturase Prado del Ganso. Yo no quería hacerlo, aunque eso no era nada nuevo. Los soldados a menudo tienen que hacer cosas que no quieren. En esos momentos, para mí resultaba claro que allá en Inglaterra tenían necesidad política de una victoria, de manera que vieran que estábamos haciendo algo, que estábamos ganando. La guerra es una prolongación de la política, y es algo que puedo aceptar.

Para mí, el punto decisivo de la campaña fue el final del primer ataque nocturno de toda la brigada, cuando irrumpimos a través de las principales posiciones de ellos en las montañas Longdon, Harriet y Dos Hermanas. Para entonces ya teníamos alguna experiencia sobre cómo iban a pelear, pero aquí estábamos quebrando sus posiciones principales con el ataque de la brigada contra fuerzas equivalentes, si no mayores, que las nuestras. Hasta cierto punto estábamos arriesgando, desoyendo las reglas que dicen: no deberás atacar a un enemigo con menos de tres veces su poder. Aquí lo estábamos haciendo con un poder igual o menor.

La noche que peleamos yo me hallaba en mi puesto de comando: una colección de vehículos dispuestos alrededor de una pequeña tienda que tenía las luces encendidas. Estaba sentado allí dentro, escuchando las radios y conversando con los comandantes que avanzaban caminando en la oscuridad, peleando en sus propios combates. Tenía cabal conciencia de que los argentinos podían interferir y escuchar mis conversaciones, en texto claro, y en consecuencia se enterarían de lo que yo estaba diciendo.

Confiaba en que, cuando ellos hubieran descifrado lo que yo estaba tratando de hacer ya fuera demasiado tarde. Para mí, era cuestión de escuchar los informes que me llegaban de vuelta, alentar a los comandantes, y hacer un poquito de cacería de tanto en tanto. En medio de todo eso, para agregar un poco más a la emoción, tuvimos dos informes: uno de los radares Cymbeline de localización de morteros, en el sentido de que una gran fuerza de helicópteros se hallaba en camino hacia nosotros. Todos pensamos que eso era un contraataque, aunque realmente no podíamos creerlo. Teníamos que estar preparados para eso, y no podíamos hacer nada excepto esperar que llegara.

En realidad, el radar estaba viendo cosas. Nos dieron también alarmas de que nos estaban por atacar bombarderos Canberra de gran altura. Lo habían hecho una cantidad de veces, y yo recuerdo haber salido del puesto de comando en medio de todo eso, mirando hacia arriba en la noche estrellada, escuchando el fragor de los disparos que me rodeaban, contemplando los relámpagos de la artillería y mirando hacia arriba para ver si podía distinguir esos helicópteros o bombarderos Canberra. Después volvía a zambullirme en el interior de esa atmósfera llena de humo, ligeramente fétida, del atareado puesto de comando mientras seguía transcurriendo la noche.

Yo sabía que aquélla iba a ser una noche de prueba muy importante. Nuestros muchachos se desempeñaron bien, y lo hicieron con muchas menos bajas de lo que yo esperaba. A la mañana siguiente hubo una tormenta de nieve, y podía oír las granadas de 155 mm del enemigo que caían por todas partes alrededor del sitio donde estaba instalado el comando de mi brigada. Recuerdo que pensé: No podemos quedarnos aquí demasiado tiempo, porque si lo hacemos tendremos muchas bajas. Debemos seguir atacando.

También recuerdo haber pensado: Éste es el momento. Vamos a ganarle a esta gente, no necesariamente mañana o pasado mañana, pero sí muy pronto. No sabía cuántas bajas nos costaría la victoria, pero sabía que ganaríamos. Había pensado que tendríamos que combatir para abrirnos camino hacia y alrededor de Stanley, pero el caso fue que, después de quebrar esa línea exterior de posiciones, ya no fue necesario hacerlo. Yo pensaba que ellos no se iban a rendir hasta que no estuvieran completamente convencidos de que estaban derrotados. No sabía cuándo iba a llegar ese momento, cuándo se iban a dar cuenta de que habían tenido ya demasiado y de que estaban moralmente vencidos. De manera que, por el momento, yo estaba absolutamente seguro de que íbamos a tener un combate alrededor y dentro de Stanley. Habría aún más luchas sangrientas. Preveía esa perspectiva con mucha aprensión, pero para eso habíamos sido enviados allí.

Mientras marchábamos para entrar en Stanley íbamos siguiendo las huellas del 2 Para, que indicaba el camino. Todo el lugar era un caos, con cañones y munición abandonados por todas partes y de tanto en tanto algún cadáver. Muchas casas parecían tener una cruz roja. El aire estaba invadido por el olor de la muerte, inconfundible, y ese otro curioso olor del humo de la turba, que permanece largo tiempo suspendido. Los soldados argentinos habían estado encendiendo fuegos con la turba para calentarse. Cuando se entró el sol y fue anocheciendo se puso cada vez más frío. Encontré un policía militar argentino que hablaba excelente inglés y me indicó el lugar donde se estaban desarrollando las conversaciones sobre la rendición. Me alejé y traté de encontrar algún sitio para mí y para mi comando donde pasar la noche. Finalmente nos instalamos en el piso alto de una pequeña casa que requisamos y compartimos con alguien de una de las compañías del 2 Para. Durante la noche encendimos una de nuestras radios y sintonizamos el Servicio Mundial de la BBC. Escuchamos desde más de catorce mil kilómetros de distancia sobre la rendición que se estaba acordando en un edificio situado a ochocientos metros de donde yo estaba sentado. Todos sentimos una profunda sensación de alivio. Mi sentimiento más importante era que ya no tendrían que morir más hombres jóvenes. Era un enorme sentimiento de alivio al pensar que todo había terminado. Podíamos volver a casa.

Desde el comienzo mismo jamás tuve la menor duda de que los argentinos iban a pelear. Después de todo, estaban solamente a seiscientos kilómetros de su propia casa, habían estado allí cinco o seis semanas, tuvieron la oportunidad de reunir la cantidad adecuada de tropas y abastecimientos. De haber actuado mejor en forma conjunta, estoy completamente convencido de que podrían haber ganado. Su mayor problema fue que, en los altos niveles, sus tres fuerzas no se pusieron de acuerdo. No parecían tener un plan general que estableciera cómo iban a ganar la guerra. Cada fuerza parecía ir por su lado. Su Ejército no conseguía apoyo aéreo cuando lo solicitaba, la Marina optó por retirarse más o menos de la guerra, no enfrentó a nuestra flota de superficie ni le causó problemas. En el nivel más bajo, los conscriptos no estaban bien instruidos, y les faltaba ese sentimiento que teníamos nosotros: que todos peleaban por cada uno de los otros. Ellos parecían tener esa idea de que estaban peleando por su bandera, por su país, lo que constituye una base muy frágil para la moral, porque desaparece en la tensión de la lucha. Mientras que, si uno está peleando por uno mismo, por sus camaradas unos por todos y todos por uno, esa idea lo sostiene en los momentos en que piensa que puede estar perdiendo.

La principal lección que yo extraigo de esta guerra fue que hubo una falla de disuasión, y que la próxima vez en el futuro, debemos asegurarnos completamente de que nunca nos veremos comprometidos en esa clase de situación. Y eso se logra dando señales, en el verdadero sentido de la palabra, a cualquier agresor potencial, que sean absolutamente claras. Es muy importante comprender que uno no puede huir de una guerra, hay que enfrentarla si es que tiene que ser. Las guerras no se detienen huyendo de ellas, se las detiene haciendo entender muy claramente a la persona que está en el otro lado que uno no va a ser empujado ya más, y que los resultados van a ser terribles si él empieza a presionarlo a uno.

La vuelta a casa fue una experiencia maravillosa, porque demostró el reconocimiento del país a los jóvenes por lo que habían hecho, y me alegro de que haya ocurrido así desde ese punto de vista. Fue una experiencia personal bastante poco animada para muchos de nosotros. Existía un sentimiento de que no queríamos dejar el entorno familiar de nuestros amigos, camaradas y hombres que conocíamos para volver hacia lo que nos iba a resultar desconocido. Nos íbamos a encontrar rodeados de personas que no comprendían totalmente lo que habíamos hecho, en un mundo lleno de gente que ignoraban las experiencias que habíamos tenido que pasar, que tal vez estaban asignando connotaciones erróneas a lo que había ocurrido, deleitándose por el hecho de la victoria por razones equivocadas, como si hubiera sido un partido de fútbol, lo que ciertamente no era. No es nada divertido matar a otras personas, ni hay diversión alguna en los verdaderos efectos de la guerra: muerte, mutilación y tremenda aflicción. En cierta forma, yo sentía realmente un rechazo a bajar de ese buque para verme inmerso en todo aquello.

Una vez en tierra, elegí una ruta para regresar a Plymouth que me evitaría atravesar las localidades que aparecían en el mapa, porque no quería verme envuelto de ninguna manera en los afectados festejos de vuelta a casa. No me sentía deseoso de adulación ni de ninguna de las cosas que van con ella. No sentía que fuera como una victoria. Sólo sentía un gran agradecimiento porque todo había terminado y porque habíamos traído de regreso más gente de la que habíamos pensado que íbamos a traer.

LOU ARMOUR

El sargento Lou Armour, de la Real Infantería de Marina, estaba prestando servicios como cabo en las Falklands cuando se produjo la invasión de las islas el 2 de abril de 1982. Lo capturaron, lo enviaron a Gran Bretaña y, con el resto de sus camaradas, volvió al Atlántico Sur para unirse a la Fuerza de Tareas. Actualmente se ha retirado de las fuerzas armadas y está estudiando una carrera universitaria.

Hacía cuatro días que estábamos en las islas cuando invadieron los argentinos. Acabábamos de mudarnos a nuestro alojamiento (en Moody Brook) y nos hallábamos tomando conocimiento de dónde íbamos a dormir y encontrándonos con los muchachos que ya estaban allá y a quienes íbamos a reemplazar. Estábamos "secreteando" sobre lo que íbamos a hacer durante todo el año, que no parecía ser mucho. Yo no había tenido oportunidad de conocer toda la isla, pero mi primera impresión fue de que era bastante árida. Llegué allá con pensamientos positivos, principalmente porque soy instructor de armamento y me dijeron que había una gran oportunidad de practicar mucho tiro de campaña. Ésa era la clase de cosa en la que yo estaba interesado. Esperábamos todos pasar un año bastante tranquilo. Estábamos equivocados.

Antes de que ellos invadieran hubo indicios en ese sentido durante todo el día. Tuvimos una reunión explicativa con nuestro jefe. Sabíamos que algo estaba por suceder, pero creíamos realmente que sólo iba a ser una demostración de fuerza. Pensábamos que los argentinos iban a desembarcar y luego dirían: "Podemos desembarcar aquí si queremos". No creíamos realmente que se iba a producir una invasión a toda escala. Yo estaba en el bar conversando con los muchachos cuando nos llamaron a todos y nos dieron ciertas órdenes. No sabíamos desde dónde iban a venir y no teníamos el equipo necesario para defender las islas. Abrieron la armería unas seis horas antes de la invasión y retiramos el equipo. Tomamos todo lo que quisimos.

Me enviaron a un lugar llamado el Itsmo —una franja de tierra cerca del aeropuerto— a unos ocho kilómetros de Stanley. Si se acercaban a nosotros tropas argentinas deberíamos abrir fuego, y cuando ellos se cubrieran tendríamos que replegarnos hasta la sección que estaba detrás de nosotros y seguir disparándoles para inmovilizarlos. La sección detrás de la nuestra se hallaba a unos ochocientos metros, y el terreno era completamente llano, de manera que tendríamos que recorrer muy rápido esa distancia. Una hora aproximadamente después de haber recibido nuestro último mensaje por radio atacaron con morteros Moody Brook. El mensaje decía: "Buena suerte. Buena suerte". No pude menos que reír ante ese mensaje, porque era irónico. "Buena suerte. Buena suerte". ¡Bueno! ¡Gracias! Cavamos más ligero nuestros refugios contra las granadas. Recomendé a los muchachos que no hicieran ninguna estupidez y que estuvieran muy atentos para reaccionar en seguida. Tal vez haya sido un poquito más fácil para mí, porque yo los tenía a ellos para preocuparme. Era peor para los muchachos porque sólo pensaban en ellos mismos.

Cuando atacaron Moody Brook con morteros pudimos ver los relámpagos y oír las explosiones. Oíamos muchos diálogos por la radio. Nos quedamos donde estábamos porque nos habían dicho que no nos moviéramos hasta que nos llamaran o nos trabáramos en lucha con alguien. Finalmente nos ordenaron que fuésemos a la Casa de Gobierno. Teníamos con nosotros mucha munición, que pesaba bastante. Levantamos el equipo y empezamos a correr hacia Stanley. Apareció un Land Rover. Yo no lo podía creer. Moody Brook había sido bombardeada y por la radio pudimos oír: "Stanley está bajo fuego", y un infante de marina llega casualmente con un Land Rover y dice: "Suban". En el camino hacia Stanley vi otro cabo, Dave Carr, que me saludó con el brazo. Yo estaba medio adentro y medio colgando del Land Rover, y él me dijo que la Casa de Gobierno estaba siendo atacada por los argentinos. Las balas trazadoras empezaron a volar por el camino y tuvimos que dispersarnos. Saltamos fuera del Rover y nos zambullimos en los jardines, tratando de comprender qué estaba pasando. Estaba oscuro como boca de lobo y nosotros no sabíamos exactamente dónde se encontraban ellos alrededor de la Casa de Gobierno, ni cuántos eran. Era todo un caos. Dave Carr empezó a devolver el fuego, y había un intercambio de disparos sobre el camino por donde yo debía ir. Fuimos arrastrándonos mientras disparábamos contra los destellos de las armas. Llegamos hasta la pared del hospital, y desde allí ya no teníamos opción, tuvimos que atravesar a los saltos la cancha de fútbol.

Entrar en la Casa de Gobierno no era fácil porque temíamos que nos dispararan nuestros propios hombres. Y lo hicieron; entonces avanzamos corriendo y gritando como locos: "Marines, Marines, Marines". No queríamos que nos matara nuestra propia gente. Entré en la cocina y lo primero que me llamó la atención fue que había agua por todas partes. Muchos caños estaban rotos por los disparos. Mi jefe, el mayor Norman, dijo: "Han estado bien", y me ordenó llevar a la planta alta a algunos de los muchachos. Me sentí aliviado al verme entre muchos otros; aún continuaba el fuego de algunos francotiradores. Era el primer combate en que yo había intervenido. Estaba asustado. El peor momento es antes de que se inicie todo, y uno piensa: "Voy a tener miedo y voy a huir". Uno no sabe qué va a hacer. En los entrenamientos uno es casi un héroe fanático, abriendo siempre el camino, pero eso es con cartuchos de fogueo.

En el interior de la Casa de Gobierno pudimos descansar un poco; yo tenía la boca completamente seca. Nunca me había sentido tan agotado en mi vida. Cansado y sediento, y lo único que quería en ese momento era beber. Bebí toda el agua de mi cantimplora, más o menos de una sola vez. Pareció quitarme el miedo, aunque mantenía todavía algo de aprensión.

Los argies[1] habían hecho avanzar algunos vehículos blindados. En el momento de la rendición, cuando Rex Hunt salió para hablar con ellos, me sentí muy contento por el hecho de terminar. No tengo inconveniente en decirlo... no me hacía ninguna gracia que me destrozaran a tiros. Me sentí muy contento porque todo acabara. Nos hicieron acostar en el suelo. De pronto, uno está en sus manos. Vimos dos carros blindados para transporte de personal, que habían recibido impactos; tienen que haber perdido hombres allí. Había tres heridos, o muertos, tendidos en el jardín de la Casa de Gobierno. Y uno pensaba: ¿En qué estado de ánimo pueden estar cuando han herido a sus camaradas?

Mientras seguíamos tendidos en el suelo me sentí un poco humillado, pero también tenía cierta aprensión por lo que podía suceder después. Llegó un oficial argentino e increpó a uno de los guardias — realmente lo golpeó — y nos ordenó que nos pusiésemos de pie. Lo hicimos y él me estrechó la mano y la de algunos otros; dijo que no debíamos estar en el suelo y que teníamos que estar orgullosos por lo

---

[1]Despectivo por "argentinos". (*N. del T.*)

que habíamos hecho. Me agradó ese hombre. Nos pusieron en la cabina de un Hércules para llevarnos a la Argentina. Yo estaba preocupado por esa perspectiva porque no soy estúpido. No soy tan malo en cuanto a conocer asuntos de actualidad, y sé que durante la Guerra Sucia que sufrieron se dijo que arrojaban guerrilleros desde los Hércules al mar. Pero a nosotros nos trataron muy bien. Creo que ellos estaban más nerviosos, porque continuamente nos revisaban buscando cuchillos. Tenían esa imagen por los comandos de la Segunda Guerra Mundial, con cuchillos en todo el cuerpo. Estaban más nerviosos que nosotros.

No nos interrogaron, y nos enviaron de regreso a Gran Bretaña bastante rápido, vía Uruguay. Fue un gran alivio llegar de vuelta al Reino Unido.

Cuando volví a casa realmente no lo disfruté. No podía dormir. Me sentí muy nervioso durante un par de días ante cualquier cosa que me sorprendiera, como cuando alguien me daba una palmadita en el hombro o se producía algún ruido imprevisto. No me gustaba que la gente hablara de aquello; todos me daban golpecitos en la espalda, y mi familia trataba de arrastrarme a la cantina. Yo estaba saliendo todavía de esa sensación de elevada adrenalina y no quería ser el centro de atracción. De pronto éramos estrellas de los medios de comunicación, pero yo no me sentía así. Cuando uno ha tenido que pasar por algo donde cree que va a morir, o quedar mutilado, es difícil hablar con gente que no ha estado en esa posición. Creo que yo fui casi una mierda para la gente que me rodeaba. No sabía cómo hacer para que me comprendieran, por eso quería volver a Poole, a los tipos que habían estado conmigo, porque sabía que todos nosotros sentíamos lo mismo.

Cuando nos dijeron que íbamos a volver a las Falklands, no pude menos que pensar: "Qué bueno, volvamos y hagámoslo". Yo estaba queriendo volver y hacerlo, y efectivamente volví, pero no fue por la misma razón que todos los demás. No era por el viejo fervor patriótico que había atrapado a todo el país. Eran los otros infantes de marina los que nos llevaban cuando decían: "Muy bien, muchachos. Lo hicieron bien". En cierto sentido eso fue bueno, nos hizo sentir bien. Era algo así como el orgullo. Hay un poquito de estigma en lo que hace a una rendición. Un político dijo que ¿cómo se explicaba que durante la Segunda Guerra Mundial los alemanes podían detener a los británicos o a los soviéticos con unos pocos hombres solamente y por varias semanas? Supongo que cuando uno está en lo alto de una montaña, en terreno dominante o algo parecido, se puede detener a la gente durante un tiempo; eran cosas así las que me molestaban. Habíamos hecho exactamente lo que nos ordenaron. El gobernador decidió que era suficiente, por los daños a los civiles, pero queda todavía ese estigma del asunto de la rendición. Eso puede haber sido un factor.

Cuando nos embarcamos en el *Canberra*, en nuestra propia unidad teníamos un poquito de status de celebridades ante los otros infantes de marina: "¿Cómo era eso de estar bajo fuego?"... nos preguntaban y nos paseaban por todo aquello... "Vamos a ir allá abajo y 'reventaremos' a esos tipos." A medida que nos acercábamos yo iba cambiando un poquito de forma de pensar, el verdadero yo. Cuando estábamos ya muy cerca, el viejo "Por la Reina y la Nación" ya había salido por la ventana. Ahora era más: "Vamos allá abajo, hagámoslo y volvamos. Y si no tenemos que ir ni hacerlo, mejor".

En la Fuerza de Tareas todos, los infantes de marina, los paras del *Canberra*... todos, estaban deseando desembarcar. Había muchas canciones, que terminaban a la noche con *Dios salve a la Reina*: montones de fanfarronadas. Aunque mi tropa y yo mismo tendíamos a no cantar tan alto. Eso no quiere decir que fuésemos menos leales, sólo era que nosotros ya habíamos estado envueltos en aquello. Teníamos más conciencia de dónde y cómo íbamos a estar. Los muchachos más jóvenes se sentían un poquito como yo me sentía la primera vez, antes de que empezaran los tiros. Esta vez yo estaba mucho más al tanto de lo que iba a pasar.

(La compañía de infantería de marina de Armour fue mantenida en reserva después de los desembarcos iniciales en San Carlos. Posteriormente les ordenaron avanzar hacia Prado del Ganso para reforzar la segunda fase del ataque al asentamiento por el 2 Para).

Los paras habían lanzado el primer ataque, que les resultó muy duro y tuvieron muchas bajas. Pidieron refuerzos, y nuestra compañía fue la elegida. Durante la noche avanzamos hacia una zona en la que los helicópteros habían dejado caer una enorme cantidad de granadas de artillería y bombas de mortero que los paras necesitaban realmente para el asalto de la mañana siguiente. Eso significó que tuvimos que dejar atrás nuestras mochilas, y entramos con equipo de combate, que pesaba unos veinte kilos. Pelear con eso realmente es muy difícil. Uno tenía que llevarse su propia munición. Tuvimos que transportar también parte de la munición de morteros hasta donde estaban sus posiciones. Nuestro jefe fue a ver al comandante, el segundo al mando del

2 Para. Nos informaron que probablemente habría un asalto a la mañana siguiente y que nosotros participaríamos. Primero se daría a los argentinos la oportunidad de rendirse.

Estaba oscuro como boca de lobo, había mucho humo, los pastos ardían lentamente. Dije unas pocas palabras a dos de los paras. Sabíamos que esto iba a ser un combate duro y decisivo, con sólo mirar a los paras y ver el aspecto que tenían. La mañana siguiente iba a ser horrenda. Nos ordenaron cavar refugios para granadas y esperar a ver qué ocurría. Habría una rendición de los argentinos u otro asalto a cargo de los paras con apoyo de nuestra compañía. Nos informaron sobre la amenaza aérea de los Pucará, aviones turbohélice que llevan mucho armamento. Son bastante formidables y metían miedo a las tropas terrestres más que cualquier otra cosa.

Nosotros queríamos cavar, pero no podíamos porque la tierra era sumamente dura. Recuerdo haber golpeado la tierra con un pico sin que pasara nada. Al final, tuvimos que acostarnos donde estábamos y mantenernos despiertos toda la noche. No podíamos dormirnos porque estaba helando. La temperatura se hallaba debajo del cero, y nevaba. Yo he estado en Noruega y sé lo que es el frío. Tenía puesta una chaqueta rompevientos del Ártico, que no tiene forro interior porque es rompevientos y, si se moja, el viento la seca bastante rápido. Había unos diez grados bajo cero y yo estaba tendido en una zanja que se había llenado de nieve. Estábamos abrazados con otro infante de marina, que era mi número dos. Nos mantuvimos allí durante un par de noches, hasta que nos llevaron nuestras mochilas y tuvimos nuestras bolsas de dormir. Después de eso siempre las llevábamos con nosotros a todas partes, fuera de las mochilas, y las tendíamos según nuestras órdenes de combate. Cuando uno siente tanto frío no sirve para nada ni para nadie.

A esa altura, un par de tipos estaban teniendo problemas con los pies. El nombre correcto es pie de inmersión, pero los abuelos lo conocen como pie de trinchera. Había también peligro de congelamiento y hay que tener mucho cuidado en esas situaciones. Algunos de los infantes de marina habían sufrido congelamientos en Noruega, y a nadie le gusta tener que volver a un ambiente tan frío si uno ya lo ha sufrido. A un tipo de mi sección, un muchacho llamado Johnny Oldham, se le saltaban las lágrimas prácticamente con cada paso que daba durante las marchas. La gente no se da cuenta de lo que significa estar en una situación de combate, cuando uno debe luchar no sólo contra el enemigo sino también contra el ambiente. No se trata de que la Compañía "K" se mueva hacia allá, la Compañía "J" venga hacia aquí, el 2

Para se adelante. Se trata de un infante de marina que carga una GPMG (ametralladora de propósitos generales), que pesa doce kilos y toda la munición, llorando prácticamente con cada paso que da, para no quedarse atrás de su sección. Aquel hombre estaba sufriendo una absoluta agonía con sus pies. Pero qué podía uno hacer... solamente evacuarlo como herido, pero no se podía porque los "taxis" (helicópteros) estaban todos transportando abastecimientos. Aparte de eso, él no habría querido irse, no nos habría dejado que lo evacuáramos, aunque nosotros lo hubiésemos preferido. Quería quedarse, por eso seguía caminando, y yo me sentía bastante mal al ver el estado en que estaba. Había hecho todo correctamente, cambiarse las medias, ponerse talco en los pies. Pero cuando uno está mojado en ese frío helado, al final todas las medias están mojadas. Mi oficial de tropas le hizo enviar un paquete que contenía cuatro pares de medias. Se quedó con un par y regaló tres. Las medias eran muy importantes. Nos apoderábamos de las botas argentinas donde podíamos encontrarlas, y de medias. Tenían bolsas de polietileno llenas de medias.

El infante de marina o el paracaidista promedio, a esa altura ya tenía que beber agua de la turba. Los arroyos eran insignficantes; no se podía conseguir agua potable. Había que sacar lo que uno podía del terreno pisado muy fuerte sobre la turba o cavando pequeños pozos hasta que se formaba un charco, porque toda la tierra estaba saturada. Había que sacar el agua con una cuchara, ponerla dentro de un jarro y echarle una tableta para esterilizarla. Era absolutamente negra, pero uno la bebía. Nuestras raciones eran raciones árticas, pero no había tanta nieve como creyeron los planificadores que habría, y esas raciones necesitaban agua. Eran buenas raciones, de cinco mil calorías, pero por más tabletas que usáramos para esterilizarlas, finalmente producían diarrea. Cuando llegamos a Stanley yo ya no usaba nunca calzoncillos, y había muchos tipos en esas condiciones, por estar también con diarrea. Eso daba mucho fastidio: si un tipo tiene problemas en los pies, y además tiene que soportar la diarrea. Uno lleva solamente tantos pares de pantalones en su equipo. Al final, podía ocurrir que uno estuviera marchando y de repente se hiciera todo encima. No es muy lindo cuando uno tiene una diarrea desenfrenada y aún así debe seguir caminando. Es imposible detenerse, obviamente. Uno de los muchachos de nuestra sección se bajó el cierre, cortó completamente los calzoncillos y los arrojó lejos; después siguió caminando. El doctor decía que lo único que se puede hacer teniendo en cuenta que se está perdiendo líquido del cuerpo, es beber agua en cantidad, y por supuesto, nosotros bebíamos de nuevo esa porquería. De eso ustedes no leyeron nada en los periódicos.

Una noche, la unidad 42 de comandos atacó el Monte Harriet, la 45 de comandos hizo lo propio con el Cerro Dos Hermanas, y el 3 Para con el Monte Longdon. Las compañías "K" y "L" estaban avanzando y la compañía "J" (nosotros) quedó junto a las posiciones de morteros para ir adonde el comandante ordenara. Habíamos pasado mucho tiempo durante los días previos llevando morteros a los fosos. Era un grano en el culo. Pesaban cuarenta kilos. Teníamos que cargarlos dos kilómetros, y habíamos estado dos días haciéndolo. Recuerdo haber dicho que esperaba que los usaran a todos cuando se hicieran los ataques.

Esa noche nos ordenaron avanzar para apoyar a las compañías "K" y "L". Teníamos que movernos siguiendo el camino de Darwin, parte del cual había sido despejado, pero el resto era tierra de nadie. No estábamos seguros en cuanto a la cantidad de minas que habrían colocado, pero sí sabíamos que estaba minado. La oscuridad era total, pero era bueno ponerse de nuevo en movimiento porque había estado lloviendo a mares y ya nos estábamos quedando tiesos de frío. La artillería empezó a atacarnos, pero no podíamos ponernos a cubierto porque había minas sobre los dos lados de nuestra posición. Solamente podíamos bajar la cabeza y seguir corriendo. Eso era todo lo que podíamos hacer. Lo único que recuerdo es haber visto los relámpagos y oído los ruidos de las granadas que pasaban silbando. No parecía real, era extraño, fantástico. No era nada parecido a lo que yo había pensado que sería.

Subimos al Monte Harriet en línea extendida y avanzamos por la montaña. En esos momentos, las Compañías "K" y "L" habían girado sobre su eje. Cuando estábamos cerca de la cumbre empezó a aclarar. Era todo muy extraño. Había mucha bruma, la cumbre estaba cubierta por la nieve, y daba un poco de miedo. Allá arriba empezamos a consolidarnos, ocupamos algunas de las viejas posiciones argentinas y reconstruimos para nosotros las posiciones de fuego fortificadas, usando rocas y turba. Los reglamentos militares dicen que, si uno pierde una posición, de inmediato debe empezar a batirla con cañones, y eso es lo que ocurrió durante el resto del día. Realmente me asustó. Uno no puede hacer nada al respecto, sólo escuchar el ruido de las granadas cuando vienen hacia uno. Al final ya sabíamos cuáles nos iban a errar y cuáles iban a caer entre nosotros. Llegamos a sentirnos casi hastiados por todas las que pasaban por arriba. Hacíamos chistes y reíamos... allí es cuando surge el humor militar. Es mucho mejor hacer un chiste que quedarse allí quieto temblando. Uno trata de hacerse lo más chiquito posible. Dos muchachos de mi compañía resultaron heridos por el fuego de artillería. Conseguimos un "taxi" para que los evacuara. Por suerte anduvieron bien.

Al día siguiente tuvimos que ocuparnos de los muertos argentinos. Ordenaron a mi sección que los enterraran. Había que sacarles las chapitas de identificación y cualquier otra cosa que pudiera identificarlos, clavar un fusil en la tierra con el casco calzado en la punta y las chapas de identificación aseguradas a los fusiles. Se suponía que más tarde iría un padre para decir una rápida oración por ellos. Yo tomé dos infantes de marina, el tipo más joven y el más viejo. Teníamos que ir a buscarlos. Yo me sentí mal conmigo mismo a raíz de esto. De pronto ellos ya no eran más el enemigo. El primer tipo con quien me crucé tenía heridas en todo el pecho y le faltaba la mitad de la cara. Le saqué su chapa de identificación y mientras lo hacía no dejaba de hablar: "Bueno, está bien, ahora voy a sacarle su chapa de identificación y... sí, bueno, aquí está", no porque quisiera decirle lo que estaba haciendo. Simplemente trataba de dejar de pensar sobre ese tipo. Uno les encontraba una billetera, y allí había una fotografía de ellos con la esposa y los hijos. Y yo miraba alrededor y pensaba: "Bueno, carajo, pude haber sido yo el que está ahí tirado". Él era solamente uno más. En ese momento no me sentía demasiado mal, porque tenía a otros dos muchachos conmigo y yo era el jefe de sección... "Joe el Frío". Empezamos a enterrarlos, pero la tierra era demasiado dura para cavar hoyos, entonces los arrastramos hasta una depresión, y nunca olvidaré cómo se los veía. Todos los cadáveres estaban retorcidos. Se podía adivinar la agonía que habían tenido antes de morir.

Los arrastramos hasta esas depresiones y empezamos a hacer chistes sobre el hecho de que estuvieran muertos. Los cubrimos solamente con cantos rodados. Estábamos agotados y con mucho frío. Les pusimos los fusiles en las tumbas. Después encontramos un oficial argentino que estaba herido. Tenía desgarrado el abdomen. No recuerdo quién lo encontró. Me llamaron y alguien dijo: "Ven aquí, Lou, y mira a este tipo que está aquí". Me acerqué y él empezó a hablarme en inglés. Me dijo que no sabía por qué estábamos peleando. Intentamos hacerlo evacuar, pero no se podía porque todavía nos estaban cañoneando. Aun cuando los enterrábamos, de tanto en tanto teníamos que buscar refugio.

Yo seguía pensando en aquello de ser bastante frío, que había podido superarlo. Pero fue mucho más tarde, cuando volví a casa, cuando me di cuenta de que había producido en mí un profundo efecto. No lo admití en el momento, y era muy fácil ocultarlo porque estaba a cargo de la sección y tenía otras cosas en qué concentrarme. Me sentí muy mal con respecto a esos cadáveres, el estado en que estaban y cómo los arrojamos simplemente a un pozo. No eran más que chicos. El tipo que estaba herido... Ahora habría querido que no me hubiera hablado en inglés.

En esos momentos uno tiene tantas cosas entre manos, pero cuando volvemos a casa nos damos cuenta de que él no era más que otro tipo común, en la misma posición exactamente que yo. Me sentí emocionado ese día, pero lo oculté. Estuve cuatro años llorando por algunos pocos muertos, porque obviamente no se puede llorar en el momento, uno tiene un trabajo por hacer y simplemente lo hace. Aun ahora todavía siento: ¿Por qué estoy llorando? Me temo que no lo veo como enemigo.

Volver a casa fue grandioso. Me sentía muy bien junto a todos los demás. Me sentía bien porque tenía la mejor recompensa que uno puede tener cuando ha estado en esa situación... sus muchachos que se daban vuelta y le decían a uno lo que pensaban: que uno había sido muy bueno allá abajo, que había manejado bien la sección. Eso significa increíblemente mucho para mí. Fue grandioso volver a casa mientras todavía formaba parte del grupo. Pero después, la llegada y la separación: ése fue el momento en que empecé a tener problemas emocionalmente. Mientras uno está con los muchachos, como todos han estado juntos en aquello, todos saben los sentimientos de los otros. Sólo la gente que se ha encontrado en esa situación puede realmente comprenderlo.

Ésa es mi única crítica de las fuerzas. Todos nos dejábamos llevar por la marea, el agitar de banderas, la entrada a Southampton en el *Canberra*... uno todavía está con los muchachos, todos juntos, puede salir y saludar agitando los brazos. Pero entonces todos se separan. Y a uno le dicen: "Sale de licencia durante ocho semanas, diviértase y olvídese de todo aquello".

Sólo fue un conflicto corto, pero desde el momento en que los argentinos invadieron las Falklands yo había estado sintiendo esa carga emocional. No sabíamos que sólo iba a durar cuatro semanas, la fase en tierra. Esperábamos que fueran seis meses. Mientras tanto uno está en tensión, esperando listo para la gran batalla que puede sobrevenir. Hubo combates, pero nosotros esperábamos una verdadera batalla, reñida y prolongada. Por supuesto que tuvimos un pequeño enfrentamiento, aunque fue para mí bastante grande. Es toda esa aprensión y excitación reprimidas, que se pueden contener cuando uno está con los muchachos... pero luego, de pronto, uno sale con licencia.

Yo no tengo ninguna persona de la cual me sienta realmente cerca. Siempre he sido un poco solitario, y de repente me encuentro lejos de todos los muchachos. Mi única crítica es que me hubiese gustado que tuviésemos alguna clase de médico que pudiera habernos dicho: "Miren, cuando lleguen a sus casas, toda esta emoción va a salir al exterior... cuando dejen a los amigos y dejen esta unión, van a encontrar difícil hablar de aquello". Si hubieran podido estar allí unos cuantos doctores que dijeran: "Si usted es casado trate de hablar con su esposa...", o si uno era un solitario, como yo: "Venga y hable con nosotros". Ésa es mi única crítica.

Salí con licencia por ocho semanas y me divertí... Pero esas palmaditas en la espalda, de los amigos, de los parientes, no podía soportarlas. No fui a mi casa durante los primeros días. No me gustaba todo ese agitar de banderas. Creo que sólo estuve allí una semana, después, salí a dar vueltas por todo el país. Alquilé un auto. Empecé a sentir ganas de decir a la gente lo que era aquello. Quería que todos supieran sobre los muertos y cómo se siente uno cuando está muerto de miedo. Sólo quería sacármelo de encima. En cambio tuve que mantenerlo encerrado, porque venía algún extraño y me preguntaba algo estúpido, como: "¿Mataste a alguien?" O se lo pasaban dándole a uno palmadas en la espalda, pagándole cervezas, y uno se dejaba llevar un poco. Pero nunca alcanzaba a decirles realmente cómo era aquello... Les decía básicamente lo mismo que sabía todo el público de Gran Bretaña. Al final, tuve ocho semanas de no decirle nada a nadie. Sólo empujé todo hacia el fondo de mi cerebro. Cuando empecé a sentirme realmente un poco deprimido durante los dos años siguientes, me conformaba muy rápidamente. Me decía a mí mismo: "Deja de lamentarte, hay muchos otros tipos que lo han soportado". Siempre lo han soportado a través de los años. Me siento orgulloso de pertenecer a los infantes de marina.

Yo tenía una buena carrera. Me gustaba hacer todas esas cosas duras y difíciles que hacen los infantes de marina. Hasta me gustaban las marchas con los pesados equipos. Pero debo ser honesto... no quiero ir a la guerra otra vez. Y eso no me hace un pacifista, porque si alguien amenzara a mi país, buscaría un fusil y pelearía. No quise quedarme en la infantería de marina porque podría terminar en una lucha en la cual no creyera. No estoy diciendo que no creía en la guerra contra la Argentina. Tengo mis propios puntos de vista sobre esa guerra que, por respeto a la gente que ha perdido seres queridos, o que ha quedado mutilada, me guardaré para mí mismo. Volveré a pelear, pero tendré que creer en la causa.

La gente dice: "Oye, eres loco si sales". La seguridad, el dinero, todo eso es muy bueno. Yo no soy casado, de manera que no tengo el deber de cuidar a una esposa y a una familia. En realidad, podría correr el riesgo e ir. Creo que si me hubiera quedado adentro, habría sido sólo cuestión de suerte que en tres años no terminara yendo otra vez a la guerra, y entonces me encontraría diciendo: "Estúpido hijo de puta, te dije que debías salir".

CIVILES

GERALD CHEEK

Gerald Cheek nació en las Falklands y dirige el Servicio Aéreo del Gobierno de las Islas Falkland (FIGAS), que opera en todo el territorio de las islas. Durante la ocupación argentina fue arrestado a punta de pistola por soldados armados, y deportado a Bahía Fox, en la Isla Gran Malvina.

Cuando llegaron los argentinos, la atmósfera en Stanley era muy opresiva. Yo había salido con la Fuerza local de Defensa de las Islas Falkland la noche en que ellos llegaron. Nos sacaron de la zona que estábamos custodiando y nos enviaron a nuestros hogares. Fue una sensación horrible. Todo el mundo estaba indignado. Nos pusieron bajo arresto domiciliario prácticamente durante todo el día 2 de abril. Era espantoso; todo el mundo estaba deprimido y con aprensión por lo que iba a suceder después: si nos iban a matar o si nos llevarían a la Argentina. Todos sabían cómo era allá el régimen, el gobierno militar, y qué habían hecho a su propia gente. Sabíamos que querían las Falklands; no sabíamos cuál sería nuestro destino. Era muy alarmante, para decir lo menos.

Estábamos muy restringidos por los argentinos en Stanley. Una de las primeras cosas que dijeron cuando llegaron fue que nada iba a cambiar. Y lo siguiente que dijeron fue cómo tenían que cambiar las cosas. Debíamos conducir conservando la derecha, del otro lado de la calle, teníamos que tener pases para circular por Stanley. No nos permitían salir de Stanley, aunque algunos sí salieron con sus vehículos para las granjas. Después de dos o tres días se declaró el aeropuerto zona prohibida. Había muchas áreas restringidas. Era muy molesto.

Yo elegí quedarme, como lo hicieron algunos otros, para cuidar de Stanley lo mejor que pudiésemos. La gente empezó a recordar la

Segunda Guerra Mundial y cómo debieron de haberse sentido los franceses, los holandeses y los países de Europa ocupados por los alemanes. Era —estoy seguro— muy parecido. Hubo algunos momentos de mucha tensión. Nos llamaron a los jefes de los distintos departamentos del Gobierno de las Islas Falkland a participar de una reunión en la secretaría para conocer al Alto Comando Argentino, y nos indicaron lo que debería hacer cada departamento. En mi caso, insistieron en que el servicio aéreo interno debía seguir funcionando. Les dije que no había forma de que lo hiciera, con los soldados argentinos en todas partes; quién sabía lo que podía ocurrir, lo que ellos podrían haber hecho: "Ese es un avión desconocido, vamos a derribarlo". Por lo tanto, aunque yo lo dispusiera así, nuestros pilotos no habrían volado sus aviones; era demasiado peligroso. Por supuesto, eso dejó aisladas las islas. Nuestro servicio aéreo es una parte esencial de la vida comunitaria de las Falklands.

Tres semanas más tarde, el 27 de abril, nunca olvidaré la fecha, vinieron a buscarme más tarde y me dijeron que me llevaban. Yo no sabía adónde. Entraron cuatro de ellos con pistolas y amenazaron a mi familia, diciéndome: "Va a salir; tiene diez minutos para preparar sus cosas". Creí que iban a llevarme a la Argentina, no tenía el menor indicio sobre adónde podían llevarme. Nos transportaron, a mí y a otras personas —catorce en total— al Aeropuerto de Stanley. Y de allí, en helicóptero, a Bahía Fox, donde nos pusieron bajo arresto domiciliario durante las restantes siete semanas de la guerra. Al principio pensé que nos iban a sacar y fusilar. Recordaba lo que se decía que había ocurrido en Argentina a su propia gente: los "desaparecidos". Pensé: "Llegó el momento, nunca más volveré a ver a mi familia". Nunca me había sentido tan mal ni con el ánimo tan bajo en mi vida.

—¿Adonde voy, necesito mi pasaporte? —les había preguntado.

—No, interior —me contestaron.

Esa fue la palabra que usaron, lo recuerdo muy bien. Era muy inquietante para mis dos hijas y mi esposa. Las tres lloraban. Yo no soy tampoco ningún duro, y estaba igualmente al borde de las lágrimas.

Me he preguntado a veces por qué me eligieron a mí. Pocos días antes de eso fui citado ante el segundo comandante, que me dijo que la policía militar andaba detrás de mi cabeza. Sabían que yo era miembro de la fuerza local de defensa. Era miembro del Comité de las Islas Falkland. También era buen tirador en el polígono local de tiro con fusil, y ellos sabían que no me gustaban los argentinos, lo que era absolutamente correcto. Creo que todas esas cosas se sumaron y un día estallaron.

Cuando llegamos a Bahía Fox, los argentinos que estaban allí pensaban que ese día la Fuerza de Tareas iba a lanzar el máximo ataque. Querían sacar del paso a gente como nosotros para que no pudiésemos ayudar a las fuerzas británicas. Creían realmente que ese era el día en que iban a atacar todas sus posiciones, en un asalto decisivo durante la noche sobre Puerto Howard, Bahía Fox, Prado del Ganso, Stanley. Sería una sola y gloriosa batalla.

En Bahía Fox, el gerente local Richard Cockwell y su esposa Griselda se ofrecieron muy amablemente para darnos alojamiento; como éramos catorce, la propiedad se hallaba atestada. Había doscientos argentinos con base en Bahía Fox, en el asentamiento, y patrullaban constantemente. No teníamos comunicación con el mundo exterior, pero acostumbrábamos escuchar la BBC para saber qué estaba ocurriendo en Stanley. Ellos registraron la casa en varias oportunidades buscando radios. Pensaban que podíamos haber tenido trasmisores. Pero logramos mantener escondido nuestro receptor, a Dios gracias. Era la única forma de saber qué estaba pasando en las Falklands. Nuestras familias, allá en Stanley, no sabían qué estaba sucediendo con nosotros, pero por lo menos nosotros conseguíamos mantener algún contacto (escucha).

El hecho de que disponíamos de la radio debía ser absolutamente secreto, aun para los niños. Había allí seis pequeños. El mayor y el capitán argentinos a cargo del destacamento local solían llegar muy a menudo. Hablaban bien inglés, por eso no había forma de que dejáramos saber a los niños que recibíamos noticias desde afuera. Podíamos hablar sobre la guerra solamente entre adultos. Teníamos oculta la radio en una pequeña habitación en los fondos, debajo de algunas cajas y otros elementos: era prácticamente un depósito. Uno de nosotros entraba allí y escuchaba la radio, controlando por la ventana que no hubiera argentinos cerca.

Después del primer ataque de Harrier acostumbrábamos escondernos debajo de las tablas del piso. Además, los británicos estaban cañoneando las posiciones argentinas, muy cerca de donde nos hallábamos viviendo nosotros. Por lo tanto decidimos meternos de noche debajo de la casa; los cimientos de piedra nos daban alguna protección. Durante el resto de la guerra vivimos virtualmente debajo de la casa. Las condiciones no eran del todo cómodas pero razonablemente aceptables. También teníamos otra radio escondida debajo de las tablas del piso. La desarmábamos y distribuíamos las partes en varios sitios, de manera que, si durante las inspecciones los argentinos encontraban algo, iban a pensar que se trataba de una vieja radio que no funcionaba. Si llegaran a descubrir la primera radio siempre nos quedaría esta otra como reserva.

En una ocasión, unos veinte soldados rodearon la casa y nos llevaron a todos afuera, hacia el galpón de esquila. Registraron a fondo toda la vivienda. Uno de ellos dijo a Richard Cockwell que debíamos permanecer en el galpón y que si alguien intentara salir podría ocurrir que lo mataran. Estaban muy agitados ese día en particular. No sé cuál era la causa, pero hubo bastantes momentos de terror como ése. Hasta llegaron a abrir fuego contra nosotros en una oportunidad. Richard tenía permiso del mayor para bajar al puerto e ir hasta su yate para buscar unas mantas y otras cosas que necesitábamos. Yo fui con él, y en el corto viaje de regreso en el pequeño bote con motor fuera de borda, uno de los guardias nos disparó. Las balas pasaron bastante cerca. No sabemos si nos hacía fuego realmente a nosotros o sólo trataba de asustarnos. Nos pareció espantosamente cerca y nos aterrorizó.

Por momentos me deprimía mucho no saber qué estaba sucediendo en Stanley, donde había quedado mi familia. La BBC nos decía por la radio que los británicos se acercaban cada vez más. El tiro de artillería estaba casi en el borde de Stanley, y siempre nos preguntábamos si la próxima andanada no caería sobre una casa particular y mataría a alguien. Escuchábamos la *Hora del doctor*, que trasmitían todas las mañanas desde Stanley hacia las estaciones del "Camp" (el campo en el interior de las islas), y oímos que habían muerto tres personas. Ése fue realmente un día triste para todos. Pensábamos: "Bueno, diablos, ¿quién será el próximo? ¿Dónde caerá la próxima andanada?"

No había forma de comunicarse con nuestras familias o que ellas lo hicieran con nosotros. Cuando fuimos a Bahía Fox sabíamos que la Fuerza de Tareas estaba en camino. La mayoría de nosotros pensábamos que demoraría un par de semanas, que habría una gran batalla gloriosa, que los británicos recuperarían las Falklands y que eso sería el fin de todo. Pero estuvimos detenidos en Bahía Fox durante siete largas semanas.

Rememorando ahora, es muy triste pensar que tanta gente perdió la vida. Tal vez, en cierto sentido, fue una guerra infructuosa. Nos sentimos muy felices por el hecho de que los británicos hayan vuelto y expulsado a los argentinos, pero era tan innecesario. Nunca debió haber ocurrido. Nunca debió haber llegado la guerra y el derramamiento de sangre. Creo que fue muy mal manejado por el Foreign Office (Relaciones Exteriores). Fueron seduciendo a los argentinos, halagándolos, dándoles esperanzas. Sabemos ahora que les dijeron que ganaran nuestros corazones y nuestras mentes, que procuraran ganarse la amistad de los isleños... y un día tendrían las islas. Ellos se hartaron de cortejarnos. No lo hicieron demasiado bien. Finalmente, decidieron que vendrían y las tomarían. Estoy seguro de que ellos pensaban que se quedarían.

Nosotros estábamos enfurecidos ante la presencia de ellos allá. Yo personalmente no les tenía la menor compasión. No los veíamos tanto en Bahía Fox como lo hacían en Stanley, donde comprobaban que los jóvenes conscriptos estaban sufriendo, y era mucha la gente que les tenía compasión. Pero yo no sentía eso.

Escuchando todos los días la radio oímos finalmente sobre la rendición, o la posibilidad de una rendición. Por último llegó también para nosotros, a medianoche. Llegaron los argentinos y dijeron que todo había terminado. Apenas podían esperar para volver a casa otra vez. Estaban agotados y sólo querían irse de las Falklands. Durante la mañana siguiente a la rendición llegó un helicóptero Lynx, del HMS *Avenger*. Fue un gran momento ver a los británicos en tierra, y entonces supimos que todo había terminado y que volvíamos a casa.

Regresamos a Stanley dos días después. Enviaron un helicóptero Sea King, del HMS *Invincible* a Bahía Fox, para trasladar al médico y a su esposa, que también era médica, de vuelta a Stanley, donde los necesitaban en el hospital porque había mucha gente herida que necesitaba atención.

Cuando el Sea King aterrizó en el campito frente a la casa, todos nos adelantamos —los catorce— y le dijimos al comandante: "Usted no va a despegar hasta que estemos todos a bordo". Él contestó: "Está bien, pero no tengo lugar".

Pero hizo lugar y volvimos todos juntos a Stanley, en un día sumamente feliz. La ciudad mostraba un aspecto penoso. Cuando pasábamos por Fitzroy volamos sobre el *Sir Galahad*, que aún estaba ardiendo. En Stanley algunos pocos edificios seguían echando humo y había muchos escombros y restos. Fue hermoso volver a casa, pero lo que veíamos daba mucha tristeza. Ya no era nuestra pequeña ciudad. Había cambiado dramáticamente.

Ahora ya no pienso demasiado sobre ello; creo que es mejor olvidar. Espero no volver a ver a un argentino sobre el suelo de las Islas Falkland. Debo ser honesto. Tuvieron la posibilidad, tuvieron muchas oportunidades para ganar nuestros corazones y nuestras mentes y cortejarnos. Y lo hicieron mal desde el primer día. Después, lo malograron todo completamente el 2 de abril de 1982. Así es. Creo que puedo hablar por más del noventa por ciento, probablemente el noventa y nueve por ciento de los isleños. Tuvieron su oportunidad. Penosa. No los queremos de vuelta. Jamás.

HULDA STEWART

La señora Hulda Stewart es una isleña, nacida en las Falklands, casada con un ex militar británico. Es maestra en una escuela de Stanley, y estaba viviendo allá cuando los soldados argentinos invadieron las islas el 2 de abril de 1982. Su casa está en las afueras de la ciudad, cerca del lugar donde se produjeron los combates finales.

Yo estaba absolutamente horrorizada por la llegada de los soldados argentinos. Las cosas habían ido aumentando de temperatura desde hacía tiempo, pero yo nunca pensé realmente que invadirían. A las cuatro de la mañana oímos explosiones, y cuando miramos hacia afuera por la ventana, vimos que se elevaba humo de Moody Brook, el cuartel donde vivían los infantes de marina. Entonces comprendimos qué estaba sucediendo. Habían llegado. Vimos sus fuerzas especiales —los Buzos Tácticos— con sus caras oscurecidas y sus ropas negras, que avanzaban por el camino. Tuvimos mucha aprensión, porque no sabíamos qué iba a suceder. No sabíamos si iban a entrar y matarnos a todos.

Entraron hasta el portón, que dejaron abierto. Mi esposo salió a cerrarlo, para que el perro no escapara, y entonces ellos se inquietaron un poco. Cuando se les explicó, uno de ellos que hablaba inglés se lo dijo a los otros: no queríamos que el perro saliera y pudiera resultar muerto. Parecieron aceptarlo y se fueron; nos dejaron tranquilos.

Teníamos una mezcla de sentimientos. Primero fue una furia absoluta. Cómo se atreven a venir aquí e invadir una pacífica colonia donde la gente sólo quiere vivir sus vidas en paz. Aquí la gente no es particularmente materialista, solamente quiere una existencia pacífica. Cómo se atreven a venir y cometer un acto de guerra; aquí teníamos a los hombres de nuestra Real Infantería de Marina. Después hubo un sentimiento de frustración por no poder salir adonde queríamos. Pero había también una sensación de miedo, no necesariamente por uno mismo, sino especialmente por la gente anciana. Yo estoy muy relacionada con los viejos, y muchos de ellos no habían salido nunca de las islas.

En pocas horas los argentinos empezaron a emitir sus edictos. El primero decía que iban a respetar a las personas y la propiedad. Por varias cosas que sé de la Argentina, por haber estado allá, pensé que eso no iba a durar mucho. La vida cambió sobremanera. Sabíamos que no iban a respetar nuestras propiedades ni nuestro estilo de vida, como habían prometido. Una de las primeras cosas fue: "No deben conducir conservando la izquierda". Bueno, si uno va a otro país y ellos conducen conservando la derecha, yo estoy dispuesta a aceptarlo, pero no en mi propio país. Después, por supuesto, comenzó el toque de queda. Estábamos encerrados en nuestras propias casas desde las dieciséis hasta las ocho del día siguiente. Si uno quería salir al campo debía obtener un pase. No había forma de que uno pudiera simplemente salir. Los argentinos visitaron por turnos todas las casas; tenían mucha información y conocimientos sobre los isleños.

Se efectuó una reunión con todos los maestros. Solamente dos de nosotros éramos isleños de las Falklands; los otros —excepto tres o cuatro— decidieron que no querían quedarse. Abandonaron la isla y la escuela se cerró. Yo continué enseñando a los chicos en mi casa. Los iba a buscar tantas veces a la semana y los llevaba a mi casa para darles las lecciones.

Nos parecía que estábamos viviendo en un campamento armado. El West Store, nuestro más importante almacén en Stanley, se convirtió en el centro de la vida. La gente iba allí a veces a comprar cosas, no porque realmente las necesitara, sino porque era un punto de reunión. Era un sitio donde uno podía recibir e impartir información. Frente a los almacenes a menudo se encontraban jóvenes conscriptos argentinos, de mal aspecto, que pedían dinero para comprar alimentos, o alimentos directamente. Me resultaba sumamente difícil como cristiana practicante. Nos dicen que debemos amar a nuestro enemigo, que debemos dar a nuestro enemigo, que debemos ser buenos con ellos. Para mí es imposible.

Teníamos algunos amigos, nuestros vecinos de la casa de al lado, viviendo con nosotros, porque los argentinos les habían ocupado su hogar. Sabíamos que en la Argentina habían vaciado las cárceles de violadores, ladrones, etcétera. Entraban en las casas sin pedir permiso. Otros amigos, puerta por medio, se habían despertado en medio de la noche encontrándose con argentinos en su dormitorio.

El 1º de mayo (cuando los británicos bombardearon Puerto Stanley por primera vez) fue muy emocionante. Nos despertamos al oír golpes en la puerta. Un amigo nuestro, que es normalmente una persona callada, tranquila, nos decía: "¡Están aquí, están aquí, los británicos están aquí!". Nosotros no habíamos dormido bien; le contestamos: "¡Oh, qué maravilloso!", y volvimos a dormirnos otra vez. A la mañana, sentimos realmente el impacto de ese hecho. Poco después de levantarnos miramos en dirección al aeropuerto, vimos humo, nos dimos cuenta de que había bombas que todavía estallaban y yo me sentí tremendamente feliz. Me quedé junto a la ventana del frente y saltaba una y otra vez. Pero cuando me di vuelta, vi que desde el nido de ametralladora ubicado a pocos metros de nuestra casa me estaban apuntando con el arma, indicando que, a menos que me apartara de allí, me iban a disparar. Está de más decir que muy rápidamente me aparté de la ventana.

Cuando llegaron las noticias del desembarco británico en San Carlos, la alegría fue indescriptible. Se veía en las caras de las personas. Lo escuchamos por primera vez por la BBC. Después del bombardeo del 1º de mayo, ésta fue la primera vez que sentíamos un verdadero contacto con los británicos. Fue una tremenda emoción. Naturalmente, aún sentíamos mucha aprensión porque comprendíamos que los argentinos se habían atrincherado muy bien. Se escondían en medio de la población civil de Stanley. Habían hecho sus nidos de ametralladora en refugios de turba entre las casas de las familias. Aunque no teníamos duda alguna de que los británicos iban a sacar a los argentinos, sabíamos que no iba a ser tan fácil como pensaban algunos.

Cuando llegaron noticias de que estaban muriendo algunos chicos británicos, cuando empezaron a hundir buques, la gente se sintió muy muy triste. Teníamos clara conciencia de que realmente era un precio tremendo por nuestra liberación. Preveíamos en todo su significado que un cincuenta por ciento de la población probablemente moriría. Vivíamos dominados por esa idea. La muerte nos enfrentaba diariamente. Cuando oíamos que habían hundido un buque o derribado un avión británico, sabíamos en todo momento que esa gente estaba muriendo por nosotros, que había quien quedaría mutilado por el resto de su vida, que quedarían ciegos. Aun ahora, es algo con lo que me resulta muy difícil acostumbrarme a vivir. Cuando los familiares (de los hombres que murieron) vienen aquí, me hacen sentir muy humilde. No tienen amargura contra nosotros. Quedan tan agradecidos por cualquier cosa que podemos hacer pero, sin embargo, ellos lo dieron todo. Y nosotros podemos hacer tan poco en retribución.

A medida que las tropas británicas se acercaban a Stanley nos dimos cuenta de que íbamos a estar en una posición muy vulnerable, porque nuestra casa era la más alejada hacia el oeste que todavía permanecía ocupada. Sabíamos que los argentinos sospechaban mucho en cuanto a por qué nosotros nos quedábamos en la casa. Pensamos que podrían tomarnos como rehenes cuando llegaran las tropas británicas. Mi esposo, Ian, decidió que lo mejor era cavar un pozo — escondite debajo del piso de la sala, a través de los cimientos de la casa. Lo cubrió interiormente con material impermeable. Llevamos abajo alimentos, agua, algunas hachas y varias cosas como esas, de manera que, si la casa se incendiara podríamos abrirnos camino para salir. No era muy agradable estar allí abajo. No nos quedábamos todo el tiempo. No sabíamos cuándo iba a empezar o terminar el cañoneo. Salíamos para hacer té o café, pero era sofocante. Mientras estábamos allá abajo ignorábamos por completo lo que sucedía alrededor. No teníamos mayor seguridad de que los argentinos no estuvieran tratando de entrar por la puerta trasera.

Durante las tres semanas en las cuales los británicos cañonearon las posiciones argentinas, tuvimos lluvia de esquirlas todas las noches. Cuando las tropas británicas se acercaron más, las granadas caían en el mar frente a nuestra casa. Nuestra gran ventana panorámica de pronto se hizo añicos. En esos días vivían en la casa con nosotros cuatro vecinos, y a veces nos encontrábamos todos de repente acostados en el suelo. Una granada estalló junto a nuestra cerca en la parte posterior de la casa. Los vecinos se encontraban en ese instante en el pozo-escondite, pero yo me hallaba arriba en la casa con mi esposo. Nos arrojamos al suelo en el corredor, él sobre mí, tratando de protegerme de las esquirlas y las balas que volaban por todas partes. Nuestro invernadero estalló y los cristales, las balas y las esquirlas atravesaron las ventanas, cruzando desde el fondo de la casa hasta el frente. Hubo argentinos que dispararon contra argentinos porque creyeron que eran británicos, y viceversa. Nosotros quedábamos atrapados en el fuego cruzado.

Podíamos ver con los binoculares las tropas británicas en las montañas al oeste de la casa, en Tumbledown y Dos Hermanas; calculamos que estaban ya muy cerca de nosotros. Poco después, los argentinos nos dijeron en términos que no dejaban lugar a dudas, que debíamos marcharnos. Lo hicimos, pero volvimos a la casa cuando supimos que había un cese del fuego y la posibilidad de una rendición. Hablamos sobre ello y decidimos que queríamos estar aquí, cerca de donde estaban los británicos, y no en el centro de la ciudad, donde se hallaban las fuerzas argentinas, ni en la intermedia tierra de nadie. Pensamos que podíamos intentar pasar hasta donde se encontraban las tropas británicas, de manera que si no se producía realmente la rendición, nosotros podríamos salir y unirnos a ellas. De alguna manera logramos pasar un guardia argentino, posiblemente porque mi marido le dijo que trabajábamos para Cable & Wireless y teníamos que salir del centro de Stanley para buscar algo en su oficina (cerca de nuestra casa).

Llegamos a la casa y quedamos absolutamente pasmados al encontrar a cincuenta o sesenta paracaidistas británicos que estaban viviendo allí, en el garaje, en el taller, en todas partes. Creo que fue allí y entonces cuando recibimos todo el impacto de la realidad en el sentido de que los británicos habían llegado y estaban en las islas. Todo lo que puedo recordar es a esa gente con sus caras pintadas. Bajé a nuestro pozo-escondite, donde había guardado más de veinte latas de postre. Yo sabía que los paras y los infantes de marina se estaban alimentando con raciones de campaña, y probablemente querían comer algunas cosas dulces. Llevaron algunas de las latas a sus compañeros que estaban en otras casas... fue una escena increíble. Les agradecimos una y otra vez. Por momentos fue muy triste. Alguien mencionaba a un amigo. En cierta ocasión yo estaba tratando de encender un calentador para ofrecerles un poco de té caliente, porque algunos de ellos no se sentían bien. Uno se dio vuelta y dijo:

— Ah, necesitamos a fulano para que venga a hacer eso.

— Bueno, ¿quieres ir a buscarlo, por favor? — contesté.

Entonces, repentinamente, el paracaidista se dio cuenta.

— Ya no está con nosotros. Murió, murió antes de que pudieran sacarlo de aquí y llevarlo.

Hablar con esa gente que ha perdido a sus amigos es algo que aun hoy me resulta sumamente difícil. Todos lloramos bastante. Era fácil reír, podíamos reírnos de cualquier tontería que ni siquiera nos provocaría ahora una sonrisa. Pero era más fácil todavía llorar.

Recordando ahora todo aquello, me pongo muy triste. Siento una tremenda admiración por esos familiares que no tienen ninguna amargura, que están dispuestos a aceptarnos como somos y que dicen: "Estaba cumpliendo con su deber. Estaba en las fuerzas armadas".

La última vez que estuvieron aquí los familiares de la Asociación de Familias de las Falklands, les ofrecimos una recepción con cena. Todos los que no fueron a Prado del Ganso vinieron aquí, y se me llenó la casa. Aquí en mi casa vi a una pequeña que debe de haber tenido tres o cuatro meses cuando su padre murió en las Falklands. Como maestra, sabiendo cómo son los niños, pienso en una familia sin el padre, y cuando me doy cuenta de que un niño pasará toda su vida sin conocer al suyo, por nosotros... realmente me siento muy deprimida. Hablar con esas familias me ha ayudado a aceptarlo, ellos no guardan la menor amargura.

Para ser honesta, durante la ocupación no sentía compasión alguna. Para mí era todo blanco y negro. Si daba comida a los argentinos, podía ocurrir que mañana ellos mataran a mi cuñado, que estaba con los infantes de marina, o cualquier otro soldado británico. Era algo que sentía que no podía hacer. Ahora, sí, ahora siento compasión después de haber visitado el cementerio argentino y ver allí todas esas cruces. Tengo un gran resentimiento hacia el gobierno argentino porque causó todas esas muertes.

Quiero que el pueblo británico sepa cuánto les agradecemos. Comprendo que aquello costó mucho. Me encuentro con algunas personas, en Gran Bretaña, que son muy comprensivas, pero otras me recriminan por lo mucho que hemos costado al contribuyente británico. Yo lo siento extremadamente. No hay nada que yo pueda hacer.

Recuerdo el miedo que tuve cuando tomaron prisionero a Ian. Yo vivía diariamente con miedo de que se lo llevaran y lo mataran. Él había sido militar. Sabían que, si podíamos, nos íbamos a poner en contacto con las tropas británicas. Y entonces, un día, mis peores miedos se concretaron. La casa junto a la nuestra estaba desocupada: los vecinos se hallaban en el Reino Unido, y nosotros teníamos una llave. Un montón de argentinos se reunieron junto a la puerta y comenzaron a golpear. Mi esposo dijo: "Bueno, antes de que echen abajo la puerta voy a salir y les daré la llave". Los argentinos lo apresaron de inmediato y lo obligaron a arrodillarse junto al portón de nuestra casa. Era un domingo a la tarde, un día extremadamente frío. Durante más de veinte minutos lo tuvieron allí arrodillado, en mangas de camisa, con una pistola ametralladora apoyada en la espalda. Yo no había probado nunca cómo era no poder sentarse. Traté de sentarme y no pude. Estaba tan tensa, tan asustada.

Lo único que pude hacer fue caminar hasta la cocina, preparar una taza de café y volver. No sabía que en veinte minutos fuera posible beber tantas tazas de café. Puse en el tocadiscos *Land of Hope and Glory* y abrí las ventanas. Conociendo el sentido del humor de mi marido, pensé que, si había de morir, si esa era la última cosa que oía, por lo menos moriría con una pequeña sonrisa en los labios. Entonces lo soltaron. Mis puntos de vista no han cambiado en lo más mínimo. Todavía quiero que las Falklands sigan siendo británicas.

JUNE McMULLEN

June McMullen tiene poco más de treinta años, está casada y es madre de dos niños. Nació y creció en el asentamiento de Prado del Ganso, en la Isla Soledad. Estaba viviendo allí con su esposo —que entonces era pastor y ahora es gerente del establecimiento— cuando invadieron las tropas argentinas.

Nos asustamos mucho aquella noche cuando oímos por primera vez que estaban invadiendo. Realmente no podíamos creerlo, y tuvimos que esperar otros dos días antes de que llegaran a Prado del Ganso. No sabíamos lo que iba a suceder. Cuando finalmente llegaron aquí, no fue demasiado malo al principio; nos dejaron tranquilos. Pero uno se sentía frustrado. De repente ya no era más nuestra casa. Teníamos aquí unos extraños que nos decían qué hacer y qué no hacer. Me ponía furiosa, pero no decía nada porque no quería tener ningún contacto personal con ellos.

En los primeros días de mayo, los soldados empezaron a traer los helicópteros a la mañana muy temprano, y a ponerlos entre las casas. El 1º de mayo había sido bombardeado el aeropuerto de Stanley, aunque no lo sabíamos en ese momento. Luego comprendimos por qué colocaban los helicópteros entre las casas. Era porque la RAF no tocaría el asentamiento... no lanzarían bombas sobre Prado del Ganso. Si veían a los helicópteros entre las casas, no se atreverían a bombardearlos por miedo a hacernos daño.

Pero los Harrier vinieron y bombardearon la pista de vuelo. Y no pasó mucho tiempo antes de que los argentinos nos sacaran de nuestras casas a punta de fusil y nos encerraran en el centro comunitario. Yo tenía a mis dos hijos: Lucille, de cuatro años, y Matthew, mi bebé, de tres meses y medio. Y a mi marido, Tony.

Cuando fuimos por primera vez al centro nos dijeron que habría una reunión. Pensamos que ellos simplemente querían hablar con nosotros y luego volveríamos a casa. Nadie llevó comida ni ropa para cambiarse ni nada de eso. No había mantas. Sólo teníamos la ropa puesta. La primera noche hizo bastante frío, y nadie tenía ropas extra ni mantas. Después pudimos clasificar algunas cosas e ir a buscar colchones y mantas.

En el centro las condiciones eran bastante precarias. Éramos ciento catorce allí dentro, y sólo había dos inodoros y dos lavatorios. No existían comodidades para dormir; todo el mundo tenía que dormir acostado en el suelo. Cada uno de nosotros tenía una pequeña superficie donde estirábamos los colchones y las mantas para dormir encima. Nosotros tuvimos suerte, habíamos conseguido un colchón, pero otros no tenían nada. Como era el centro comunitario había una mesa de billar, y la gente jugaba a los dardos, a los naipes, o leía durante el día.

Todo el mundo resultó afectado de diarrea, porque la provisión de agua no era buena. El bebé no causaba problemas, porque aún era muy pequeño. Recibía su alimentación y luego yo lo ponía en su cochecito. Pero era difícil disponer de ropas secas. Nunca pude bañarlo, en todo el tiempo que estuvimos allí. Lo acostaba sobre una toalla. Tenía una lata de margarina llena de agua para él. Humedecía una esponja y lo enjabonaba y lavaba de esa manera.

Al principio no sabíamos nada de lo que estaba pasando en el mundo exterior. Algunos de los muchachos encontraron una vieja radio que estaba deshecha. Todas las noches, un par de ellos trabajaba en secreto y, finalmente, pudieron armarla. Solíamos escuchar las noticias, y así nos enteramos del hundimiento del *Belgrano*. Y después, cuando hundieron al *Sheffield*, comprendimos que habría una guerra.

Cuando supimos lo del *Belgrano*, la atmósfera allí en el centro era de alegría por parte de todos. Pero después, cuando escuchamos sobre el *Sheffield*, la historia fue un poquito diferente. Nos preguntábamos qué iría a pasar más adelante. Cada vez que volaba un avión sobre el asentamiento sonaba una sirena de ataque aéreo. En el centro, todos trataban de buscar refugio en alguna parte. A medida que la Fuerza de Tareas se acercaba, nos sentíamos más preocupados. Nosotros éramos rehenes y no sabíamos qué nos harían, o cómo nos usarían. Sabíamos que habían matado a un montón de gente en su propio país, de modo que no les iba a preocupar mucho matarnos para sacarnos del paso.

Todas las noches nos reuníamos para rezar en el centro. Brook

Hardcastle (el gerente de la Compañía Falkland Island local) conducía esa reunión iniciándola con algunas oraciones, y luego todos rezábamos el padrenuestro. Nunca cantamos ningún himno.

Después de la primera semana los argentinos autorizaron a dos mujeres para que fueran cada día a la cocina, donde todos los hombres comían normalmente juntos. Les permitían cocinar comida suficiente, con pan y tortas, que después llevaban al salón central. Considerando que estábamos amontonados en un reducido espacio, todos nos llevábamos bastante bien. Generalmente la gente estaba de buen humor. No hubo ninguna disputa. Los chicos parecían disfrutarlo, pensaban que era una gran fiesta.

El 21 de mayo, cuando la Fuerza de Tareas finalmente desembarcó, nos sentimos todos encantados al oír la noticia. Pero después nos alarmamos. Los argentinos seguían trayendo aquí cada vez más soldados. Nos preguntábamos qué iba a ocurrir si se producía un combate por Prado del Ganso. Nos preguntábamos si alguno de nosotros moriría. Si bombardearían el lugar. Había momentos en que dudábamos de poder salir con vida. Algunos de los hombres hicieron pozos, de manera que, si el combate llegara a Prado del Ganso, podríamos meternos debajo del piso para estar un poco más cubiertos. Y cuando el combate finalmente llegó, eso fue lo que hizo la mayoría de nosotros. Era todo sombrío: oscuro, frío y húmedo en ciertas partes. Nosotros también nos metimos allí, mi marido, yo y los dos niños. Permanecimos más de seis horas. Podíamos oír los disparos de los grandes cañones. El ruido era tremendo. Los argentinos habían acercado los cañones al centro comunitario. Hacían fuego en todo momento, y además se oían también los disparos de armas menores. Más tarde llegaron los Harrier, y el ruido ya era infernal.

Oímos que había terminado el combate por la BBC, en las noticias de las seis de la tarde, desde el salón central. Dijeron: "Prado del Ganso ha sido liberado". Pero no era así. Tuvimos que esperar hasta la mañana siguiente. Los soldados británicos empezaron a llegar alrededor de las diez de la mañana, después de recibir la rendición. Cruzaron el campo y entraron en el centro comunitario. Les dimos té y cigarrillos y compartimos con ellos lo que teníamos. Realmente nos sentíamos como si hubiésemos sido liberados. Estábamos encantados. Sabíamos que finalmente iban a llegar, pero cuando los paras entraron en el salón tuvimos un gran placer al verlos. Ellos también se sintieron muy a gusto por estar allí, poder descansar, aflojarse y beber una taza de té. Uno de ellos, un paracaidista, me preguntó si podía sacarse una fotografía con Matthew, mi bebé. Creo que cuando vieron al pequeño

Matthew pensaron que todo aquello había valido la pena. Entonces pudieron ver para qué y por qué habían estado peleando. Uno de los paras, un muchacho muy joven, le regaló a Matthew la insignia de su boina.

Cuando abandonamos el centro, encontramos el asentamiento completamente estropeado. Antes de rendirse los argentinos habían saqueado el lugar. Entraron en todas las casas y destrozaron casi todo. Nos sentimos muy molestos cuando volvimos a nuestra casa, era un terrible desorden. Habían sacado las cosas de los cajones y los armarios, desparramándolas por todas partes para luego caminar sobre ellas. No habían usado el inodoro; habían hecho sus necesidades sobre las camas, en el suelo, en la bañera, en todos lados. Era todo un desastre, de arriba abajo. Cuando fuimos a buscar el colchón y las mantas, el segundo día, yo había envuelto y guardado las cosas que realmente nos interesaban. Pero quedé muy deprimida con lo que esa gente había hecho. Fue algo indignante. Pero nuestros soldados nos ayudaron a ordenar y limpiar todo.

MARÍA KRAUSE

La señora María Krause, de poco más de treinta años, estaba casada con un piloto de Hércules de la Fuerza Aérea Argentina, el mayor Carlos Eduardo Krause, derribado y muerto en la guerra de las Malvinas. Actualmente ella cuida y educa sola a sus tres hijos.

En 1979 tuve oportunidad de ir a hacer una visita a las Malvinas, porque mi marido volaba hacia allá regularmente desde el continente con la línea aérea estatal LADE. Para mí fue una gran emoción, dado que siempre me había interesado mucho por las Malvinas. Apoyé la ocupación de las islas y espero poder volver algún día.

Mi esposo era un gran hombre, muy generoso, nada materialista absolutamente. Yo solía llamarlo bohemio profesional; amaba la vida simple, la vida al aire libre. Yo era su amiga, su compañera, su esposa, y durante nuestros años juntos siempre me protegió y me mimó. Era un extravertido y le encantaba contar chistes. Tenía un acento gracioso porque era del norte de Argentina.

Desde el principio mismo tuve el presentimiento de que mi marido iba a morir, no sé por qué. Vivía con esa angustia, y pedí a mi suegra que se quedara conmigo durante esos días. Conversábamos mucho. Ambas sufríamos, pero ella fue para mí un gran apoyo. Cuando Carlos volvía a casa después de cuarenta y ocho o setenta y dos horas de servicio, le preparábamos sus platos favoritos. Escuchábamos música y luego salíamos a caminar juntos. Íbamos al cine y jugábamos con los chicos. No mirábamos televisión ni mencionábamos la guerra. En esos breves momentos tratábamos de vivir nuestros últimos minutos de felicidad.

Las esposas de los oficiales se prestaban mucha ayuda unas a otras. Todas vivíamos en el mismo barrio y nos conocíamos desde hacía mucho tiempo. Siempre nos habíamos ayudado unas a otras, por ejemplo cuando estábamos embarazadas y nuestros maridos se hallaban de viaje. Era como una gran familia. A veces, alguna de nosotras se sentía más deprimida que el resto, entonces íbamos todas a su casa para tratar de levantarle el ánimo. Le planchábamos la ropa, o cocinábamos para sus hijos, porque todas estábamos en la misma situación. No podíamos permitirnos el decaimiento espiritual, habría sido terrible.

Mi esposo no podía llamarme todos los días, porque estaba volando la mayor parte del tiempo, entonces otro piloto llamaba a su esposa y tal vez le decía que había visto a mi marido y que estaba bien, y ella me lo comunicaba en seguida. A veces, algún piloto que volvía a Buenos Aires traía cartas para todas las esposas, y nosotras tratábamos de enviarles chocolates y dulces. Yo me sentía poseída por la guerra. A veces pienso que las mujeres tienen el don de empujar a sus maridos a hacer algo sin que ellos ni nosotras nos demos cuenta. Yo sabía lo que estaba haciendo él. Inicialmente transportaba en vuelo provisiones y soldados hacia las islas, pero más tarde empezó a volar los Hércules que reabastecían de combustible en vuelo a los aviones de combate. Murió mientras cumplía una misión de búsqueda de buques de guerra británicos.

En su última visita a casa se quedó con nosotros durante cinco días, lo que era muy raro. Era cerca del final de la guerra, y yo creo que debían de haberle asignado alguna tarea muy peligrosa, porque le dieron una licencia tan larga antes de ir a cumplirla. Más tarde supe que él se había presentado como voluntario para esa misión. Me enteré de su muerte el 1° de junio a las siete y media de la noche. Dos oficiales de la Fuerza Aérea vinieron a mi casa, y me dijeron que todavía existía la posibilidad de que lo hubiera encontrado y rescatado la armada británica después del derribo del avión.

En ese momento sentí dentro de mí que todo había terminado. Me preguntaron qué necesitaba, y yo a mi vez les pedí que avisaran a mi padre. Cuando llegó un amigo de mi marido le pregunté cuál era su presentimiento, y él me contestó: "Carlos está muerto". A partir de ese momento ya nunca lo puse en duda. Aunque lo seguían buscando, yo sabía que estaba muerto. Al principio creí que me iba a poner histérica, pero no fue así. Lo tomé con mucha calma, y sólo al día siguiente, cuando aún no habíamos recibido noticia alguna, me encerré en mi cuarto y lloré todas las lágrimas que nadie me había visto llorar en público.

Después de cuatro años supe exactamente cómo había muerto mi marido. Estaba escrito en un libro en español sobre la guerra de las Malvinas, y yo leí el relato del piloto británico explicando cómo había derribado al Hércules. Lloré mucho entonces, porque mi marido no había sido nunca un cobarde, y él no habría actuado como lo hizo el piloto inglés. Éste había disparado todas sus armas contra un avión indefenso y luego lo sobrevoló tres veces. Este "caballero" termina su relato describiendo cómo el avión había desaparecido en el mar levantando una gran columna de agua y una montaña de espuma, con lo que quería decir que él había cumplido la misión, y que había sido muy exitosa. En mi opinión, fue como matar a una mujer embarazada, un verdadero piloto nunca habría hecho eso. Podía haber dado a ese avión la oportunidad de mantenerse a flote, aunque sólo hubiera sido por pocos segundos. Si ellos hubieran podido intentar poner el avión en el agua, habrían tenido al menos una posibilidad.[1]

Estoy orgullosa de mi marido, creo que la causa era digna de su sacrificio, porque ésa era la forma que había elegido para vivir y para morir. Estaba convencido de que lo que estaba haciendo era correcto, y que por eso valía la pena. Es necesario separar lo que hizo nuestro gobierno de lo que hicieron nuestros hombres. Todo el mundo ha reconocido que nuestros hombres fueron gente de gran valor, que hicieron cosas asombrosas con muy poco. Pasarán muchos años antes de que veamos los resultados de ese sacrificio. Quizá yo no los vea, tal vez sí mis hijos o mis nietos, pero yo estoy en paz conmigo misma porque le di mi apoyo hasta el último momento. No me perdonaría ahora si le hubiera hecho objeciones porque iba a la guerra, porque él quería realmente ir. Mis hijos recuerdan a su padre con gran orgullo. Solicitaron en su escuela que colocaran una placa en honor a su padre, y así se hizo. Para ellos, ése es un gran motivo de orgullo. Hay varias escuelas en la Provincia de Misiones que llevan el nombre de mi marido; y hasta un aeropuerto internacional ha sido bautizado con el nombre de él; y eso nos pone a todos muy orgullosos.

---

[1]Obviamente, la señora Krause ve las exigencias de la guerra desde un punto de vista distinto del de un piloto de combate que está cumpliendo órdenes legales y apropiadas, a las que está sujeto, y que probablemente le causen a él angustia equivalente. No se puede hacer ninguna crítica al piloto en esas circunstancias, pero el relato de la señora Krause demuestra la reacción emotiva de una viuda, que jamás podrá ser persuadida en otro sentido.

EDA MASSE DE SEVILLA

La señora Eda Masse de Sevilla tiene aproximadamente cincuenta años. Es viuda de un oficial de Marina que murió un año antes de la guerra de las Malvinas. Su hijo, el teniente Gerardo Sevilla, tenía veintidós años y se hallaba a bordo del *General Belgrano* cuando fue hundido por un submarino británico en el Atlántico Sur.

Ese domingo había ido a almorzar a la casa de mi madre, y cuando estaba por acostarme, a la noche, llamó mi hijo mayor. Me preguntó: "¿Estás escuchando las noticias por la radio?"

"No" le respondí, "estoy mirando televisión." Él dijo entonces: "Están transmitiendo unas noticias increíbles por la radio del Uruguay". No dijo nada más, y yo me fui a dormir.

A las seis de la mañana encendí la radio, y lo primero que oí fue que el *Belgrano* había sido atacado. Corrí al teléfono y hablé con mi hijo y mi hermana. Resultó que ellos habían estado despiertos toda la noche, escuchando las noticias. Ése fue el principio de mis largas noches. El lunes: sin noticias. El martes: sin noticias. El martes a la tarde, el cura párroco dijo una misa en la iglesia que está frente a nuestra casa, la iglesia de Santiago Apóstol. Estaban allí todos mis vecinos y parientes, rezando por el regreso a salvo de mi hijo. El miércoles, a eso de la una y media de la tarde, recibí una llamada del Comando en Jefe de la Armada. No me dijeron nada en particular, pero supe de alguna manera que lo habían encontrado. Me di cuenta de que si estuviera vivo, el teniente que me llamó me lo habría dicho. Entonces llamé a mi hijo y le dije: "Mira, debe de ser grave, porque no han querido decirme nada". Él fue directamente al comando y volvió con un médico naval. Y me dijo: "Mamá, lo han encontrado muerto". Me pusieron una inyección y dormí toda la noche.

Tuve una angustia tremenda. ¡Era un muchacho tan activo, tan lleno de salud! Medía un metro noventa. No le habría gustado verme llorando.

Lo trajeron el 10 de mayo, y al día siguiente le hicieron un funeral con todos los honores. Después lo sepultaron en el Panteón Naval. En sus cartas desde el buque me contaba sobre sus tareas y sobre la música que escuchaba, porque adoraba la música. Me pedía que no me preocupara, que no escuchara las noticias, que saliera y me divirtiera con mis amigas y que tratara de olvidar la guerra. Eso es lo que me decía en sus cartas. Le encantaba hacer de disc-jockey en las fiestas y tenía un equipo de audio que adoraba... los sonidos y las luces relampagueantes y toda esa clase de cosas. Era un buen deportista y un buen nadador. En una oportunidad ganó el campeonato de atletismo de las Fuerzas Armadas e intervino en el Festival Sudamericano de cadetes en Brasil.

Le gustaba estar en compañía de otras personas, y tenía varias chicas amigas, o novias. En una época, salía con tres chicas... ¡y las tres se llamaban Verónica! Era un extravertido, aunque también le gustaba mucho leer. Supongo que era un muchacho sano y normal. No podría decir que era el mejor, porque para una madre su hijo siempre lo es.

Ahora mi vida ha cambiado completamente. Estoy sola, porque mi esposo murió un año antes de la guerra. Así que perdí a mi esposo y a mi hijo en un período de seis meses. Todas las esperanzas que tenía para el futuro están ahora completamente perdidas. Debo decir que la tristeza que tengo es más fuerte que el orgullo. A pesar de todos los homenajes que hacen a los héroes de las Malvinas, yo siento más el dolor de la madre que el orgullo por el héroe. Para mí no es un héroe, es un hijo.

El hundimiento del *Belgrano* fue un asunto político, tal vez toda la guerra fue un asunto político. Cuando la señora Thatcher ordenó que hundieran el buque, olvidó que ella también era una madre y que en esa nave había más de mil hombres que tenían madres. El buque no cumplía ninguna misión en ese momento, no estaba combatiendo. Fue completamente injusto, fue traicionero.

Un año después de la guerra de las Malvinas hice un viaje a Europa. Me encontraba a bordo de un barco cerca de las islas griegas cuando vi a una señora inglesa. Yo no sé qué me pasó. Me acerqué a ella y le pregunté: "¿Le agrada a usted la señora Thatcher?" La tomé completamente por sorpresa, pero me respondió: "Sí, me agrada." Yo le dije que odiaba a la señora Thatcher porque la culpaba de la muerte de mi hijo en la guerra. Después me alejé.

Pienso que debemos recuperar las Malvinas, pero tenemos que hacerlo en forma pacífica. Cuando se usan las armas se pierden a los jóvenes que son el futuro del país. De manera que debemos encontrar la manera de reconciliar a los argentinos y los ingleses y recuperar nuestras islas. Tiene que haber una forma. Yo diría a las madres inglesas que luchen también, para que no vuelva a producirse otra guerra. En la última guerra, todas perdimos... las madres argentinas y las inglesas.

JOHN WITHEROW

John Witherow es periodista. Partió con la Fuerza de Tareas como corresponsal de *The Times* a bordo del HMS *Invincible*, uno de los dos portaaviones enviados al Atlántico Sur. Ahora es diplomático y corresponsal de *The Sunday Times*.

Antes de que la Fuerza de Tareas zarpara, me comunicaron un domingo que debía viajar en el *Invincible*. Llegué en automóvil a las dos de la mañana, unas ocho horas antes de que el buque partiera de Portsmouth. La atmósfera era extraordinaria, había cientos de miles de personas amontonadas en el muelle, saludando. Toda la dotación de la nave, de mil hombres, estaba formada en cubierta e hicieron el saludo militar en el momento en que abandonábamos Portsmouth, seguidos por el *Hermes* y algunos otros buques de guerra.

Dentro del portaaviones había un curioso ambiente de entusiasmo y agresividad. Muchos de los tripulantes cantaban *No llores por mí, Argentina*. Ese ambiente de expectativa, combinado con una falta de percepción de que eso iba a ser realmente una guerra, persistió durante cierto tiempo, casi hasta que llegamos a la Isla Ascensión. La mayor parte de los tripulantes estaban perfectamente felices de hallarse allí. Pensaban que toda la escapada pronto quedaría arreglada en forma diplomática, que el entrenamiento no era más que entrenamiento y que no llegaríamos realmente a la guerra.

La única persona a bordo de la nave que, según decía, pensaba que se produciría una guerra era el comandante. Identificaba el asunto de la soberanía como el principal obstáculo y, por supuesto, los hechos le dieron la razón. Él mostraba un cierto nerviosismo porque, como marino experimentado, conocía la capacidad de la Armada Argentina. Muchos de ellos se habían entrenado en Gran Bretaña. Estaba informado sobre los misiles Exocet y las posibilidades de su Fuerza Aérea. Casi desde el principio nos advertía contra la actitud de escribir informes excesivamente positivos sobre todo eso.

En la Isla Ascensión la actividad era tremenda. Los helicópteros trasladaban carga desde la isla hasta los buques constantemente. Habíamos esperado que se reuniera una inmensa flota, pero cuando nosotros llegamos nos dijeron que ya varios habían partido hacia el sur. Esperábamos quedarnos allí varios días, pero repentinamente cambiaron las órdenes y debimos partir nosotros hacia el sur. Entonces, los ánimos cambiaron dramáticamente en el buque.

Había cinco periodistas en el *Invincible*. Los habían obligado a llevarnos y no querían tenernos a bordo de ninguna manera. Una de las razones era que el príncipe Andrés se encontraba a bordo. Sin embargo, la Marina, con toda prudencia, decidió poner dos corresponsales del *Sun* y del *Daily Star* también a bordo. Eso puso muy nervioso al comandante, y lo mismo al príncipe Andrés, al menos durante las primeras dos semanas.

Entre los oficiales, inicialmente la actitud fue más bien de resentimiento, pero eso cambió rápidamente. Empezaron a comprender que nosotros íbamos a servir a un propósito. Podíamos informar a sus familias mucho más rápidamente sobre lo que estaba ocurriendo, porque ellos tenían muy poca comunicación con los suyos. El comandante, algo cauteloso al principio, empezó a referirse a los periodistas como uno de sus sistemas de armas en la guerra contra la Argentina, queriendo significar, obviamente, que para él nosotros podíamos ser una herramienta de propaganda.

Los marineros estaban asombrados por el hecho de que, después de Ascensión, aún estuviésemos a bordo. Habían creído que íbamos a dejar el buque y a despedirnos todos. Empezaron a preguntar cuánto nos pagaban por estar allí... ¿era una elevada cantidad de dinero? ¿Nos habíamos presentado voluntariamente o nos habían obligado contra nuestros deseos? Quedaron asombrados al saber que queríamos ir hasta el final.

Teníamos con nosotros a uno de los oficiales de Prensa del Ministerio de Defensa en calidad de censor. Debía vetar todo aquello escrito por nosotros que mereciera objeciones; lo hizo varias veces, por algunas cosas que nosotros queríamos incluir. En general, el sistema que tenían para controlarnos era negarnos acceso a la información, más que tratar de impedir que escribiésemos lo que sabíamos. Y aún cuando escribíamos cosas desfavorables no nos impedían hacerlo. El comandante nos llamaba y decía: "Esto no nos hace realmente ningún fa-

314

vor". A veces señalaba por qué podía afectar la moral del buque. Todo lo que nosotros escribíamos se colocaba el mismo día en los tableros de informaciones, de manera que la dotación del buque pudiera leerlo. Él temía que, si escribíamos sobre cambios en los estados de ánimo, o sobre algunos tripulantes que sentían miedo, eso pudiera propagar malestar en todo el buque y debilitar la moral.

La transición de la paz a la guerra fue un proceso gradual. Cuando partimos hacia el sur el entrenamiento se intensificó mucho. Los Harriers y los Sea Kings volaban constantemente. Uno de los pilotos de Harrier se puso sumamente nervioso y nosotros tratamos de convencerlo de que iba a haber un arreglo diplomático, aunque realmente pensábamos que todo terminaría en el enfrentamiento armado. El estado anímico de los pilotos de los Harrier era interesante. En general eran mayores que otros tripulantes a bordo, y se hallaban realmente en primera línea. Resultó evidente, al sur de Ascensión, que estaban bebiendo menos. Se mostraban más reservados, realizaban más reuniones informativas, fumaban más. Los pilotos de helicóptero eran hombres más jóvenes y tenían tendencia a manifestarse más beligerantes en sus actitudes y menos afectados por los peligros que pronto surgirían.

Comenzamos a hacer muchos más ejercicios en Puestos de Combate, en los que todo el buque se colocaba en estado de alerta. Llevaban de diez a veinticinco minutos. Eso aumentaba la sensación de inquietud. Todos tenían que ponerse el equipo antiflama, les ordenaban dirigirse a sus puestos de combate, donde podían pasarse horas esperando. Se cerraban todas las escotillas, y la presión en el buque aumentaba. Era este tipo de entrenamiento regular, cuando viajábamos hacia Ascensión y más allá de ella, lo que creaba una atmósfera casi de guerra.

La atmósfera de frivolidad desapareció repentinamente. Los tripulantes se nos acercaban y hablaban muy seriamente de sus familias. ¿Qué les ocurriría a éstas si a ellos los mataban? Algunos hablaban sobre lo que sentían ante la idea de matar argentinos. La mayoría de ellos estaban preocupados por lo que significaba matar, ahora que la realidad se estaba haciendo carne en ellos. Pocos días después de salir de Portsmouth, uno de los pilotos de helicópteros me dijo que quería lanzar una carga de profundidad sobre un verdadero submarino. No lo había hecho nunca, y simplemente quería hacerlo. Y cuando yo le hablé de ello poco antes de que se iniciara la lucha, dijo que era lo último que hubiera querido hacer alguna vez. Eso demostraba los cambios de actitud.

Todo el mundo quedó atrapado por el miedo de que pudieran matarnos, especialmente cuando se inició la guerra y empezaron los ataques contra Puerto Stanley y cuando bombardearon el *Sheffield*. Nosotros estábamos relativamente cerca del *Sheffield*, a unas veinte millas (treinta y siete kilómetros). Se lo veía en el horizonte, y suponemos que también nos estaban atacando a nosotros con misiles ese día. Los tripulantes aprendieron en esos momentos que eran vulnerables a la Fuerza Aérea enemiga. Parecía que nos podían hundir a voluntad, y esa idea transformó las creencias generales a bordo. Se hicieron arreglos especiales. Tuvimos que hacer un testamento y, por el circuito cerrado de televisión, el capitán de corbeta médico nos señaló cómo debíamos inyectarnos morfina en las piernas en caso de que resultáramos heridos. Debíamos llevar constantemente salvavidas y máscara para gases. Esto nos hacía tener conciencia en todo momento de que estábamos en riesgo.

Un buque es un espacio muy limitado. Tratábamos de mantener las distancias, pero inevitablemente empezábamos a identificarnos no sólo con la gente de ese buque sino con la suerte del propio buque. Intentábamos ser objetivos. Si había algo crítico para informar teníamos tendencia a hacerlo. Pero uno empezaba naturalmente a referir en cierto modo lo que sentía que se podía decir sobre la guerra. Había una especie de autocensura. Como fue una guerra tan corta, la gente no desarrolló una gran hostilidad contra los argentinos, pero obviamente queríamos ganar y no queríamos que nos hundieran.

Después de haber tomado South Georgia empezó a llegar al buque un grupo de hombres de las Fuerzas Especiales, para ser introducidos en la Isla Soledad y la Gran Malvina. Durante el mes de mayo se hicieron varios de esos viajes. Las Fuerzas Especiales eran llevadas por helicóptero, aterrizaban y luego las traían de vuelta, a veces varios días después. Generalmente nos informaban cuando iban y cuando regresaban.

Era una curiosa mezcla de hombres. Algunos de ellos venían a veces a la cámara de oficiales. Les preguntábamos qué estaban haciendo, y ellos se negaban a contestar. A veces los encontrábamos en el hangar, estudiando su equipo, sacándole lustre. Vimos un infante de marina que cambiaba un pulóver por un par de granadas de mano. Estaban obsesionados por su equipo.

El SBS (Escuadrón Especial de Botes de la Real Infantería de Marina) se instaló en una de las cabinas del buque, cerca de la cámara del almirante. Colocaron una cantidad enorme de mapas y se ocupaban de sus equipos, fusiles diversos, miras nocturnas y otras armas. Una vez traté de entrar allí, pero me llevaron rápidamente hacia la puerta. Siempre era difícil saber cuáles eran oficiales y cuáles soldados. Algunos de los oficiales navales empezaron a preocuparse por el hecho de que estaban llevando soldados a la cámara de oficiales, que era exclusiva para éstos. Pero ninguno de ellos se atrevió jamás a desafiar al SBS, en cuyos miembros había siempre un cierto aire de amenaza. Uno de ellos se estaba entrenando en la cubierta para tratar de batir el record mundial de flexiones sobre los brazos, que era de nueve mil flexiones continuas. Tenían obsesión por el estado físico.

El 18 de mayo, el comandante anunció por los intercomunicadores del buque, que íbamos a realizar una operación especial al noroeste de las Falklands, para introducir hombres del SBS en la Gran Malvina. Eso era lo que habíamos estado haciendo, introduciendo gente en uno y otro lado. Pero esto parecía ligeramente distinto, por el hecho de que lo anunciaban por el intercomunicador. Entonces el buque tomó su rumbo con una nave escolta —la HMS *Broadsword*— y comenzó a navegar a mucha velocidad, más de veinticinco nudos, hacia el oeste. Esa noche subí al puente y lo encontré en oscurecimiento total, lo que no era habitual. En esas operaciones, se oscurecía normalmente en el puente, pero esta vez no había una sola lámpara a la vista. Me llevó veinte minutos acostumbrarme a la oscuridad y poder ver qué estaba pasando. A poca distancia, la *Broadsword* navegaba con nosotros, sin llevar luces encendidas. Había completo silencio de radar. Nada. Pregunté al oficial de guardia qué estaba sucediendo, adónde íbamos. Respondió que no sabía, porque le daban el rumbo segmento por segmento. Sólo conocía el siguiente tramo en el momento en que se lo ordenaba el comandante.

Bajé del puente y fui a hablar con alguien en la sala de operaciones diciéndole que esto me parecía extraordinario, no era como las otras operaciones que habíamos realizado. Me llevó a un lado y me dijo que él creía que no lo era. Pensaba que era una operación secreta para lanzar un helicóptero hacia el continente argentino. Eso era todo lo que uno podía saber por el momento.

Durante toda la noche navegamos a alta velocidad. Todo el buque vibraba. En un momento dado la nave viró en redondo, posiblemente los helicópteros ya habían despegado. No nos permitieron saberlo porque nos mantuvieron alejados. El *Invincible* y la fragata *Broadsword* regresaron luego hacia el resto de la flota, que se hallaba al este de las Falklands. Cuando amaneció, la *Broadsword* estaba otra vez junto a nosotros, manteniendo todavía silencio de radio. Empezó a hacer señales con la lámpara Aldis al comandante del *Invincible*. Yo estaba con el señalero en el puente del almirante. Recibió el mensaje y nos lo leyó: "Pidan a Dios que tengamos éxito". Semejante texto era extremadamente fuera de lo habitual. Normalmente esas inserciones de las Fuerzas Especiales en las Falklands eran operaciones de rutina. No pudimos menos que llegar a la conclusión que eso se había referido a un hecho extraordinario, la introducción de las Fuerzas Especiales en la Argentina. Poco después, alguien del puente nos informó que ese helicóptero no había regresado. Normalmente cuando ponían gente en forma secreta en las Falklands, el helicóptero volvía al *Invincible*. Pero en esta ocasión nos dijeron que el Sea King no había regresado. Nos comunicaron también que había llevado gente de las Fuerzas Especiales. Dos días después escuchamos por el Servicio Mundial de la BBC que había caído un helicóptero en Chile. Suponemos que fue el mismo y que había llevado hombres del SBS o del SAS a la Argentina.

(*Posteriormente, John Witherow desembarcó en las Islas Falkland y avanzó con los soldados que participaron en los combates por las montañas que rodean Puerto Stanley.*)

Nos encontramos envueltos en un ataque nocturno en Monte Harriet, cuando los Guardias Galeses se retiraron subiendo. Esto significó marchar durante varias horas en la noche sumamente oscura, a través de un campo minado. El fuego esporádico de la artillería demoraba nuestro progreso. Finalmente llegamos a la base del Monte Harriet, que estaba recibiendo fuego de increíble intensidad, de una fragata que se encontraba frente a la costa. Toda la montaña pareció encenderse en llamas. Era imposible creer que alguien hubiera podido sobrevivir a un ataque como ese. Continuó bastante más de una hora, granada tras granada, que silbaban sobre nuestras cabezas y hacían impacto en la montaña. Por último levantaron el fuego y entraron los infantes de marina (42 de Comandos). Ante nuestro asombro, parecía continuar todavía el fuego increíblemente intenso. Había mucha munición trazadora. Toda la noche estaba encendida, iluminada por bengalas que proyectaban un palio de muerte, irreal, sobre toda la escena.

Cerca de nosotros había una unidad de misiles antitanque Milan; estaban tratando de batir un refugio que, a su vez, había estado batiendo con intenso fuego a los infantes de marina que avanzaban. Un intento falló. Dispararon entonces otro misil directamente hacia el refugio, que estalló totalmente y el fuego cesó. El combate debe de haber continuado por horas. El aire estaba lleno de olor a cordita y de los gritos que ocasionalmente podíamos oír. Hombres que avanzaban. Gritos de dolor.

Cuando amaneció pudimos ver que los infantes de marina se hallaban en lo alto de la montaña. Nos sentíamos como en una curiosa separación. No estábamos directamente en la línea de fuego, pero sabíamos que en cualquier momento podía haber una ruptura, o que podía bajar hacia nosotros. Hacía un frío tremendo. Subíamos y bajábamos a grandes zancadas, tratando de ver lo que estaba ocurriendo.

A través de la red radial nos llegaron noticias de que los argentinos estaban próximos a la rendición. En esos momentos habíamos regresado al Monte Harriet con los Guardias Galeses, que debían tomar Sapper Hill, el paso final antes del propio Stanley. Volamos en un helicóptero hasta la base de Sapper Hill. Los infantes de marina acababan de tener un enfrentamiento con fuego de armas livianas con los argentinos que se retiraban, y encontramos a varios de aquéllos, heridos, tendidos a orillas del camino y auxiliados por soldados de sanidad. Saltamos sobre un tanque Scorpion que se dirigía a Sapper Hill. Alrededor de nosotros, las tropas corrían hacia la montaña. Estaban decididos a llegar a Stanley lo antes posible, porque había una feroz competencia entre unidades rivales para ser la primera en entrar en Stanley. Los Guardias Galeses pensaban todavía que ellos podían ser los primeros.

Trepamos en Sapper Hill y logramos nuestra primera vista de Stanley. Después de diez semanas de lucha no sabíamos qué esperar. Miramos hacia abajo, esa pequeña ciudad, curiosamente insustancial. Salía humo de las casas que la rodeaban: algunas de ellas parecían estar ardiendo. No había rastros de argentinos en ninguna parte. Los oficiales superiores de los Guardias se reunieron sobre la montaña y miraron hacia abajo. Comprendieron que debían detenerse allí. No iban a ser los primeros en entrar. Mezclada con el júbilo sintieron una gran decepción: ellos no iban a ser los primeros soldados libertadores.

El propósito de los periodistas era llegar lo antes posible a Stanley. Nos quitamos nuestro equipo de camuflaje del ejército, pensando que, si entrábamos caminando así vestidos en Stanley nos podían hacer fuego, porque aún no sabíamos si la guerra había terminado o no. Debajo teníamos suéteres azules y jeans. Dejamos entonces el equipo y bajamos caminando el largo trecho hacia Stanley. A cada lado del camino había posiciones argentinas, hombres con armas, que nos apuntaban. No sabíamos realmente si nos iban a matar o no, porque ninguno de ellos saludaba con el brazo. Nosotros lo hicimos, con la esperanza de que ellos devolvieran el saludo, pero no hubo ninguna respuesta, hasta que, en las afueras de Stanley, se acercaron tres argentinos desarmados e insistieron en estrecharnos las manos mientras decían: "Se terminó".

Cuando llegamos a Stanley estaba aterrizando un helicóptero. Tenía desplegada debajo una gran bandera blanca. Era el teniente coronel Mike Rose (comandante del Regimiento 22 del SAS) que iba a negociar la rendición con Menéndez. Vimos a Rose cuando se dirigía a las negociaciones. Mientras caminábamos por Stanley, estaba desierto. No había señales de soldados argentinos ni británicos, porque a estos últimos los habían mantenido fuera del perímetro. Nos cruzamos con individuos locales que parecieron indiferentes al encontrarnos allí. El sacerdote local nos invitó a entrar y nos ofreció una comida, nuestro primer lavado en dos semanas, y nos mostró algunos de los daños. Parte de los disparos de cañones y otras armas en los últimos días habían causado muchos daños en Stanley. Nos mostró un volumen de teología que tenía dos agujeros de bala que lo atravesaban, disparadas por soldados argentinos nerviosos, dentro de la ciudad. El sacerdote dijo: "Pasaron a través de esto más rápido que yo". En todas partes había habitantes locales que celebraban, pero en forma muy moderada. Simplemente estaban agradecidos porque todo había terminado.

GILLIAN WHITE

La señora Gillian White es la esposa de Chris White, que actuó en la campaña de las Falklands con los infantes de marina, y fue hospitalizado cuando regresó a Gran Bretaña después que el *Sir Galahad*, el buque en que él se encontraba, resultó hundido por el bombardeo aéreo enemigo.

Sentí cierta aprensión e inquietud cuando supe que Christopher iba a ir a las Falklands. Ese fin de semana teníamos que asistir a una boda, y yo iba a ser la principal dama de honor de la novia... era la primera vez que lo hacía. Se trataba de la boda de la hermana de Christopher, y él debía acompañarla en la entrada. A último momento, todo el mundo andaba buscando a las disparadas otros acompañantes. En aquellos momentos yo pensaba que no iba a haber realmente una guerra, y me sentí molesta la noche de la boda, porque creía que él iba a estar allí, y no estaba. Luego hubo una demora, y la partida se detuvo varias veces. Me llamó y dijo: "Todavía estoy aquí. Aún no me he ido, todavía estamos cargando el buque, la mitad de las provisiones no han llegado."

Eso fue dos días antes de partir, y habría sido lindo que hubiese podido venir a casa por unas pocas horas. Pero lo hicieron quedar allá (en Plymouth), de manera que el único contacto que teníamos era por medio del teléfono. Cuando finalmente me dijo: "Ya estamos saliendo", pensé que iban a encontrar una solución antes de que él llegara a las islas, y que sólo sería para él un paseo, como una excursión.

Cuando oí por la radio la noticia de que habían bombardeado al *Sir Galahad* no me preocupé de ninguna manera. Christopher salió de Gran Bretaña en el *Sir Galahad*, pero en la Isla Ascensión cambió al *Sir Tristram*. Yo lo sabía porque él me enviaba cartas continuamente, llenas de cosas sobre lo que habían estado haciendo, más chistes y bromas que cualquier otra cosa. Él no estaba preocupado por lo que iba a ocurrir, y yo tampoco me preocupaba.

Y entonces, mientras me encontraba en mi trabajo recibí una llamada telefónica de mi suegro. Había hablado a los cuarteles para preguntarles si Christopher estaba en el *Galahad* cuando lo atacaron. Le contestaron: "Sí", pero no podían darle más información; tendríamos que volver a llamar más tarde porque era muy difícil averiguar exactamente cuánta gente estaba en el buque, sobrevivientes, heridos o cómo estuvieran. De modo que tuve que esperar.

Llamé a un número que me dieron en Plymouth, y me dijeron que él estaba perfectamente bien. Después llamaron ellos para decirme que se hallaba en la lista de heridos, pero no podían detallarme qué tenía exactamente. Por supuesto, mi imaginación se echó a volar, pero decidí no hacer nada al respecto, simplemente esperar. Entonces fue cuando recibí una llamada del sargento de Christopher, quien me dijo que no estaba físicamente herido, pero que no se encontraba muy bien y que tendría que esperar y ver.

(Chris White hizo una llamada telefónica no autorizada a Gill desde el hospital militar de la Real Fuerza Aérea, de Wroughton.)

Me molestó que Christopher hubiera tenido que hablarme. Tuve que conducir tres horas y media (hasta Wroughton, RAF), pero realmente no debí haberlo hecho. Debí haber tomado un taxi. No razoné correctamente. Estaba muy fastidiada. No sabía lo que estaba pasando, no sabía por qué él tenía que llamarme y por qué no me habían informado que estaba en el país. Durante el viaje reventamos un neumático a ciento diez kilómetros por hora, en el carril exterior de la autopista, así que casi no llegamos. Cuando lo hicimos fuimos a la sala donde tenían a los que estaban físicamente heridos. Fue espantoso. Allí había gente que hablaba a los chicos sin piernas, que estaban en sillas de ruedas. Los visitantes se mostraban brillantes hasta que salían del hospital. Entonces se veía a las esposas y otros miembros de la familia, que se quebraban completamente. Habían tenido que ser fuertes mientras estaban allí dentro con sus hijos, pero cuando salían se desmoronaban. Se los veía terriblemente acongojados.

Nos llevaron a un lado y una de las enfermeras de psiquiatría nos dijo que no debíamos tener grandes expectativas; Christopher debía estar muy tranquilo en todo momento. Básicamente, podíamos hablar de cualquier cosa que quisiésemos, pero no debíamos molestarlo demasiado ni pretender empujarlo en cualquier dirección.

Nos llevaron abajo, a una pequeña habitación. Era encantadora. Muy silenciosa y con las cortinas corridas. El hospital se hallaba en el campo, de modo que era muy tranquilo. Pero él era una ruina absoluta. Ese fue nuestro primer pensamiento cuando entramos por la puerta. Tenía bolsas debajo de los ojos. Eran negras. Tenía puestas prendas de distintas personas, porque las suyas habían volado, literalmente, de sus espaldas en el *Galahad*. Estaba sonriendo, muy contento de vernos, naturalmente, pero fue difícil hablarle, entrar en contacto con él de alguna manera. Era obvio que había tomado algo que le habían dado para tratar de hacerlo dormir, por eso cualquier conversación se hacía difícil. Simplemente tuvimos que tocar de oído.

Creo que estaba confundido, más que otra cosa. Cuando uno piensa en un caso de psiquiatría, supone que se trata de alguien que está un poquito chiflado, a los tumbos por todas partes. Pero él estaba muy tranquilo. Tenía una mirada decidida, y yo comprendí que, obviamente, había llegado a una resolución en su mente con respecto a algo, ya fuera que no diría nada o que no iba a dormir. Estaba muy dispuesto a hablar con nosotros, pero con nadie más, y fue por eso que la gente de Wroughton RAF decidió que la familia era tan importante para su terapia, porque éramos los únicos con los que él realmente iba a hablar.

Mientras estaba en el hospital de Plymouth empezó a contarnos qué había pasado realmente; comenzaron a aparecer pequeños relatos y pedacitos. Eran bastante impresionantes, y había que sentarse allí y dejar que le invadieran a uno la cabeza. Era inútil mostrar cualquier emoción, él no lo quería así. Si yo me hubiera venido abajo y empezado a llorar, lo habría hecho sentir muy mal y probablemente ya no me habría dicho más nada. Habría embotellado todo de nuevo en su interior. Por eso yo me limitaba a sentarme allí y lo dejaba vaciarse, una y otra vez. Tenía que entrar en mi cabeza hasta que yo pudiera aceptarlo. Cuando empecé a aceptar aquello por lo que él realmente había pasado, pude comenzar a hacerle preguntas, para tratar de extraerle aún más cosas.

Me produjo una conmoción enterarme de que había querido quitarse la vida; me chocó porque él no me había contado toda la historia. A medida que se fue desenvolviendo me sentí enojada con él, por haber pensado en la forma que lo había hecho. Creo que cualquiera que escuche esta historia pensará automáticamente: en su momento, él tuvo que hacer una elección, y había elegido volver y tratar de ayudar a Kevin para alejarse de las llamas. Había hecho todo lo que pudo, y cuando no pudo ya más, salió a buscar ayuda tan rápidamente como fue posible. El hecho de que decidiera cargar toda esa culpa sobre sus hombros me molestó sobremanera. Después de un tiempo pude comprenderlo. En realidad, yo cambiaba de comprenderlo a estar enojada. Llegué a decirle: "No seas tan estúpido, no debes sentir ninguna culpa. No podrías haber hecho nada más". Y en ese momento estaba furiosa.

Cuando volvió a casa, al principio dormía. No había dormido durante todo el tiempo que estuvo en el hospital. Yo tenía unas grandes botellas de píldoras que me habían dado diciéndome: "No dormirá". Tan pronto como llegamos a casa tiré las píldoras a la basura, y él durmió casi veinticuatro horas. Estaba en su propio ambiente, y era allí donde quería estar. Previamente me había dicho que el hospital era demasiado grande, no le gustaba el espacio, sólo quería estar tranquilo. Realmente, no necesitaba otra cosa que un tiempo de ajuste, al menos eso pensé. Estaba muy bien hasta que salió de la infantería de marina. Volvió y cumplió una tarea limitada en Irlanda del Norte, y parecía estar mucho más equilibrado. Daba la impresión de haber empezado a pasarlo bien, a divertirse otra vez. Y efectivamente miraba el futuro con cierto optimismo con respecto a lo que iba a hacer cuando saliera de la infantería de marina. Y fue entonces cuando los problemas comenzaron realmente. Chocó contra ese muro de gente que no quería saber nada, debido a sus antecedentes médicos. Yo me amargué mucho con ese motivo, porque él no era un caso psiquiátrico; ellos no tenían ningún servicio para los pacientes de Reacción Aguda de Batalla. Debía ir a una sala médica común o a una sala psiquiátrica, y eso fue todo. Entonces me enojé mucho y tuve una pelea con las autoridades de la Marina, para que, si tuviera que ser internado nuevamente para algún tratamiento, fuera en un hospital próximo a nuestra casa. El efecto del viaje y los gastos sobre mi salud y la de Christopher motivó que también perdiera mi trabajo, por prescripción médica. Pasamos de estar ambos con empleos a estar los dos sin trabajo, y eso provocó una tensión y un esfuerzo financiero terrible, que no nos hacía nada bien en ese momento.

Conseguimos una asignación provisional —unas quinientas libras— del Fondo del Atlántico Sur, para pagar mis costos de viaje; yo iba todos los días a Plymouth, y tenía que molestar a otros miembros de mi familia, que poseían mejores automóviles que el nuestro, para que me llevaran. Más tarde, me comunicaron en una carta que estaban reviendo el caso y me informarían sobre otros pagos que se harían. En cierto momento Chris tuvo que llamar personalmente, y le contestaron que en realidad debíamos estar agradecidos por lo que nos había dado. Ya no íbamos a recibir otras asignaciones.

Yo estaba cuidando un niño de tres años, nuestro hijo, y tratando de cumplir un trabajo de tiempo completo. De modo que tenía muy poco tiempo de descanso. Mi preocupación constante era tratar de ir a Plymouth para dar a Chris todo el tiempo que él necesitaba. No quería hablar con nadie sobre lo que le había sucedido. En una ocasión apareció el *Galahad* en televisión. Yo estaba conversando con él y le sostenía la mano. Ya estaba mucho más relajado con respecto a lo que había tenido que pasar, y entonces supe que necesitaba volver a casa. Pero fue toda una pelea, ellos no querían dejarlo ir, y yo no aceptaba eso, yo lo iba a llevar a casa.

Ahora está muy bien. Durante el último año nuestras relaciones han mejorado notablemente. Ha recobrado la confianza en sí mismo. Yo estoy trabajando de nuevo. Tuve que pasar por un período de casi resentimiento hacia él, porque yo trabajaba y él salía a gastar mi dinero en bebida. Llegué a un punto en que me miré un día en el espejo y pensé: No me gusta lo que veo, y voy a decirle a él que no me gusta esto, si no por mí, por nuestro hijo. Iba a tener que irse a recuperarse del todo.

Yo sé muy bien que si hubiéramos tenido algún respaldo financiero o algún compromiso de las Fuerzas Armadas respaldándonos con respecto a sus antecedentes médicos, nada de eso habría ocurrido. No era necesario. Él no habría necesitado pasar por todo eso, se habría tomado un año de licencia, se habría relajado y logrado ponerse bien otra vez.

No estaba herido físicamente, tuvo que sufrir un tremendo trauma debido a su condición. No era un caso psiquiátrico, pero sí complicado, empeorado por el hecho de que hacía tanto tiempo que estaba sin empleo y se sentía muy deprimido. Creo que cualquier persona normal se sentiría deprimida si estuviera sin empleo por un lapso prolongado. Cuando uno ha luchado tanto para retirarse de las Fuerzas Armadas con un legajo médico normal, como él lo había hecho, ser rechazado luego de los empleos por causa de sus antecedentes médicos y a pesar de eso no recibir ninguna ayuda... se hizo muy muy duro. Para nosotros era muy difícil aceptarlo. Yo me amargué mucho más que Christopher. Él se sintió muy feliz de desaparecer dentro de la botella. Yo podía ver lo que estaba sucediendo, y eso me irritó mucho.

Ahora he cambiado mi actitud con respecto al sistema. Carece totalmente de emociones en ningún sentido. Uno estaba en la Marina y así quedaba registrado. Ya no era "White-ser humano", ahora era "White-Marina", de modo que tuvo que ir adonde la Marina dijo que tenía que ir. Como civil, a mí me resultó extremadamente molesto que lo llevaran aún más lejos de nosotros, cuando era evidente que nos necesitaba más que nunca. Así que, cuando me llamaron frente al médico naval, le dije exactamente lo que pensaba de él y del sistema. Eso no me hizo popular, pero para entonces ya no me importaba nada. Desde el punto de vista de la Marina, él era casi propiedad naval. Lo iban a trasladar a Plymouth, nos gustara o no. Mis padres y yo nos quejamos de eso. Para mí, Christopher no era parte de la Marina, era mi marido y necesitaba en esos momentos estar rodeado por su familia. Eso era lo único que me importaba.

Hemos perdido varios años debido a la actitud de las Fuerzas Armadas. Yo no recibí ningún apoyo cuando él abandonó el hospital. Quedé absolutamente librada a mi propio esfuerzo. No tenía ninguna persona a quien llamar, nadie en particular con quien tomar contacto si yo pensaba que estaba volviendo otra vez a una profunda depresión. Estaba aislada, a más de ciento sesenta kilómetros de distancia. Bueno, pude superar eso. Podía ir a ver a mi médico particular, que era muy bueno. Pero era simplemente la falta general de ayuda lo que me resultaba muy difícil de aceptar.

Mi actitud con respecto a la guerra no cambió por lo que nos sucedió a nosotros. Él estaba allí, y tuvo que cumplir una tarea. Hacía varios años que se hallaba en la infantería de marina, había realizado con ellos diversas tareas, pero donde mejor se encontraba y más relajado era con el Escuadrón de Incursión. Era lo que él había elegido.

Mirando hacia atrás, pienso que si se hubiera quedado con ellos, podría haber obtenido apoyo, pero no podría haberse sacado aquello de encima tan rápidamente como lo ha logrado. Le ha llevado bastante tiempo superarlo. Aún piensa en ello, pero ha aprendido a sobrellevarlo.

Cuando se oye hablar a los viejos soldados sobre las guerras en que han participado, se nota que no han olvidado nada. Pueden recordarlo todo en un instante. Pero aprenden a vivir con ello, aprenden a aceptarlo y siguen adelante con sus vidas. Chris ha hecho eso. Ha atravesado el túnel y ha salido por el otro extremo. Ahora somos otra vez una familia. Todo aquello estuvo a punto de destrozarnos como familia, pero lo superamos, y lo hicimos sin ningún apoyo de las Fuerzas Armadas. Si alguien tuviera que pasar por todo eso, yo le diría: "Sólo tienes que aguantar allí... pero no esperes que las Fuerzas Armadas te ayuden. Tienes que hacerlo todo sobre la base de tu propio esfuerzo". Es la única manera.

MARY WATSON

La señora Mary Watson vive en Sheffield. Su único hijo era marino y se hallaba a bordo del HMS *Glamorgan*, que se encontraba cumpliendo el Ejercicio Springtrain, frente a Gibraltar, cuando se desató la crisis de las Falklands. En vez de regresar a Gran Bretaña, el buque fue enviado hacia el Atlántico Sur. Durante toda la guerra, esperando siempre las noticias, la principal preocupación de la señora Watson era si volvería a ver alguna vez a su hijo.

Cuando enviaron el buque de Tony a las Falklands sentí pánico, preguntándome qué significaba todo eso desde el punto de vista político. Yo no lo podía comprender, no eran muchas las mujeres que entendían algo en aquellos momentos. Era el orgullo nacional, supongo. Estoy de acuerdo con eso, pero aún así pienso, como todas las mujeres, que una vida es preciosa. Estoy en contra de la guerra, pero Tony estaba allá, peleando en la guerra; Tony, mi hijo. Lo habían instruido para hacer eso, pero yo tenía miedo por él.

Me sentí orgullosa cuando vi las fotografías de los buques al abandonar Portsmouth, despidiéndose. No tuve posibilidad de ver a Tony, porque a ellos los desviaron directamente desde Gibraltar. Supongo que debían llegar allá rápidamente. Eso lo hizo más difícil. No sé si fue bueno, porque probablemente yo no hubiera tenido fuerzas para verlo. Tal vez así fue mejor.

De allí en adelante sólo fue realmente una larga noche. No podía concentrarme en nada y entonces empecé a escribir un diario. Acostumbraba a escribirle todas las mañanas. La gente del Correo era muy buena: podíamos despachar gratuitamente las cartas por vía aérea. Es-

327

cribía todos los días, cosas sin importancia, noticias locales, tonterías. A veces le enviaba paquetes con los fideos que a él le gustaban. En la Oficina de Correos se reían de mí porque le enviaba tonterías. No sé si las recibió alguna vez o no. Sólo se trataba de mi intención de estar cerca de él.

Me sentía muy sola en aquellos días; así lo escribí en mi diario. Cuando salía a la calle, el mundo seguía como siempre. Afuera era un mundo diferente. En nuestro hogar, él faltaba, y yo no sabía si habría de faltar para siempre. Me sentaba, escribía, escribía y escribía. De esa manera me sentía más cerca de él. Yo quería que llegaran a una solución pacífica. Escuchaba hasta la más mínima noticia, por radio y por televisión. Solía dormir en el sofá, lo que fuera capaz de dormir. Tan pronto como empezaban las noticias por televisión, yo encendía el aparato. También tenía encendida la radio, sólo para noticias. Solamente siendo madre puede alguien comprender qué se siente. Cuando veía a los argentinos en televisión los miraba desde el punto de vista de una madre. Esos muchachos eran sólo unos chicos. Tenían madres que sufrían por ellos en la misma forma. Yo no podía ver nada desde el punto de vista político. Sólo veía a madres cuyos hijos iban a pelear, eso era todo. Matándose unos a otros. Sencillamente no podía comprender qué objeto tenía eso. Supongo que en alguna parte existía un motivo: era nuestro territorio. Pero he conocido a uno o dos muchachos, lindos muchachos, que han resultado muertos. Si uno de ellos hubiera sido mi hijo, yo no lo habría resistido.

Oí que el *Glamorgan* había recibido un impacto (de un misil Exocet, dos días antes de terminar la guerra) cuando lo dijeron en los noticieros. Yo acababa de llegar de la iglesia. Mientras volvía caminando, una de las vecinas me preguntó cómo le iba a Tony. Le contesté: "Bueno, hasta la última carta que recibí, le iba muy bien". Y luego entré en mi casa. Oí que habían atacado el buque. Recuerdo que en ese momento yo tenía las flores del altar. Las dejé caer al suelo y me desmayé, porque no sabía si él estaba vivo o muerto.

Me recuperé y empecé a llamar por teléfono, tratando de conseguir alguna información. Y recibí ese pedacito de papel —el *Familygram* — con unas pocas palabras escritas, diciendo que estaba con vida. Habrá habido otras familias con malas noticias. Es en ellas en las que yo pienso.

Solíamos hacer reuniones de familiares del *Glamorgan*. Nos reuníamos una vez en York, fue muy agradable, lo pasamos muy bien. Cuando se produjo la rendición sentí como si me hubieran sacado de encima todo el peso. Lloré, pero eran lágrimas de alegría. Me había estado preguntando si volvería a ver a Tony alguna vez. Así de simple. Me parecía tan largo e interminable. Ahora que está en casa discutimos como locos. Pero está aquí para poder discutir, eso es lo principal. Es hijo único, y yo no tenía otros hijos para volcarme hacia ellos, por eso me sentía tan sola en todo ese tiempo. Rezaba mucho e intensamente. Encontraba consuelo en la iglesia; solía sentarme y llorar allí. Apenas podía esperar que llegaran de regreso los muchachos. Eran muchos allá abajo, y tiene que haber sido un viaje sumamente largo el que hicieron para volver a casa. La recepción que se les hizo fue brillante. Brillante. Fuimos a Portsmouth y nos alojamos en el Home Club. Era bueno oír a las generaciones más antiguas de la Marina, los viejos lobos de mar. Opinaban que los chicos habían hecho un buen trabajo. Y así era, digamos la verdad. Los viejos tienden a pensar que los más jóvenes no pueden hacer nada. Pero éstos mostraron su espíritu en las Falklands. Hablamos con un montón de gente más antigua, y se mostraron orgullosos de los chicos. Después fuimos al muelle para esperar la entrada del *Glamorgan*. Estaba muy herrumbroso después de pasar mucho tiempo en el mar. Nunca en mi vida había visto llorar a tantos hombres. Todos lloraban, esperando que sus hijos volvieran al hogar. Era una vista maravillosa.

Algunas familias habían concurrido en ómnibus llenos para esperar el buque que entraba. Yo tenía una sombrilla, y le había pintado una gran mano para que él pudiera verla. Me vio cuando estaban formados a lo largo de los costados de la nave, todos muy elegantes. Fue un momento muy emotivo.

Pero me sentí un poco frustrada cuando fui a saludar a Tony al bajar del buque. En esa época, él había estado escribiendo a una muchacha, y ella me venció en la carrera. Estaba allí esperando, una chica muy bonita, pero yo quería llegar primero y desafortunadamente no pude. No obstante, todo fue maravilloso: había tantas familias saludando a sus muchachos.

Él dijo: "Hola mamá".

Yo dije: "Hola, hijo". Eso fue todo. Nosotros no somos personas de hablar muy florido, sólo somos gente común. Pero qué bueno fue poder abrazarlo. Y creo que ésa fue la primera y última vez, porque no es un niño mimado.

Fue también una triste ocasión. Mientras nosotros llorábamos de alegría, otros lloraban de dolor, porque algunos de los muchachos no habían vuelto. Los que pertenecían al buque estaban muy tristes. Y yo me sentía muy vacía por las familias que habían perdido a sus hijos. Toda guerra cobra sus víctimas, eso lo comprendo, pero cuando se trata de nuestras vidas resulta mucho más duro, mucho más duro.

En aquellos días yo me sentía culpable. Pensaba que era culpa mía que estuviera en la Marina, pero si hubiera estado en el Ejército o en la RAF habría sentido lo mismo. Era como si yo lo hubiera alentado para estar donde estaba. En el diario que escribí aparece en todas partes mi culpa, ahora me doy cuenta. Han pasado años desde que lo leí. Es que yo escribía y escribía, en las primeras horas de la mañana, cuando no podía dormir. Sencillamente, me sentía culpable. Cuando él nació, en el Hospital Jessops, una amiga mía tuvo otro varón en el mismo momento. Ahora Ian está en la universidad. Le ha ido muy bien; no sé qué está estudiando, pero ha ido ascendiendo hacia el éxito. Yo hubiera querido, ahora, haberlo alentado en algo así, en vez de ir a la Marina. Pero estoy muy orgullosa de él. Pienso que es un hombre hecho y derecho. Para mí es un buen hijo, muy bueno. No creo que haya nada malo en eso, ¿verdad?

Toda la experiencia de la guerra de las Falklands cambió mi vida... ahora tengo miedo por lo que pueda haber a la vuelta de la esquina. Soy más cautelosa. Sólo quiero verlo asentado y casado. Como es el único, quiero que ocurra en el futuro. Lo necesito a él como una continuación, supongo.

JANE KEOGHANE

La señora Jane Keoghane es una viuda de la guerra de las Falklands. Estaba casada con Kevin Keoghane, del 1er Batallón de los Guardias Galeses, que resultó muerto a bordo del *Sir Galahad*, cuando lo bombardearon el 8 de junio de 1982. Su único hijo nació después de la terminación del conflicto.

La idea de que Kevin fuera a las Falklands no pareció demasiado mala. Era un larguísimo viaje y yo creo que mucha gente pensaba lo mismo: para cuando el *QE2* llegara allá, todo habría terminado. Así que no parecía tan real como Irlanda. Era un período muy importante para nosotros dos porque yo estaba embarazada de seis meses de nuestro primer hijo cuando él partió. Era algo para entusiasmarse: hacía seis años que estábamos casados y sólo ahora había quedado embarazada.

Envió varias cartas en su viaje de ida. Escribía sobre lo que íbamos a hacer cuando volviera a casa, y cosas como esa. Esperaba que yo me mantuviera muy bien y que el bebé siguiera desarrollándose normalmente. En ese tiempo yo era enfermera del distrito y él se preocupaba porque yo condujera el auto. Según sus cartas, estaba muy feliz. Era algo bastante emocionante, especialmente encontrarse a bordo del *QE2*; él jamás hubiera podido viajar en un buque como ese, de no haber sido así. Estaba muy impresionado. Compartía una cabina de lujo con un colega.

El *QE2* fue primero a South Georgia. Allí cambiaron al *Canberra* y los llevaron a las Islas Falkland. Después desembarcaron, y estuvieron cavando posiciones y marchando al frente... durante cinco días. Luego retrocedieron y subieron a un buque. Escribió su última carta desde un cubículo de ducha, a bordo del buque. Viajaban amontonados y fue más fácil para él sentarse en el cubículo de la ducha, con la luz encendida, y escribir su carta. Aparentemente los habían tenido de un lado a otro durante cinco días, cavando posiciones, marchando, y luego volviendo atrás otra vez. A pesar de eso la moral estaba muy alta y todo el mundo parecía feliz. Al día siguiente iban a llevarlos a un lugar llamado Bluff Cove. (Bahía Agradable).

En la noche del 8 de junio me puse a mirar televisión, algo que no hago normalmente. Instalé el televisor en el dormitorio. El noticiario de la BBC informó que habían bombardeado un buque y que había Guardias Galeses a bordo. No hice nada esa noche porque ya eran las once y treinta, pero a la mañana siguiente fui a preguntar a la guardia (en el Cuartel Pirbright, donde Jane y Kevin tenían alojamiento para matrimonio). Me dijeron que Kevin se hallaba bien, porque no estaba en la lista. En realidad, ellos sólo tenían una lista de gente herida, donde por supuesto, él no estaba. Me sentí aliviada al no encontrar su nombre en la lista. No pensé en otra cosa, sólo en eso.

El viernes, el oficial de enlace con las familias vino a decirme que Kevin había desaparecido. Yo me estaba preparando para ir a trabajar. Una amiga que vive en el mismo barrio se dirigía en su auto a su trabajo y lo vio entrar en nuestra calle sin salida. Se dio cuenta de lo que estaba ocurriendo y decidió entrar con él. El oficial permaneció de pie en el living-room y dijo que Kevin había desaparecido. Fue todo muy rápido. Después se fue y dijo que volvería más tarde. Me produjo tal emoción que no llegué a darme cuenta cabalmente. Al recordarlo ahora, pienso que habría habido otras formas de manejarlo mejor. A nadie le gusta decir a otra persona que alguien ha muerto, o —como en este caso— desaparecido. El hombre parecía desconcertado. No es esa la palabra adecuada, parecía realmente incómodo por la situación en que lo habían colocado. Creo que nunca antes en su carrera había tenido que hacer algo parecido. Y estoy segura de que no quiere tener que hacerlo de nuevo.

Más tarde, la esposa del coronel, la señora Rickett, vino a verme. Me sentí muy enojada con ella porque dijo que era definitivo. Supongo que ella era la única que pensaba en forma realista. Dijo que no había mucha esperanza porque ya habían pasado dos días del bombardeo. Dadas las condiciones existentes allá, era muy poco probable que hubiera sobrevivientes. Me sentí enojada con ella cuando lo dijo. Pero se mostró muy amable y muy buena. Mirando hacia atrás, supongo que fue de mucha ayuda para mí. Aunque en esos momentos no parecía que fuera así, en aquel día en particular. Sólo un día más tarde tuve noticias seguras. (Habían pasado cinco días desde que el buque sufrió el ataque.) Las palabras del oficial fueron: "Debemos suponer que han muerto". Y así era.

No sé nada de las circunstancias de la muerte de Kevin, así lo quise yo. Había visto el relato del bombardeo en televisión. El teniente coronel Rickett (Comandante del 1er Batallón de los Guardias Galeses) vino a visitarme después de su regreso de las Falklands. Recibí cartas del coronel y de otro oficial que conocía muy bien a Kevin. Había sido su comandante de pelotón en cierta oportunidad y se sentía mejor calificado que cualquier otro para escribirme. El teniente coronel Rickett me visitó en el hospital. Me habían internado porque tenía una enfermedad producida por la presencia de toxinas en la sangre. No me dio ningún detalle, porque a esa altura yo todavía no quería oír nada sobre aquello. Nunca supe dónde estaba él en el buque, ni nada parecido.

(La muerte de su marido significó que Jane tuvo que devolver su casa para matrimonios en el Cuartel Pirbright, e irse a vivir con su familia en Newport.)

El sueldo de Kevin quedó suspendido el 8 de junio, el día en que se hundió el *Galahad*. Y allí se produjo la confusión con la exigencia de pago de alquiler de nuestra casa en Pirbright. Yo no me di cuenta de que el sueldo de Kevin había cesado. El Banco me informó que su dinero no había entrado. Mi objeción principal no se refiere al hecho de que me pidieran el pago del alquiler de la casa, sino por la forma en que me lo reclamaron. No figuraba mi nombre. Estaba dirigido a "La Viuda Co-op", sin explicar qué quería decir "Co-op". Yo no lo sé realmente. Y nunca llegué a saberlo. Pero sí sentí que eso había sido totalmente innecesario, que podrían haberme escrito a mi nombre "Al Ocupante", pero eso de "Viuda Co-op", pienso que fue bastante cruel. Ignoré el primer reclamo de pago que me enviaron porque no me pareció importante en ese momento, simplemente lo archivé. Pero después me llegó otra carta en la que me comunicaban que, si no pagaba, tomarían acción legal. El sueldo de Kevin quedó interrumpido el 8 de junio, pero me informaron con seguridad de su muerte el 13 de junio.

Cuando volví a Newport, mi hermana hizo agregar mi nombre en la lista de espera para una vivienda municipal. Esto ocurría una semana o dos después de mi regreso. Entonces nos dijeron que tendría que esperar entre tres y nueve años. Lo rechazamos, obviamente no era muy satisfactorio. Además de la pelea con el concejo, tuve otro problema. Decían que yo no tenía derecho a reclamar mi beneficio por maternidad debido a la muerte de Kevin. No podía reclamar el beneficio como viuda más el beneficio por maternidad. Yo no lo podía comprender, porque el beneficio por maternidad no era otra cosa que mis propias contribuciones. Yo había trabajado por esos beneficios, y ahora me decían que no podía tenerlos.

Un representante del respectivo organismo se presentó en la casa de mi padre, donde yo estaba viviendo, y me exigió que le entregara la libreta. Pero no me explicó realmente por qué tenía yo que entregarla. Sólo dijo que no tenía derecho a ella, algo que no pude comprender, porque era un beneficio mío. Me dijo que, si no la entregaba, tendría que llevarme a la comisaría local. Yo estaba embarazada de siete meses.

Finalmente me dieron una casa —de acuerdo con el Acta de Personas sin Hogar— asignada por el concejo. Según las condiciones, si Philip no hubiera sobrevivido al nacimiento, ellos me habrían desalojado, porque no tendría derecho a una casa. Estaban cubriéndose las espaldas, supongo.

Mientras Kevin estuvo prestando servicios con los Guardias Galeses siempre tuve la impresión de que se trataba de una unidad familiar y que siempre se cuidaban entre ellos. Pero ahora pienso que, cuando las cosas andan mal ya no son más una unidad familiar. Ciertamente yo sentí que la unidad familiar estaba ausente cuando necesité ayuda. Durante los primeros seis meses hubo muy poco contacto. No quería que la gente estuviera encima de mí, pero hubiera sido agradable que me visitaran sin tener que pedirles que lo hicieran.

Kevin vivía y respiraba para los Guardias Galeses. Eran todo para él. A su vez, él era un miembro muy leal del regimiento y realmente amaba su trabajo. Tenía mucho que ver el hecho de que su padre había sido Guardia Galés. Él había crecido entre los Guardias, y de allí el amor de Kevin por el regimiento.

Yo no quiero que mi hijo ingrese en el ejército. No hay allí una formación para ellos, son solamente soldados. No quiero decir que "sólo son soldados", cumplen un trabajo muy importante. Pero al final del día no tienen nada que mostrar como resultado de ese trabajo. Kevin estuvo allí quince años. Si hubiera salido, aparte de la fuerza de policía no hay muchas otras cosas que podría haber hecho. No estaba preparado para nada, y en estos días se necesita tener una profesión.

No creo que la causa mereciera la muerte de Kevin. Tengo que decir que "No". Era mi marido. Pienso que fue una causa necesaria. No creo que se hubiera podido dejar que los argentinos se hicieran cargo y las cosas quedaran así. Hay otras pequeñas islas más cerca de casa. Tenemos Jersey y Guernsey. Quiero decir que no habría nada que detuviera a un director de pacotilla si pusiera un pie en alguna de ellas. Yo pensaba que la campaña había sido necesaria, por una causa necesaria, y sólo espero que haya sido digna de las vidas que se perdieron.

Creo que todos sabían desde el principio (del bombardeo del *Sir Galahad*) que era una posición muy riesgosa. Con sólo ver los noticiarios se puede apreciar eso. No eran más que patos en un estanque. A pesar de cualquier cosa que se diga sobre aquello, nada va a alterar el hecho de que sucedió, y nada lo hará regresar. La gente dice que el tiempo todo lo cura, pero no es así. No hay más remedio que resignarse.

La gente me dice que me ve bien. Yo no sé cómo esperan ellos que se me vea. Pero me dicen: "Bueno, se te *ve* bien". Supongo que esa es su forma de decir algo sin decir nada. No hay mucho que decir, ¿no? Pero el tiempo no ayuda. No cura nada.

Todavía siento mucha amargura, porque aquello es algo que no debió haber ocurrido. Hay errores y fracasos en todas las guerras, pero cuando nos afectan a nosotros es totalmente diferente. Es a uno a quien le está sucediendo. Aunque eso no altera el hecho de que ha sucedido; simplemente hay que resignarse a ello y continuar cada uno con su vida en la mejor forma posible.

DOROTHY FOULKES

La señora Dorothy Foulkes vive en Lancashire. Quedó viuda durante la guerra de las Falklands. Su esposo, Frank, era mecánico a bordo del buque de contenedores *Atlantic Conveyor*, hundido por un misil Exocet el 25 de mayo de 1982, fecha patria de la República Argentina.

Frank había estado en la Real Marina de Guerra durante muchos años y luego pasó a la Marina Mercante, de modo que era esencialmente un marino. También era un gran hombre para su hogar. Amaba su vida marina, pero desde el momento en que bajaba del buque le encantaba llegar a su casa. Estaba por su país y por la Familia Real. Era muy patriota y no habría vacilado en ir a la guerra. No lo pensó dos veces para ir. Era también un tipo despreocupado, y tenía una vida relajada y agradable. Estaban afuera nueve semanas, y en casa tres, de manera que nunca teníamos tiempo de aburrirnos uno del otro. Era una vida placentera la que llevábamos juntos.

Recibió una llamada telefónica de Cunard. Le dijeron: "Su barco zarpa mañana. Usted sabe adonde va... ¿viene usted también?" Naturalmente, contestó que sí. Yo no lo pensé dos veces; ellos necesitaban el barco y, obviamente, él iba a ir. Era lo mismo que si hubiera estado en la Real Marina de Guerra.

Durante el viaje de ida me describía todo en sus cartas. Estaba entusiasmado porque era como si hubiese retrocedido veinte años en su vida. Llevaban a bordo gente de la Real Marina de Guerra, de la RAF, un infante de marina y también pilotos de helicópteros. Decía que la vida social era fantástica. Jugaban a los dardos, cartas y otros entretenimientos. Había juegos de cubierta y muchísima gente con quien conversar. Habló con algunos de los marinos más jóvenes sobre su pasado en la Armada. No pudo disimular su sorpresa ante el sueldo que estaban recibiendo, comparado con lo que él tenía cuando ingresó.

En una de sus cartas me decía: "Sea como fuere lo que nos espera allá abajo, nada nos parecerá tan malo si conservamos esta atmósfera feliz a bordo del buque". De manera que realmente lo estaba disfrutando. Trabajaban durante largas horas, y un trabajo duro. Cuando no trabajaban se reunían para beber un trago. Normalmente era un barco tranquilo, no llevaba una dotación muy grande. Frank pasaba sus noches generalmente en su camarote, escuchando cintas grabadas y leyendo. Allí tenía una botella de whisky, y sus cocteleras. Y de pronto hubo mucha gente a bordo, y helicópteros, aviones, munición, bombas racimo y miles de tiendas de campaña grandes. Pensaba que las Islas Falkland no serían suficientemente grandes como para contener todas esas tiendas. Había volado dos veces en un helicóptero mientras navegaban, y quedó profundamente impresionado.

Una mañana escuché por la radio que habían atacado a uno de los buques mercantes. Habían apagado el incendio y ya estaba todo bien. Llevé a las niñas al dentista. El conductor del taxi me preguntó si Frank estaba bien, porque un buque mercante había tenido un incendio.

—Ya lo apagaron —le dije—. Ya todo está bien. Y usted sabe lo que dicen: "Si no hay noticias... buenas noticias".

No regresamos hasta las doce y treinta más o menos. Creo que para entonces ya lo habían anunciado en los noticiarios. Cuando llegamos a casa, sentado en su auto, junto a la puerta, estaba un capellán de la Misión de los Marinos Mercantes, de Manchester. Nos esperaba. Vi en su solapa un pequeño distintivo azul. Automáticamente pensé: Algo anda mal.

—¿Puedo hablar con usted en la casa, por favor? —dijo.

—Sí, adelante —respondí. Y enviamos a la cocina a los niños. Me acompañó al interior de la sala y dijo:

—Temo que tengo malas noticias para usted.

—¿Cómo son de malas? —pregunté.

—Creo que son las peores.

Me senté. Sonó el teléfono y era mi hija, desde Alemania. Había oído la noticia del ataque sufrido por el *Conveyor*.

—Mamá, ¿has oído algo? —me dijo.

Entonces, por supuesto, tuve que decírselo. No había acabado de colgar el teléfono cuando llamó mi madre. También tuve que decírselo a ella. Y quedé muy preocupada, porque es vieja y está sola. No podía liberarme del hombre. Yo quería que se fuera.

— ¿Quiere usted que yo se los diga a las chicas? — preguntó.

— ¡Oh, no! — contesté —. No, yo se lo diré a mi manera, gracias —. Y él les dijo:

— Preparen una taza de té fuerte para su madre. — Lo recuerdo perfectamente.

Las niñas entraron y no cesaban de preguntar:

— ¿Qué sucede?

Cuando el hombre se fue les dije que habían hundido el buque y su papá había muerto. Era todo lo que sabía por el momento. Se portaron muy bien. Charlotte sólo tenía diez años; no pudo comprenderlo todo en un primer momento. Más tarde seguía diciendo:

— ¿Quieren decirme que mi papá está muerto?

Victoria se guarda siempre todo para ella, de manera que se mantuvo muy callada. Elizabeth, la mayor, trataba de ayudar a cargar la responsabilidad de cuidar a sus hermanas y de mí.

Yo tengo un carácter fuerte, y no me derrumbé... al menos no en esos momentos. Recuerdo haber visto por televisión el primer informe sobre el ataque al *Conveyor*, y oído el informe de que sólo había una baja: un marinero chino. Me enojé tanto que quería llamarlos y decirles que eran unos idiotas: "¡Él no era chino!" Estaba enfurecida. Al principio no se tiene conciencia cabal. Aun ahora, después de años, no se lo puede creer. A veces, todavía pienso: Él está en el mar. Y todo continúa como si efectivamente estuviera en el mar. Pero de tanto en tanto llega la realidad.

Supe que habían recogido su cuerpo y posteriormente lo habían lanzado al mar. Recibí una llamada telefónica — creo que fue el 27 de mayo — en la que me dijeron: "Frank Foulkes fue lanzado al mar a las quince del miércoles 26 de mayo", y me daban la longitud y latitud. Dos o tres días después lo recibí por escrito; me lo enviaba Cunard. Pregunté qué había ocurrido. Todavía estoy preguntando. Pregunto a todos los que veo, que pueden estar relacionados con el hecho, pidiéndoles información. Pedí a la Unión de Marinos que me consiguieran alguna información, porque yo no podía. Cunard me contestó; me envió un duplicado de un mapa de las Falklands, uno de esos mapas que se enrollan. Tiene dibujadas las corrientes marinas, y allí habían hecho una cruz con un círculo. Además, escribieron: "Posiciones en el mar donde fue lanzado el cuerpo del señor Frank Foulkes". No me pareció que eso fuera una enorme cantidad de información. Yo quería saber por qué murió él, cuando había tantos otros rescatados. Sólo habían recuperado tres cadáveres. Supongo que el resto se encontraba todavía en el barco. ¿Por qué murieron? Desde entonces he conversado con dos de los parientes, y a ellos les dieron las razones. A mí no me las dieron nunca.

Es algo que preocupa, que carcome en todo momento, no saber. Frank era muy buen nadador. Había sido marino prácticamente toda su vida. Me pregunto por qué no sobrevivió él cuando hubo otros que lo lograron. ¿Qué anduvo mal? Supe que Frank estuvo combatiendo el fuego, me lo dijo un muchacho. Él vio que los que luchaban contra el incendio bajaban a la bodega después de la orden de abandonar el buque. La gente descendía por las escalas de cuerdas. En esos momentos había explosiones y la nave se incendiaba en diversos sitios. Los que atacaban el fuego seguían bajando. Quizás él estaba muy cansado. Eso lo he pensado. Podría ser la respuesta de por qué no pudo lograrlo. Aparentemente, estuvo en el agua, nadando. Pudo haber estado muy fría, pero pienso que tal vez estaba muy cansado a raíz de haberse esforzado tanto para combatir el fuego. Tenían con ellos todo el equipo cuando bajaron a la bodega: unos tanques grandes y pesados en las espaldas.

Me devolvieron todas sus pertenencias en una bolsa descartable. Fue desconcertante. Adentro había otra bolsa plástica y allí estaban su pipa, su reloj de pulsera, su San Cristóbal, su anillo de bodas. Me molestó mucho que le hubieran sacado su anillo de bodas, porque me preocupaba. Le ajustaba mucho y no se lo había sacado nunca. Me preocupaba pensar cómo se lo habían sacado. Él usaba siempre una gorra cuando bajaba del buque, porque no le gustaba ensuciarse el pelo con aceite. La gorra estaba en la bolsa plástica; como todo lo demás, aún seguía mojada, como si acabaran de sacarla del mar. Su lapicera y el lápiz, en una pequeña cajita de terciopelo, también estaban mojados. Parecía raro, pero la tinta todavía corría en la lapicera. Un bolígrafo y su reloj de pulsera todavía funcionaban. El tabaco se había salido de su bolsita y estaba esparcido por todas partes. Sólo habían encontrado tres cadáveres y enviado las pertenencias de los tres. ¿No podrían haber sacado antes las cosas? Nos alegramos de recibirlas, porque estábamos muy preocupados de que hubiera podido quedar atrapado en el buque y que se hubiera quemado o malherido. El hecho de haber recibido todas sus pertenencias de una sola vez y en una misma bolsa nos aseguraba que, al menos, había salido del barco y no había quedado atrapado. Ayuda mucho llegar a saber cosas como esa.

Le otorgaron la medalla de la campaña del Atlántico Sur, que llegó por correo. Estaba en tres partes. Había un trocito de cinta, y la medalla, que la recibíamos en otra bolsita descartable. Son buenos con las bolsas descartables, los del Ministerio de Defensa. Encontré también una pequeña rosa, que va con aquélla. Cuando la abrí, había una carta adentro, que me puso un poco nerviosa. Me puse a llorar en ese momento y dejé caer todo al suelo. No sabía que se había caído, porque todo se había salido del sobre, y creí que faltaba algo. No podía estar segura, pero me dije: "No, la medalla está aquí, y el pedazo de cinta está aquí". Y puse todo junto. Sólo unos días después encontré esa pequeña roseta — creo que estaba en la frutera, debajo de las naranjas— y de pronto comprendí que correspondía a la medalla.

Me resultó un poco molesto porque tenemos un cuartel del ejército, y al HMS *Inskip* a sólo tres millas de distancia (menos de cinco kilómetros). Todas las noches en el periódico local aparecen fotografías de soldados cuando reciben sus medallas. Habría sido muy lindo que me escribieran diciendo: "Si usted desea presentarse en el cuartel, uno de los oficiales se la entregará". Habría sido muy agradable que nos reunieran a todos y nos la hubieran dado con un alfiler, de manera que yo pudiera usarla. Ponérmela. Pero no. La recibí por correo en una bolsa descartable.

Creo que debíamos luchar porque ellos habían invadido territorio británico. Es realmente una cuestión de orgullo. Creo que Gran Bretaña tenía que tener ese orgullo de sí misma, de lo contrario, como nación, ¿qué seríamos ahora? Tenían que hacerlo. Pero el precio que pagó mi familia... nadie sabrá nunca exactamente qué precio pagamos. Tal vez valía la pena, por Gran Bretaña.

Todo aquello me ha cambiado. Ahora soy mucho más dura. No creo tan fácilmente cualquier cosa que me diga cualquier persona. Estoy muy amargada. Pienso que mucho de esto se debe a la forma en que nos trataron posteriormente. Nunca en mi vida me habían tratado como ciudadana de tercera clase, hasta que me encontré en medio de las Fuerzas Armadas y del Ministerio de Defensa. De pronto, como no era la esposa de un oficial... no era nada. Yo no pude comprender eso, de ninguna manera. Tampoco me resulta más fácil aceptarlo años más tarde.

Hay momentos en que pienso: "Solía sentirme así cuando él estaba afuera, en el mar. Me pondré contenta cuando vuelva a casa con licencia. Cuando aparezca en la puerta le diré: 'Bueno, ahora tú tomarás todas las decisiones. Yo no voy a tomar otra decisión hasta dentro de tres semanas'". Era maravilloso poder entregarle las riendas y decirle: "Ahora eres tú quien manda en todo. Que sea otro quien aconseje a las niñas cuando digan: '¿Qué crees que debo hacer? ¿Debo hacer esto?'" Él solía decir: "Está bien, yo me haré cargo desde ahora".

Siempre hablo a las niñas sobre él. Y ellas me dicen algo así como: "A papá le habría gustado esto", o yo digo: "Frank se hubiera enojado mucho al ver esto". Hablamos sobre él en casa y tenemos sus retratos en todas las habitaciones. No quiero que las niñas olviden a su padre, especialmente las dos menores. Aunque no creo que vayan a olvidarlo. Fue un buen padre para ellas.

Cuando los otros volvieron a sus hogares después de la guerra tuve una gran desazón. Estaba muy resentida hacia las personas que regresaban, no como individuos, sino porque ellos habían vuelto y Frank no. Hubo muchas cosas que dolieron. Hicieron una misa por el *Atlantic Conveyor*. No sabíamos nada de ella, la vimos por televisión. Una cosa como esa realmente duele, porque sentíamos que queríamos participar de todo lo que estuviera relacionado con él. Si creen que nos están protegiendo al no informarnos, no lo sé. Pero es muy triste que hagan esas cosas.

Cuando botaron el nuevo *Atlantic Conveyor*, a mis hijas no les gustó que lo llamaran así. Dijeron: "No debieron bautizarlo así. Mamá, no puede haber otro". Por supuesto, así acostumbraban a hacerlo con los buques, siempre lo hacen. Me hubiera encantado haber ido para ver la botadura. Creo que fueron miles de personas a la ceremonia. Pero evidentemente nosotras no. Si me hubieran invitado yo hubiera ido, para verlo, simplemente.

342

LORD WHITELAW

Lord Whitelaw, ahora retirado, era el miembro del gabinete de la señora Thatcher de más alta jerarquía. Durante la guerra de las Falklands era secretario del Interior y miembro del gabinete de Guerra. Durante la Segunda Guerra Mundial había prestado servicios como joven oficial con los Guardias Escoceses, ganando la Cruz Militar al valor.

Corrían rumores de que los argentinos iban a invadir las Falklands, y existía bastante inteligencia reunida para confirmar que podrían hacerlo. Ya habían amenazado antes en ese sentido. Habían hablado de la soberanía de las Malvinas, como ellos llamaban a las Falklands. Teníamos la sensación de que podrían hacerlo, pero realmente no creíamos que lo harían. Y entonces, de pronto, en esa mañana del 2 de abril, invadieron.

Yo estaba afuera ese día. Como secretario del Interior había ido a visitar el Cuerpo de Bomberos de Southampton. Me llamaron para que regresara de inmediato, y tuvimos una reunión de gabinete el viernes a la noche. Nuestro primer pensamiento fue que sería absolutamente inconcebible limitarse a enviar una protesta o una nota diplomática. Se hacía necesario tomar alguna acción verdaderamente firme. El interrogante era: ¿Debía armarse la Fuerza de Tareas? Creo que lo que teníamos in mente era: Tenemos que hacer algo, y si no enviamos una Fuerza de Tareas, ¿qué otra cosa podemos hacer? El Parlamento se iba a reunir el sábado, íbamos a tener una Cámara de los Comunes sumamente hostil, también una prensa hostil, y muchas críticas por lo que había pasado. Y si nosotros no hubiésemos reaccionado con toda celeridad y firmeza, probablemente no habríamos sobrevivido como gobierno. Se tomó la decisión de reunir la Fuerza de

Tareas y enviarla. Eso fue suficiente por un día.

Se produjo una asombrosa reacción en la nación británica: la gente que alistaba los buques, organizando la Fuerza de Tareas en los puertos; los marinos. Era una sensación realmente notable. La gente sentía que estaba haciendo algo por Gran Bretaña, y se mostraba decidida a hacerlo. La rapidez con que se organizó todo fue mucho mayor de lo que había pensado la mayoría de las personas. Superó todas las estimaciones sobre lo que habían dicho los asesores militares y navales que podríamos hacer. Había una convicción de que todo era maravilloso, pero aparecía detrás la inquietante duda: ¿Funcionará todo bien? Cuando pensábamos en las distancias y los riesgos que se presentarían, los problemas particulares del Atlántico Sur, y el no saber si los argentinos eran capaces de pelear... nadie sabía. Algunos pensaban: "Los *argies* nunca pelearán". Ésa no era la opinión de la gente que analizaba las fuerzas argentinas. Su Fuerza Aérea era ciertamente muy poderosa. Afortunadamente las navales no estaban exactamente dispuestas para el combate y eso ayudaba mucho. Pero nadie sabía qué harían los soldados (ejército). De modo que se apreciaba por un lado esa gran oleada de emoción y por el otro, el miedo intranquilizador en cuanto a la duda de si todo eso funcionaría bien cuando fuera puesto a prueba.

Era importante que mantuviéramos a los norteamericanos con nosotros, no sólo desde el punto de vista de la opinión mundial —de la opinión de las Naciones Unidas— por el hecho de que se manifestara de nuestro lado, sino que necesitábamos su colaboración para poder cumplir los planes. Ciertos equipos que ellos poseían eran muy importantes para nosotros. Se realizaron los viajes de ida y de vuelta de Haig, y confiamos en los norteamericanos para poder usar la Isla Ascensión y su base. Los norteamericanos nos la cedieron generosamente. Si no hubiéramos podido usar esa base, no habríamos tenido la capacidad necesaria para enviar la Fuerza de Tareas hasta las Falklands.[1] Los norteamericanos podrían haber dicho "No", en cualquier momento si es que desaprobaban lo que estábamos haciendo. De manera que era esencial para nosotros aparecer razonables ante Haig. Tenemos una gran admiración por él. Condujo las negociaciones con gran habilidad, si uno piensa en el tiempo que pasó volando de uno a otro país, con los cambios de modalidades y todo lo demás.

[1]Según el acuerdo USA/UK, de 1962, el Reino Unido tiene el derecho de usar el aeródromo de Wideawake, en la Isla Ascensión, sujeto al cumplimiento de un determinado aviso previo. Durante la operación de las Falklands, el requisito del previo aviso no se exigió.

No creo que ninguno de nosotros creyera que finalmente él iba a tener éxito, porque pensábamos que los argentinos habían ido probablemente demasiado lejos. Habían agitado demasiado al pueblo y, no podían echarse atrás.

La idea inicial fue que debíamos intentar persuadir a Haig de la justicia de nuestra posición... y creo que lo logramos. También debíamos recordar que los norteamericanos tienen fuertes intereses propios en América del Sur. Había presiones muy fuertes en el ala sudamericana del departamento de Estado. El propio Haig era objeto de presiones, y algunas de las personas que sostenían esos puntos de vista vinieron con él. Había asesores que eran probritánicos y otros que, si bien no eran antibritánicos, pensaban que los Estados Unidos debían sostener la opinión sudamericana.

Esa clase de presión sobre cualquier presidente norteamericano es siempre muy grande, sigue siendo hoy muy grande, y no debe ser desechada. Siempre pensamos que Haig era muy justo con nosotros, aunque inevitablemente había momentos en los que, con esas dos alas de la administración que tiraban en distintas direcciones, él parecía estar bajo la influencia de una más que de otra.

Pero estaba desesperado por lograr un arreglo. Tuvimos que demostrarle que nosotros también queríamos un arreglo, pero no a cualquier precio. Hubo momentos en los que pensábamos que no podíamos ceder a las proposiciones que él nos hacía, porque de haberlas aceptado habríamos renunciado a las nuestras con respecto a los isleños y a la soberanía de las Islas Falkland. Inevitablemente, la invasión de los argentinos había excitado al pueblo británico, y para nosotros ceder en alguna de esas cosas habría sido un error. Habríamos estado cediendo bajo presión. Y habría sido fatal para nosotros en lo que respecta a nuestra propia opinión pública.

En lo más profundo de los pensamientos de aquellos que analizaban detenidamente el aspecto militar había una gran ansiedad. ¿Se podía montar una invasión a esa distancia de la base, desde buques que se meneaban en el Atlántico Sur? Hubo un momento en que los jefes de Estado Mayor nos dijeron que no podíamos simplemente sentarnos y confiar en que surgiera alguna solución. Nos advirtieron que no podíamos mantener buques cargados de soldados estacionados durante largos períodos en el Atlántico Sur. Estarían incapacitados para entrenarse en forma suficiente, llegarían a tener un cansancio atroz y a sentirse en cierta forma inquietos e impacientes. La moral era notablemente buena, pero el efecto sobre los soldados, por encontrarse inmovilizados en los buques, bamboleándose en el Atlántico Sur durante un largo tiempo, sobre su estado físico y sobre su capacidad una vez que desembarcaran sería desastroso. Además, teníamos que pensar en los grandes buques con elevado número de soldados a bordo. Imaginar que pudiésemos perderlos...era una posibilidad.

Una de las características asombrosas de la conducción de la Primera Ministra fue que podríamos tener que ir a la guerra si los argentinos no aceptaran un arreglo diplomático. No tuvo nunca la menor duda. Parece haber ocurrido que algunos de nosotros en un momento u otro pensáramos: ¿Y si cedemos un poquito más? ¿Se terminarían con eso los problemas —que aún no habíamos enfrentado— de lanzar una invasión desde buques en el Atlántico Sur? Pero ella estaba completamente resuelta y quedó demostrado que tenía razón; había un punto desde el cual ya no se podía ir más allá.

Teníamos nuestra posición; teníamos que pensar en los derechos de los isleños de las Falklands. Ella pensaba que Gran Bretaña debía sacar la cara por ellos, y el sentir de este país era también, en gran parte, que debíamos hacerlo. Habría sido fácil avanzar sólo un poquito más, pero ella estaba decidida a no pasar de cierto punto; el punto en que parecería que ella estaba sacrificando el honor británico y los intereses de los isleños de las Falklands.

El Gabinete de Guerra estaba integrado por un grupo de políticos y antiguos asesores militares. Formábamos un grupo muy cerrado; no puede ser de otra manera cuando se trabaja juntos todo el tiempo. Nos reuníamos en la Sala del Gabinete, en el Número Diez, para tratar todos estos asuntos. Aprendimos a considerar juntos los problemas, y siempre en la forma más amigable. Era un sentimiento notable. Me resultaba extraño. Después de todo, yo había estado en la posición de recibir a los políticos, tanto en la Segunda Guerra Mundial como, particularmente, cuando era oficial de Estado Mayor en Palestina, en 1945 y 1946. Recuerdo haber insultado a los políticos por las decisiones estúpidas que tomaban y las cosas exasperantes que nos hacían hacer. Ahora, de pronto, yo me encontraba en la posición opuesta, diciéndome: Me pregunto qué está pensando toda esta gente embarcada en este asunto sobre las decisiones que yo estoy tomando. Era casi humillante, porque me daba cuenta de que ellos estaban diciendo de mí exactamente las mismas cosas que yo decía de los políticos cuando era soldado. Por momentos solía reírme de eso, le mantiene a uno los pies sobre la tierra.

Hubo una cosa a la que debimos acostumbrarnos, en gran parte por la Primera Ministra: Los políticos nunca deben mostrar a los asesores militares que temen demasiadas bajas, por más que éstas les preocupen una vez que comiencen. Si uno lo hace, influirá para que los comandantes actúen con cautela, cuando tal vez la cautela no sea lo más indicado. A ellos les preocupan tanto las bajas como a cualquier otra persona. Yo tuve cierta experiencia sobre las bajas en Irlanda del Norte, y sentía una tremenda preocupación. Trataba desesperada-- mente de no mostrarlo, porque causa mal efecto. Y eso fue particularmente cierto cuando el hundimiento del *Sheffield*. Uno no debe permitirse aparecer alterado. Obviamente, uno está alterado; todos nos sentíamos terriblemente conmovidos por la pérdida del HMS *Sheffield*, pero estábamos decididos a no demostrarlo.

El hundimiento del *Belgrano* fue un tema de particular importancia, sin embargo, en aquellos momentos fue una de las decisiones más simples en que me vi envuelto personalmente. Fue tomada cuando algunos de nosotros habíamos ido a Chequers a almorzar, en ese fin de semana. Se informó que uno de los submarinos estaba en contacto con el *Belgrano*. Recuerdo haberle preguntado al almirante Lewin (jefe de Personal de Defensa): "¿Se puede estar en contacto con el *Belgrano* y elegir el momento, si es que damos permiso para el ataque, cuando el buque esté obviamente navegando hacia las Falklands? ¿Podemos seguirlo en el Atlántico Sur y juzgar el momento?" Respondió: "No hay ninguna posibilidad de hacer eso. Se puede perder el contacto y no volver a recuperarlo nunca más". Se hacía difícil esa simple decisión. Creo que algunos de los críticos tal vez no han pensado nunca sobre ello en la forma en que lo hace uno en ese momento. ¿Qué habrían dicho todos? ¿Qué habrían dicho nuestros marinos, las familias y toda la Fuerza de Tareas si hubiera sabido que tuvimos la oportunidad de atacar al *Belgrano* y no lo hicimos porque estábamos esperando para ver qué ocurriría? Y luego, ¿si el *Belgrano* se hubiera desprendido de nuestro submarino, entrando en la zona crítica y causando un desastre en la Fuerza de Tareas? Imaginen simplemente cuáles habrían sido los sentimientos de los que estuvimos allí si esto último hubiera sido el resultado. Podría haberlo sido, y en el momento en que me dijeron eso, ya no tuve duda alguna de que teníamos que aprovechar la oportunidad que se había presentado.

A veces se reían de mí como del "viejo soldado", pero yo trataba de no ser un "viejo soldado". Es verdad que ocasionalmente interpuse el punto de vista de un soldado contra el de un marino, lo que resultó de utilidad. Cuando llegó el momento de decidir sobre la invasión de la Brigada 3 de Comandos en San Carlos, era cuestión de que los políticos aprobaran el plan de invasión. Era una tarea verdaderamente importante y difícil. Cuando algo termina exitosamente todo el mundo dice: "Oh, qué fácil era; ¿quién pensó en algún momento que no iba a resultar?" Todo está muy bien, pero cuando se debe tomar la decisión de invadir territorio ocupado por un enemigo cuyas fuerzas realmente no se conocen, cuyo poder de combate no se ha podido apreciar con exactitud... el plan de invasión era crucialmente importante. Estábamos tratando el tema y yo recuerdo haber dicho: "¿Por qué van a desembarcar en Bahía San Carlos, a tanta distancia de Puerto Stanley que es el objetivo principal? Por cierto que, desde el punto de vista militar deberíamos desembarcar tan cerca como sea posible, para que nuestros soldados tengan que marchar una menor distancia".

Descubrí que ésa había sido la opinión del general Bramall (jefe de Estado Mayor General), también desde el punto de vista de un soldado, aunque no creo que le importe que yo se lo atribuya. De modo que le resultó divertido que yo propusiera lo mismo. Pero estaba claro, cuando nos dieron todas las explicaciones, que existía la necesidad de proporcionar a los buques un sitio seguro para fondeadero. Necesitábamos ponerlos en cierto lugar donde no pudieran ser bombardeados muy efectivamente. San Carlos era la mejor elección. Era un punto de equilibrio entre el juicio naval, aéreo y militar. Fue una discusión muy interesante e importante. Recuerdo haber preguntado cómo diablos íbamos a meter los buques en un espacio tan reducido. Evidentemente era una pregunta tonta, porque todos los marinos que estaban allí reunidos dijeron: "Por supuesto que no se pueden poner los buques dentro de un espacio como ese". Y posteriormente dijeron: "Bueno, no estábamos tan seguros, pero pensamos que a usted debíamos decírselo con seguridad. Ninguno de nosotros tenía la certeza".

Teníamos que pensar en la Fuerza Aérea Argentina y lo que iba a ocurrir si tenían buen tiempo y bombardeaban simplemente la estrecha concentración de San Carlos con todos esos grandes buques en ella. Piensen en el prestigio de esos buques de línea si hubieran sido bombardeados. Podía haber ocurrido. En el día de la invasión, éstas eran las cosas que más nos aterrorizaban.

Tuvimos momentos de gran depresión. La pérdida del *Sheffield* fue el primer golpe importante, un golpe sumamente fuerte. También se presentó el problema de nuestros abastecimientos cuando hundieron el *Atlantic Conveyor*. Fue terriblemente grave. Y después, naturalmente, Bluff Cove (Bahía Agradable) y los Guardias Galeses. Eso también fue un tremendo golpe. Las cifras. Me sentía muy mal por eso en su momento, pero estaba obsesionado por la idea de no permitirme demasiada preocupación por las bajas, aunque me inquietaba profundamente por ellas detrás de la escena, sin exteriorizarlo nunca.

Solía hablar con la Primera Ministra y se mostraba absolutamente maravillosa con respecto a aquello. Yo pensaba que era asombroso. Cuando alguien está en la más alta posición, en los momentos de gran tensión en la vida pública, existe una gran diferencia entre ser la persona en la que recaen todas las responsabilidades y, como era yo, la persona más próxima junto a ella. Allí era donde se veía la ligera diferencia entre ella y gente como yo. Es una ligera diferencia, pero es muy real. Es por eso que yo la admiraba tanto. Me fortalecía más en mi decisión de que, bajo ninguna circunstancia debía mostrar mis sentimientos (con respecto a las bajas) ni siquiera a ella. Era parte de mi responsabilidad alentarla, no demostrarle ninguna duda.

Creo justo decir que ella tiene todas las cualidades necesarias para ser una gran líder en tiempos de guerra. Tiene un enorme valor, y no siempre se alcanza a saber cuánto coraje tuvo en los momentos difíciles. Tiene una inmensa determinación. No ha de ser fácilmente desviada de un cierto punto de vista. A veces la gente considera que eso es decepcionante y querría hacerla cambiar. Pero cuando se trata de conducir un país en guerra, la determinación y firmeza de propósitos son muy importantes; en combinación con algo que ella no siempre muestra... que es un notable grado de compasión. Algo que es necesario porque en una situación de tiempo de guerra hace falta esa emoción que resulta siempre excitada por los hechos. He trabajado con ella en muchas situaciones distintas y pienso que ha demostrado estar absolutamente en su mejor forma ante esa clase de desafíos, porque todas aquellas cualidades surgen con la mayor fuerza.

La victoria de los paras en Prado del Ganso fue un estímulo considerable para nuestra moral. Creo que inicialmente muchos de nosotros estábamos preocupados ante la idea de que, habiendo obtenido la cabeza de playa en San Carlos, nos íbamos a quedar allí inmovilizados, sin poder lograr una ruptura de salida. Todo el mundo recordaba el tiempo que llevó moverse a partir de la cabeza de playa en Normandía. Considerando todo el territorio de las Falklands no era una superficie muy grande, pero estar clavados en un espacio muy pequeño, confinados en él, habría causado cantidad de problemas en todo sentido, incluido el frente diplomático. Si nosotros no nos movíamos, todas las propuestas de un cese del fuego cobrarían fuerza, y las condiciones no habrían sido beneficiosas desde nuestro punto de vista. Estaban presentes todos esos riesgos. Una ruptura era muy importante, y estábamos ansiosos por verla. Prado del Ganso también fue importante porque nos hizo comprender que, si algunas unidades de primera clase los empujaran realmente, era muy probable que los argentinos no fueran soldados tan fuertes como se pensaba. Y eso nos daba grandes esperanzas para el futuro.

Yo estaba muy preocupado a causa del combate por el Monte Tumbledown, porque se trataba de mi antiguo regimiento, los Guardias Escoceses; ellos eran los que debían atacar. Y se produjo en el famoso último día de toda la campaña. Esa mañana nos reunimos en nuestro acostumbrado encuentro en el Número Diez, y habló el almirante Lewin, mientras me miraba directamente. Él sabía que yo había prestado servicios con los Guardias Escoceses durante la guerra, y que estaba inmensamente orgulloso de mi viejo regimiento y tenía profundos sentimientos hacia ellos.

Dijo: "Bueno, sólo queda realmente un problema. Si los Guardias Escoceses tiene éxito en la toma de Tumbledown —una empresa sumamente grande— probablemente estemos en Puerto Stanley esta noche, y tal vez ése sea el golpe final de la guerra. Es un paso de enorme trascendencia, y realmente no sé si triunfarán".

En cierta forma era un gran desafío para mí. Entonces, riendo, yo dije: "Por supuesto que van a ganar, yo sé que lo harán". No creo que tuviera derecho a decirlo, porque ¿cómo podía yo saber la tremenda tarea que iba a ser? Yo también tenía mi ansiedad.

A las diez de la mañana concurrí a mi trabajo normal en la Secretaría del Interior. No pude sacarme aquello de la cabeza en todo el día. Tuve los problemas habituales que se le presentan a uno como secretario del Interior, pero no podía concentrarme en ellos. Probablemente mis asesores se hayan dado cuenta de que la mayor parte del día yo estuve pensando en otra cosa y no dedicaba mi mente a los problemas en estudio; aunque supongo que eso les ocurre a todos los asesores con todos los ministros de tanto en tanto.

A las cinco de la tarde aproximadamente dije a mi secretario privado: "¿Crees que sería razonable pedirte que llamaras al jefe de Estado Mayor y le preguntaras qué sucedió en ese combate?"

"Por supuesto, ¿por qué no?", dijo él. Y llamó y nos contestaron que el combate aún continuaba, pero parecía que hubiéramos ganado, aunque habíamos experimentado una considerable cantidad de bajas. Todo hacía suponer que sería un triunfo. Recuerdo que aún continuaba mi ansiedad. Una media hora más tarde, entró el almirante Lewin en persona y dijo: "Han ganado. Usted tenía razón".

Mi reacción fue de inmenso alivio, un gran alivio, porque después de ese éxito entraríamos en Puerto Stanley esa misma noche. Pensé que mi viejo regimiento había obtenido un efecto muy importante en el desenlace de la guerra. Yo me sentí parte de él en esos momentos, porque tuvimos la noticia de la victoria de los Guardias Escoceses y, al mismo tiempo, de nuestra victoria final.

No se ajusta uno tan rápidamente a esa clase de ocasiones, después de haber estado tanto tiempo tratando la crisis. De repente pensé: Bueno, ¿y qué va a pasar mañana? No habrá reunión. Ese es el sentimiento casi absurdo que se le ocurre a uno. Apenas puede creer que después de todos los problemas y obstáculos que se habían presentado, se obtenía ahora el éxito. Recuerdo haber ido a la Cámara de los Comunes para reunirme con la Primera Ministra en su despacho. Evidentemente, estábamos encantados. Después fui a mi casa y cenamos muy tranquilamente con mi esposa. Lleva bastante tiempo acostumbrarse a la situación. No tuvimos ninguna celebración en particular en ese momento. Sólo nos sentamos y dijimos: "¿Te parece que esto es del todo real?"

Epílogo

Seis años después de la terminación del conflicto, los restos mortíferos de la guerra siguen expuestos en la extensa soledad de las Islas Falkland. Se descubren regularmente granadas de mano, cohetes, minas, trampas cazabobos, bombas antipersonales, granadas de artillería e incalculables millones de proyectiles de armas livianas. El Real Escuadrón de Ingenieros que tiene a su cargo la desactivación de bombas, alojado ahora en una nueva construcción prefabricada, detrás de la Oficina de Correos de Stanley, sobre Ross Road, lleva la cuenta del total acumulado. Han encontrado y desarmado dos millones, seiscientas sesenta y cuatro mil setecientas ochenta unidades de munición explosiva; deshechos que matan, hieren y mutilan. Las playas de la Bahía York, la Ensenada Gipsy, y la Bahía Surf, donde en una época los isleños caminaban con la única compañía de los pingüinos, ahora están cercadas con alambre de púas. Unos carteles rojos de advertencia, con una calavera blanca y huesos cruzados, comunican que ese particular campo minado argentino aún no ha sido limpiado. Para los isleños, esos restos de la guerra son recordatorios permanentes de los hechos que tuvieron lugar entre abril y junio de 1982, de la realidad de que la Argentina se halla a sólo cuatrocientas millas (seiscientos cuarenta kilómetros) y de que, en pocas horas, una importante fuerza militar pudo ocupar las islas y hacerse cargo de ellas.

El gobierno civil de Buenos Aires quiere reanudar las conversaciones sobre el futuro de las Falklands. En noviembre de 1988, la gente responsable del fracaso argentino, los miembros de la Junta Militar, fueron enviados a prisión por doce años. Pero los isleños no tienen la menor disposición para el diálogo. Antes de la guerra nunca confiaron en los políticos de Londres, creyendo que ellos simplemente querían deshacerse de las islas porque se habían convertido en un molesto problema diplomático, que entorpecía las relaciones con la Argentina. Ahora, en Downing Street tienen a la señora Thatcher, que se ajusta mucho más a sus preferencias. La ven casi como a una salvadora. Es su talismán. No sólo envió la Fuerza de Tareas para recuperar las islas; cuando otro Primer Ministro podía haber aceptado el arreglo de la intervención de las Naciones Unidas, la señora Thatcher continúa insistiendo en que la soberanía sobre las Falklands no es negociable, y que los deseos de los isleños son primordiales.

Siete años más tarde son muchas las cosas que han cambiado. Aunque las calles de Stanley no están pavimentadas con oro, los isleños viven un período de prosperidad económica que se extenderá en el futuro. Las Falklands están inundadas de dinero en efectivo: veinticinco millones de libras esterlinas en 1988-89, por las licencias de pesca en el Atlántico Sur. El presupuesto anual del gobierno de las islas es de treinta y cuatro millones de libras, comparado con los dos millones y medio de 1984-85. El producto bruto nacional por cabeza, de los dos mil habitantes de las Falklands significa que son dos veces más ricos que el inglés promedio. Ese dinero ha traído como consecuencia una baja en los impuestos personales y desarrollos largamente esperados en las islas: mejores servicios locales, una nueva escuela y piscina, y un moderno sistema telefónico para reemplazar las antiguas centrales y los equipos operados a manivela de las comunicaciones inalámbricas en algunas de las casas más lejanas. En 1982, esa clase de inesperadas ganancias sólo era un sueño.

Poco tiempo antes de la ocupación argentina, el gobierno británico rechazó un requerimiento de doce millones de libras para prolongar la pista del pequeño aeropuerto de Stanley, lo que habría permitido que llegaran aviones más grandes de pasajeros desde el continente sudamericano. Ahora las islas tienen un aeropuerto internacional de quinientos millones de libras esterlinas en Monte Pleasant —una muestra de las capacidades de la ingeniería civil británica— aunque es poca la gente para llevar allí. Es el cuartel general de la presencia militar británica. Mientras que antes el gobierno británico estuvo decidido a retirar el único buque de patrullaje en la zona, el HMS *Endurance*, ahora la Marina Real tiene una fragata en forma permanente estacionada en el Atlántico Sur. Los *Phantoms* de la RAF patrullan los cielos; hay soldados en la guarnición de la isla, baterías de misiles y sofisticadas instalaciones de radar como centinelas silenciosos.

Todo esto —la prosperidad económica, la señora Thatcher en el Número Diez y una presencia militar permanente— hace que los isleños se sientan más seguros. Al mismo tiempo, queda abierto el interrogante con respecto a que los gobiernos futuros continúen o no la política de la señora Thatcher de la "Fortaleza Falklands". En la superficie tal vez es mucho lo que ha cambiado. Sin embargo, nada sustancial ha cambiado. Las Falklands ya no son el tranquilo y olvidado remanso de paz que alguna vez fueron, pero en el juicio y conocimiento del público general británico, las islas han retrocedido al nivel de importancia que tenían antes de los hechos de 1982. Poca gente, aparte de los directamente afectados de la guerra, pasan mucho tiempo pensando en las Falklands, pero al menos ahora saben que no se encuentran en el extremo de Escocia.

Qué extraordinario resulta que sólo unos pocos años después de la Segunda Guerra Mundial, los aliados solucionaron la mayoría de las diferencias que tenían con Alemania Occidental y Japón. Sin embargo, siete años después de la guerra de las Falklands el tema central no está resuelto; por cierto, parece insoluble. El pueblo argentino puede estar muy contento por haberse liberado de la junta militar, pero sigue pensando que las Malvinas son de ellos. De manera que los reclamos de la Argentina por las islas no desaparecerán... como tampoco las bajas producidas por la sangrienta guerra liberada en el Atlántico Sur.

Después de una guerra, la gente recuerda naturalmente a los que murieron —tanto Argentina como Gran Bretaña tienen sus propios héroes caídos. Pero tal vez corresponda también que recordemos a los que viven, a los que volvieron. Si a algo se refiere *Hablando Claro* es justamente a cambiar nuestras percepciones, la forma en que pensamos sobre la guerra y los hombres que hacen la guerra. Lo que descubrimos es que debíamos haber sabido en todo momento; que los soldados, los marinos y los hombres del aire, cualquiera sea el lado en el que estén, son seres humanos que experimentan emociones humanas. Los momentos vividos están grabados en sus memorias. Debajo del exterior recio y violento, más allá de la imagen popular del combatiente, más allá de las medallas y las armas, el uniforme y el entrenamiento, son meramente carne y hueso, y tan vulnerables como el resto de nosotros.

Índice

Isidoro J. Ruiz Moreno

Comandos en acción

El Ejército en Malvinas

Este interesante y revelador libro relata fielmente las operaciones de las Compañías de Comando del Ejército, integradas únicamente por militares profesionales, en la guerra de las Malvinas. Fue escrito en base a los testimonios de los propios oficiales que estuvieron en la acción. Su autor, el Dr. *Isidoro J. Ruiz Moreno,* es profesor de historia en la Universidad de Buenos Aires en la Escuela Superior de Guerra.

Benigno H. Andrada

Guerra aérea en las Malvinas

La versión directa de los pilotos que intervinieron en los combates, sin omitir los "derribos y fracasos". Un relato emocionante, notable por su vigor y sinceridad. Parece un libro de ficción, pero los hechos fueron patéticamente reales.

Bonifacio del Carril

La cuestión de las Malvinas

En la resolución 2065, la Asamblea General de las Naciones Unidas declaró comprendidas a las islas Malvinas en el proceso de descolonización previsto en la resolución 1514, tomó nota de la disputa sobre la soberanía entre la Argentina y Gran Bretaña e invitó a las partes a resolver la cuestión por medio de negociaciones pacíficas. En este volumen se reúnen los principales trabajos del Dr. del Carril sobre este importante problema nacional, desde las publicaciones de 1964 hasta abril de 1982.

El futuro de las Malvinas

Este estudio sobre el futuro de las islas Malvinas ha sido realizado sobre la base de informaciones y opiniones de diversas fuentes, que se citan en su lugar, casi todas de origen británico. En la medida de lo posible ilustra los temas tratados. Los propios autores británicos hacen notar la dificultad en que se encuentran para establecer la verdad histórica como consecuencia de las normas de secreto de los archivos del Foreign Office que van según los documentos, desde hace treinta hasta cien años, en algunos casos. El profesor Beck señala que la imposición de restricciones tan excesivas puede ser tomada como implicancia de que hay algo que ocultar.

El doctor Bonifacio del Carril, ex ministro de Relaciones Exteriores, presidió como Embajador Extraordinario la delegación argentina ante las Naciones Unidas que gestionó y obtuvo la sanción de la Resolución 2065 (XX).

OTROS TÍTULOS
de nuestro sello editorial

Alexander Betts - Peter Bate
**La verdad sobre Malvinas,
mi tierra natal**

Max Hastings - Simon Jenkins
La batalla por las Malvinas

D. Rice - A Gavshon
El hundimiento del Belgrano

David Tinker
**Malvinas. Carta de un
marino inglés**